Os Mártires do COLISEU

O Jovem Bispo

Os Mártires do COLISEU

O Sofrimento dos Cristãos no Grande Anfiteatro Romano

A. J. O' Reilly

Tradução
Marta Doreto de Andrade

26ª impressão

CPAD
Rio de Janeiro
2019

Publicado originalmente em inglês em 1874 como History of the Coliseum and Its Martyrs.

Tradução: Marta Doreto de Andrade
Preparação de originais: Isael de Araujo
Capa e projeto gráfico: Alexander Diniz
Editoração: Leonardo Marinho

CDD: 270 - História do cristianismo
ISBN: 978-85-263-1753-6

Para maiores informações sobre livros, revistas, periódicos e os últimos lançamentos da CPAD, visite nosso site: https://www.cpad.com.br

SAC — Serviço de Atendimento ao Cliente: 0800-021-7373

Casa Publicadora das Assembleias de Deus
Av. Brasil, 34.401, Bangu, Rio de Janeiro - RJ
CEP: 21.852-002

26ª impressão: 2019 - Tiragem: 2.000

"O sangue dos mártires é a semente dos cristãos."

— *Tertuliano*

Prefácio à edição brasileira

"Até quando, ó verdadeiro e santo Dominador, não julgas e vingas o nosso sangue dos que habitam sobre a terra?" (Ap 6.10).

Os Mártires do Coliseu são um livro indispensável para se conhecer a fé e a coragem dos primeiros seguidores do Nazareno. Investigando diversas fontes, quer cristãs quer seculares, utiliza-se o teólogo das ferramentas do historiador. E, assim, leva-nos a inteirar-se do que realmente aconteceu com as primeiras testemunhas de Nosso Senhor Jesus Cristo.

A história toda se passa em torno do Coliseu. Erguido com a pompa e a arrogância tão próprias de Roma, abriu os frontões para que o populacho, sequioso por pão e circo, se divertisse com o sangue de nossos irmãos. Executados de maneira cruel, os discípulos de Cristo encharcavam, com o seu sangue, aquela arena. Mas com a serenidade dos justos, encaminhavam-se à Nova Jerusalém.

Deles encheu-se o céu; de seus algozes, encher-se-ia o inferno.

Este livro não é para ser lido propriamente do ponto de vista teológico; tem de ser relido sob a ótica do historiador. Na tarefa de resgatar os depoimentos para a reconstrução de um dos períodos mais negros da história da Igreja Cristã, viu-se o autor obrigado a recorrer às mais diversas fontes.

Leia todo esse livro com a mente voltada ao Coliseu onde foram os nossos irmãos martirizados, a fim de que hoje pudéssemos estar nos átrios do Senhor celebrando-lhe o nome e bendizendo-lhe a glória.

A CPAD sente-se honrada em apresentar ao povo evangélico um dos livros mais completos acerca do martírio dos primeiros cristãos. Temos certeza de que, nestas páginas, encontraremos a necessária coragem para prosseguirmos a nossa carreira até a volta de Cristo Jesus.

Os martírios não são uma coisa do passado; neste momento, em algum lugar do mundo, alguém está selando a fé em Cristo com o próprio sangue. E para tanto são motivados pela ressurreição da última trombeta.

Maranata,
Ora vem, Senhor Jesus.

Os Editores.

Prefácio à 1ª edição

O presente livro, imperfeito como é, tem a recomendação de ser o único sobre o assunto publicado em inglês. Com uma leve mudança, esta afirmação pode ser estendida a cada uma das línguas européias. Algumas obras sobre o Coliseu têm sido impressas na Itália, mas tratando-o como um monumento pagão, ou uma obra de arte. Acho que nenhuma delas dedica mais que algumas páginas aos registros cristãos. *Memorie Sacre e Profane dell Anfiteatro Flavio*, de Marangonis, que é sem dúvida a melhor, e da qual eu tirei muita coisa para as páginas a seguir, não oferece mais que alguns dos nomes dos mártires do Coliseu, com referências aos seus feitos. Todos admitem que o Coliseu foi santificado pelo sangue de milhares de mártires: mencionam alguns dos mais importantes, e seguem adiante como se o mundo não tivesse interesse nas mais sagradas e solenes reminiscências do passado cristão.

O cardeal Wiseman, em seu prefácio a *Fabíola*, escreveu o seguinte: "Se um cristão moderno desejasse realmente saber o que os seus antepassados sofreram pela fé durante os três séculos de perseguição, não o poderíamos satisfazer com uma visita às catacumbas, como temos nos empenhado em fazer, a fim de que conhecesse a espécie de vida que eles foram compelidos a viver. Aconselhá-lo-íamos, contudo, a ler aqueles registros imperecíveis, *Acts of the Martyrs*, que lhe mostrariam como eles foram mortos. Não conhecemos, depois da inspirada Palavra de Deus, um escrito tão comovente, tão terno, tão consolador, e que ministre tanta força à fé e à esperança, como este venerável monumento. E se o nosso leitor, assim aconselhado, não dispusesse de muito tempo para ler sobre o assunto, limitá-lo-íamos prontamente a um único exemplar – o genuíno *Acts of SS. Perpetua e Felicitas*. É verdade que ele seria melhor lido pelo erudito em sua clara latinidade africana, mas acreditamos que alguém logo nos dará uma valiosa versão inglesa desta obra, e de outros documentos dos cristãos primitivos, similares a este.... Quando a nossa mente está triste, ou a insignificante perseguição de nossa época inclina à murmuração o nosso coração fraco, não podemos fazer nada melhor que nos voltar a essas histórias auríferas e verdadeiras, a fim de nos encorajarmos pela contemplação do que crianças e mulheres, catecúmenos e escravos, sofreram por Cristo, sem murmuração".

Nem preciso dizer como aceitei, de acordo com as minhas habilidades, esta sugestão do mais eminente dos escritores modernos. Há muito que gosto de elogiar a profunda mina de riquezas espirituais contida nos *Acts of the Martyrs*. Mas estes registros preciosos do passado não se encontram nas mãos de todos. A soma requerida para comprar os grandes tomos de cinqüenta fólios dos Bollandistas, e a erudição necessária para se compreender o latim e o grego antigos, no qual foram escritos, colocam-nos fora do alcance da maioria dos leitores. Por conseguinte, qualquer tradução desses memoriais da Igreja Primitiva deve ser interessante e útil. A virtude, o poder, e a vida extraordinária dos primeiros cristãos contrastam admiravelmente com os dos cristãos atuais. Contudo, o cristianismo é agora tão brilhante e poderoso quanto era triunfante no Coliseu. É a mesma fé que anima a virtude do justo; é o mesmo Espírito Santo que guia e preserva Igreja imperecível, edificada sobre a Rocha.

Nas traduções a seguir, nem sempre me confinei à versão literal do original. Ao contrário, diligenciei por evitar a monotonia e a aridez das traduções textuais. Tomei as idéias apresentadas nos *Atos*, e moldei-as na fôrma inglesa, muitas vezes lançando flores à sua volta, quando nenhuma era vista no original; particularmente na história romântica de Plácido. Onde encontrei passagens extraordinárias nos mais autênticos *Atos*, citei o texto nas notas, e dei as referências necessárias.

Repentinamente chamado de volta ao cenário de meus antigos labores, submeti-me ao julgamento dos meus superiores, entregando o manuscrito aos impressores em seu estado imperfeito; e sem outro pensamento sobre o seu sucesso ou fracasso, confiei o pequeno volume à indulgência de meus leitores. Se por acaso o belo e interessante assunto que eu apressadamente reuni induzir algum experiente e hábil escritor a tratar, magistralmente e de maneira histórica, esta importante parte da história do cristianismo, sentir-me-ei recompensado por meus humildes esforços; e se, além disso, estes tocantes contos de amor, estes milagres e maravilhas fluídos da graça de Deus, encontrados em cada página destes registros, despertarem no leitor cristão ao menos um sentimento de piedade e caridade, sentirei que o meu labor não foi em vão.

Prefácio à 6ª edição

No dia primeiro de fevereiro de 1874, fui um dentre muitos que, por devoção e curiosidade, visitei a antiga e venerável ruína do Coliseu. Fora anunciado que o governo italiano prestara-se a uma profanação sem sentido de sua arena, tão querida nas memórias sagradas do passado; mas ainda que freqüentemente forçados a encarar os vestígios da perseguição e do sacrilégio, poucos daqueles cenários tristes causaram mais indignação que aquele diante de nós.

No centro da arena, uma multidão olhava em silêncio alguns operários removendo os últimos restos dos graciosos degraus em forma de pirâmide, que sustentaram a cruz indulgenciada que, por mais de um século, adornara a arena. Disseram que a cruz, agora desaparecida, fora retirada à noite. À volta, alguns homens estavam destruindo as capelinhas da Via Sacra, com uma diligência e uma gravidade usualmente não vistas nos trabalhadores italianos: três das estações já haviam desaparecido; os golpes das marretas e dos machados, misturando-se às massas da alvenaria, eram os únicos sons que ecoavam através da vasta ruína. O pesar e a indignação suprimida eram fortemente expressados no semblante da multidão calada. Umas poucas almas pias e corajosas estavam visitando, pela última vez, as estações que restavam. Vimos diversas matronas romanas chorar, enquanto observavam a obra de demolição; apartados dos demais, alguns eclesiásticos franceses condenavam audivelmente, em excitada conversa, a cena que tão forçosamente recordava os dias dos

Iconoclastas. E a razão para esta profanação foi oficialmente apresentada: – *Estes memoriais religiosos não estavam de acordo com o caráter pagão das ruínas.*

De fato, o Coliseu fora um edifício pagão, mas as orações e a veneração das gerações que por ali passaram durante quinze séculos, o sangue de milhares de mártires, e o terrível sacrifício em massa, oferecido dentro de seus limites, converteram-no em um monumento cristão. Se um único mártir lhe houvesse santificado o solo com o seu sangue, reverenciar-lhe-íamos as ruínas.

Era a festa de São Inácio para os Católicos. Naquela mesma manhã, 1.767 anos antes, o venerável patriarca de Antioquia fora devorado na arena pelos leões. A imaginação transporta-nos sobre o vale do passado; ouvimos os gritos da multidão pagã clamando pela aniquilação do cristianismo. Vemos a bela Martina ajoelhando como um serafim no meio dos animais selvagens; o bravo Plácido, o jovem Marino, e os invencíveis Eleutério, Potito, Alexander, e Vítor; todo o bravo grupo que ganhou sua coroa nesta arena. Verdadeiramente, as reminiscências de seu combate lançam um halo de reverente temor sobre este campo de batalha do triunfo cristão.

A Via Sacra, que os godos piemonteses foram cruelmente destruindo, foram erguidas em memória dos eventos tão caros ao coração do povo romano. O ano de 1750 chegava ao final. Fora um bom ano para os romanos. Entre eles vivia o grande Leonard de Port Maurício. As vastas e magníficas igrejas da Cidade Eterna eram pequenas para abrigar as multidões que se reuniam à volta deste pregador. Ele teve de deixar as igrejas e pregar nas praças públicas.

O Coliseu finalmente tornou-se o grande lugar de encontro, e vinte mil pessoas reuniram-se à roda do rústico púlpito do anfiteatro. Certa ocasião, os piedosos desejaram erigir um memorial às horas felizes que passaram com o eloqüente Leonard no Coliseu. Por sugestão sua, o memento mais adequado para adornar o calvário dos mártires foi a Via-Crúcis. A grande ruína achava-se então livre dos ladrões e bandidos, que ali costumavam ocultar-se à noite, quando suas abóbadas sombrias cobriam muitas traições contra a vida humana, bem como os perpetradores do crime.

A irmandade cristã, fundada por Leonard, visitava todas as sextas-feiras as estações na arena; peregrinos de todas as partes do mundo faziam-se em lágrimas diante daquelas tocantes representações de um passado terrível, que estavam agora sofrendo o sacrilégio sob os pés de uma multidão pesarosa.

Além do amor que o governo italiano tem pelo monumento pagão, amor que os induziu a remover os "degradantes" emblemas do cristianismo, a presente profanação das ruínas é absurdamente promovida sob os auspícios de pesquisa arqueológica. Isto, imaginamos, não passa de um pretexto no qual eles nos permitem acusá-los de ignorância, em vez de infidelidade.

Mas não podem ignorar que a arena do anfiteatro continua em seu presente nível; que em 1810, ela foi escavada por Fea e Valadier, que nada encontraram, senão os muros de sustentação, que permitiam as passagens subterrâneas para a maquinaria, os canos de água, etc. Os projetos do anfiteatro de Roma têm sido os mesmos que aqueles de Cápua, Verona, e Pompéia, e todo a planta baixa do Coliseu pode ser vista na Biblioteca Minerva, a poucos metros da velha ruína. Não obstante o capricho dos godos, que domina no capitólio, a santidade da arena, o sentimento religioso do povo, e os recursos emprestados de um governo falido, devem ser sacrificados para se procurar novas plantas da fundação do Coliseu.

Indubitavelmente, estas escavações encontrarão o mesmo fato que aquelas de Fea e de seus patrocinadores, em meio à usurpação francesa. O corte profundo na arena tornou-se um receptáculo de águas estagnadas, que liberavam vapores nocivos no ar, e pelo desejo universal, a arena foi restaurada ao seu nível original.

Não foi a arqueologia, mas o paganismo e a infidelidade, que instigaram a profanação deste sagrado monumento da Roma antiga.

A profanação da velha ruína teve um efeito totalmente contrário ao pretendido. O Coliseu é agora muito mais conhecido, e mais estimado que nunca pelos cristãos. A vida de seus mártires e a história de seus milagres palpitantes são agora lidas em cada língua da Europa, e procuradas em toda parte.

Os Mártires do Coliseu é a única obra, sobre o assunto, à tona no vasto oceano da literatura. E como é crescente a demanda por ela, apresentamos uma edição revisada ao público americano.

Nas páginas desta pequena obra, encontrar-se-ão razões suficientes para o protesto que fazemos à violação do Coliseu. Nossa indignação encontrará eco no sentimento de muitos viajores que, como nós, recordam o tempo em que se sentiram arrebatados por sua magnificência; este eco, levantado e repetido por cada nação civilizada sob o sol, tem uma resposta bem além das estrelas, onde a brilhante galáxia da estola carmesim busca a vindicação de seu sangue – vertido novamente no desdém dos pagãos do século dezenove.

O Autor.
Toronto, Palácio de São Miguel, 1874.

Sumário

Introdução

Capítulo 1

"Tu fizeste brilhar, rolar a lua sobre
Tudo isto, e lançar uma luz ampla e meiga
Que suavizou a austeridade venerável
Da áspera desolação, e preencheu,
Como era, mais uma vez, as fendas dos séculos,
Deixando aquela beleza que ainda era assim,
E fazendo o que não era, até o lugar
Tornar-se religião, e o coração transbordar
Com a mesma adoração dos grandes dos tempos antigos,
Os soberanos mortos que ainda testemunham,
De suas urnas, a fé em Cristo."

— Byron's Manfred

Não há ruína do mundo antigo tão interessante como o grande anfiteatro de Roma. Ele resiste em estupenda magnificência, em meio às sete colinas da antiga capital do mundo, como um monumento a tudo o que foi grande e terrível no passado. A imensidão e majestade de sua estrutura falam da perfeição da arte; as suas reminiscências evocam os horrores da perseguição aos santos, e os triunfos do cristianismo. Ele foi o campo de batalha onde a Igreja lutou pela conversão do mundo pagão; o sangue dos heróis martirizados, que tombaram em combate, ainda se mistura ao pó da arena.

As tempestades de dezessete séculos já rolaram sobre o poderoso anfiteatro, deixando-o como um gigante em suas ruínas, palpitando em sua história. Bancadas elevam-se sobre bancadas, em direção à abóbada azul do céu; o olho admirado não pode captar sua imensidão; e embora sacudido por terremotos e relâmpagos do céu, e tendo o seu calcário roubado por saqueadores da Idade Média, ele ainda permanece com imperecível grandeza em meio às sete colinas, "um nobre destroço de ruinosa perfeição".

Recordamos bem a nossa primeira visita às ruínas do Coliseu. Foi o acontecimento de nossa vida. Encontramos nos escombros majestosos a realização do mais alto vôo de nossa imaginação. Mil pensamentos acorreram-nos à mente; a majestade silenciosa amortalhando aqueles muros imensos e sua história emocionante fez-nos ficar grudados no solo, em admiração e reverência. Bastou um olhar momentâneo, e o pensamento preencheu o intervalo de séculos. Os assentos de mármore foram novamente lotados, perante os olhos da mente, com milhares de seres humanos; o leão ferido, o gladiador agonizante, o mártir ajoelhado, surgiram em rápida sucessão na arena manchada de sangue; o grito ensurdecedor do populacho excitado; a condenação dos cristãos, e o clamor para que o seu sangue fosse dado a saciar a sede dos leões... Tudo formou um quadro do passado, que fez estremecer o coração. Ficamos na arena que viu a infância de Roma e a glória da Igreja. O próprio pó sob nossos pés era santo! Um dia ele entregará o que na eternidade será o mais brilhante ornamento dos céus: o sangue dos mártires. Com um sentimento de temor e respeito, contemplamos a cruz – estandarte do cristianismo – que lançava a sua sombra triunfante sobre a arena silenciosa.

Envoltos em pensamentos, ouvimos a admiração, expressada em diversas línguas, dos grupos de turistas que fitavam as poderosas ruínas. Milhares afluem anualmente à Cidade Eterna, e simplesmente apressam-se ao Coliseu, como a mais interessante das muitas vistas de Roma. Aí, o comerciante d'além das montanhas rochosas fica ao lado do garimpeiro da Austrália, e, como foi o nosso caso, o missionário em licença para tratamento de saúde, do Cabo da Boa Esperança, aperta a mão de um velho companheiro de escola, das Ilhas Britânicas. De manhã à noite, os estrangeiros são vistos na arena da famosa ruína; e bem depois do anoitecer, quando o silêncio e a escuridão emprestam uma atmosfera romântica adicional à sua magnificência, ainda estão por ali. Quando a pálida luz da lua avoluma-lhe as arcadas melancólicas para uma imensidão maravilhosa, o turista sentimental permanece na solidão triste da gigantesca construção, e alimenta a vívida imaginação com imagens fantasmagóricas de castelos e torres, e de outros anfiteatros; imagens que emergem dos arcos quebrados e das paredes desintegradas. O Coliseu, uma vez visto, jamais é esquecido, quer tenha sido contemplado ao esplendor do ardente sol italiano, ou sob a mágica influência da luz do luar.

A nossa primeira hora no Coliseu foi de pesar. O presente contribuiu mais que o passado para lançar escuridão sobre os nossos pensamentos. As cenas terríveis que tiveram lugar naquela arena, a matança indiscriminada de vítimas inocentes, o grito inumano que consignava o bravo gladiador à sua sorte, os horrores de sua carnificina, justificam o nome dado por

Tertuliano: *um lugar sem clemência.*[1] A maldição do paganismo animava esse templo das Fúrias, endurecendo o coração dos espectadores, e causando uma obsessão e uma cegueira demoníacas. Esse quadro era doloroso, mas outro pensamento acrescentou-nos tristeza: milhares de pessoas que acorrem ao Coliseu são estranhas às sagradas reminiscências que pairam à roda de suas ruínas sagradas. Esse espírito de infidelidade, que atualmente despoja a literatura de todo sentimento de religião, não permitirá à história apresentar a parte mais sagrada e solene de seus registros. Os guias de turismo irreligiosos estão nas mãos dos viajantes; livros que devotam todas as páginas à descrição das práticas infames e sangrentas do paganismo, mas não se atrevem a dedicar um parágrafo, ou mesmo fazer uma alusão, ao sofrimento dos mártires. A descrição é sobre o monumento pagão, mas nada menciona de sua conexão com os primeiros dias da Igreja. O cristão instruído vê no Coliseu mais que paredes indestrutíveis ou desenhos de arquitetura – vê um monumento àquilo que foi grande e nobre no passado: o triunfo de sua fé. Ele recorda que cada nicho daquela arena foi tingido com o sangue dos mártires. Sente que o triunfo deles também é o seu. Após o lapso de mil e setecentos anos, acha-se unido a eles no elo indestrutível da comunhão, para comemorar o maior campo de batalha dos seguidores do Crucificado.

Foi este pensamento que me sugeriu esta pequena obra. O Coliseu é a maior e mais notável ruína da Roma antiga; é o mais extraordinário relato dos mártires que nele sofreram, e dos milagres que testemunhou. Empregamos nossas horas de folga na tarefa de reunir alguns dos mais autênticos registros. Apresentamo-los, em sua simplicidade rústica e sem adornos, aos cristãos que honram os heróis da Igreja Primitiva, aos estudiosos que apreciam debruçar-se sobre os martirológios, e aos turistas que visitam a Cidade Eterna, e em vão perguntam aos seus guias ou amigos: "Quem foram os mártires do Coliseu?"

[1]*De Spectacullis*, cap. XIX.

A Origem e a História Primitiva do Coliseu

Capítulo 2

A memória do imperador Augusto é cara aos romanos. Por seu grande talento e habilidade, ele não apenas conquistou para si o cetro do poder supremo, mas também elevou o próprio Império dentre as nações do mundo, e iniciou o período conhecido como idade de ouro. Suas virtudes naturais mostram um agradável contraste com a devassidão e os vícios de seus sucessores imediatos. A ele deve-se a honra de haver planejado a construção do anfiteatro. Havendo embelezado a cidade com casas de banhos e templos de insuperável magnificência, ele concebeu a idéia de erigir um imenso anfiteatro para os espetáculos gladiatórios, que deveria exceder em dimensão e esplendor todos os edifícios do mundo. A morte levou-o antes que pudesse realizar seu grande projeto. Os anos passaram, e sete imperadores, que não tiveram nem energia nem talento para executar o imenso empreendimento, sentaram-se no trono de Augusto. Contudo, ele não foi esquecido, e o clamor do povo pelo início da construção foi ouvido por Vespasiano. A este empreendedor soberano deve-se a edificação desta maior obra da antiguidade, que é atualmente a maior ruína do mundo.[1]

Vespasiano era orgulhoso e ambicioso; buscava rivalizar a fama de Augusto, e no segundo ano de sua elevação ao trono, iniciou a construção do Coliseu. Isto foi no ano 72 de Nosso Senhor. Ele morreu antes que a obra fosse terminada, e embora houvesse mais de trinta mil pessoas trabalhando constantemente, oito anos foram necessários para a sua edificação, e ela foi dedicada por Tito, no ano 80 de nossa era. A construção não foi perfeitamente completada até o reinado de Domiciano.

O estupendo edifício foi erigido no lugar de um viveiro de peixes, nos jardins de Nero. Edificado no meio das sete colinas, e bem no coração da antiga cidade, ele não apenas superou em imensidão e magnificência os outros dois anfiteatros de mármore que havia em Roma, mas excedeu em brilho a esplendorosa casa dourada de Nero. Tanto Vespasiano como Tito valeram-se da experiência de suas viagens ao oriente, para fundir nos esboços do anfiteatro toda a ousadia e majestade da arquitetura síria e egípcia, com a beleza e o refinamento da arte grega. A sua imensidão, mesmo em suas ruínas, é surpreendente, enquanto suas arcadas erguem-se em incríveis proporções umas sobre as outras, nas ordens jônica, dórica e coríntia. O tamanho, a beleza e a força combinaram-se para fazê-lo o maior, o mais belo e mais durável dos monumentos antigos. Erguendo-se para o ar, tão alto quanto os montes Palatino e Célio, uma montanha no lado de fora e um vale dentro, ele supera, inquestionavelmente, qualquer coisa que a Grécia, o Egito ou Roma tenham visto antes. Marcial, o poeta, que o viu surgir de sua fundação, declara que Roma não mais teve o que invejar no Oriente, uma vez que o seu soberbo anfiteatro era mais maravilhoso que as pirâmides de Memphis ou as obras da Babilônia.[2] Até os críticos mais aprovados definem o Coliseu como um edifício oriental vestido num traje grego.

As maiores obras do homem têm geralmente a sua origem na destruição. Na história do mundo, raramente houve um edifício ou uma nação que não fosse edificado sobre as ruínas de outro. Os operários do Coliseu foram os judeus cativos, que adornaram o triunfo de Tito; o material foi parcialmente retirado da casa tombada de Nero. Os cristãos podem enxergá-lo como um poderoso monumento erguido em comemoração ao cumprimento da profecia.

O arado passara sobre a cidade e o templo de Jerusalém; seu povo orgulhoso fora humilhado ao pó, e espalhado aos quatro ventos do céu. Setenta mil de sua nação derrotada foram levados a Roma por Tito. Havendo-lhe ornado o triunfo, foram eles divididos em três classes: as mulheres e as crianças de até dezesseis anos foram vendidas como escravos pelos preços mais miseráveis. O Senhor Jesus foi vendido por trinta moedas de prata; após o triunfo de Tito, podia-se comprar trinta judeus por apenas uma dessas moedas. Alguns dos homens foram enviados ao Egito para trabalhar nas marmoreiras, mas a grande maioria ficou para trabalhar no Coliseu. O número é variavelmente estimado entre trinta mil e cinqüenta mil. Assim, os muros daquele poderoso emblema de tudo o que há de triste e horrível foram cimentados com as lágrimas de um povo decaído.

As estruturas superiores do Coliseu foram construídas com o material levado da casa tombada dos césares na Palestina. Quando Vespasiano e Tito ordenaram a destruição de grande parte da casa de Nero, efetuaram um ato muito prazeroso ao povo romano. Era um monumento de detestável esplendor, que se erguera sobre as ruínas de sua cidade queimada;

a sua riqueza e grandeza só faziam recordar ao povo a tirania e a opressão. Nem bem a ordem fora dada, o populacho ajuntou-se na obra de devastação. Imensos blocos de travertino dourado, colunas, capitéis, e cornijas de mármore dos mais elaborados entalhes, junturas de ferro e de ouro, e massas indestrutíveis de alvenaria, foram rude e indiscriminadamente arrastados para ornamentar ou completar a vasta obra do Coliseu.

O poderoso anfiteatro tornar-se-ia uma ruína; após o lapso dos séculos, seria derrubado pela mão do tempo, e por sua vez, forneceria material de seus arcos caídos para a construção dos palácios medievais e modernos da Cidade Eterna. O imenso palácio quadrilátero da embaixada veneziana, o Farnese, o Barberini, e outros de menor importância, brotaram das ruínas do Coliseu. É assim na história do homem: os maiores monumentos de esplendor moderno surgiram, à semelhança de Fênix, das ruínas de uma poderosa estrutura que nossos antepassados presunçosamente imaginaram imperecível.

Devemos agora ter uma visão do anfiteatro em seu perfeito estado. Fragmentos de descrição foram coletados dos historiadores antigos, e o quadro está quase completo. Partindo do modo como as ruínas se encontram agora, a fantasia pode preencher muitos detalhes.

Ele possui uma bela figura oval, 155 metros de comprimento e 36 metros de largura. Foi erguido sobre oitenta arcadas imensas, e eleva-se em quatro ordens sucessivas de arquitetura à altura de 49 metros. Na sua totalidade, o edifício cobre um espaço de 24.000 m^2. Por fora, era incrustado com mármore e decorado com estátuas. As rampas da vasta concavidade que formava o interior eram repletas com sessenta ou oitenta fileiras, dispostas em roda, de assentos de mármore cobertos com almofadas, capazes de acomodar facilmente 100.000 espectadores.[3] Sessenta e quatro vomitórios (as portas de saída eram apropriadamente conhecidas por este nome) davam saída à colossal multidão; as entradas, as passagens, e as escadarias foram planejadas com tal destreza, que cada pessoa, fosse da ordem senatorial, dos cavaleiros, ou dos plebeus, chegava ao lugar que lhe era destinado sem problemas ou confusão.

A fileira de assentos mais baixa, próxima à arena, agora completamente coberta por terra e entulhos, designada aos senadores e embaixadores estrangeiros, era chamada de *podium*. Numa plataforma elevada estava o trono do imperador, sombreado por um pálio carmesim, como uma tenda. O lugar dos administradores ou organizadores dos jogos, como eram chamados, e das virgens vestais, ficava ao lado do assento do imperador.

O *podium* era protegido contra a irrupção dos animais selvagens por uma barreira, ou parapeito, de ouro ou bronze dourado. Como uma defesa adicional, a arena era cercada com uma grade de ferro e um canal. Os eqüites, ou segunda ordem de nobres, sentava-se em quatorze fileiras atrás dos senadores. O restante do povo acomodava-se atrás, nos assentos chamados de *popularia*, que se elevava em bancada sobre bancada, até uma galeria com uma colunata em frente, circundando todo o anfiteatro logo abaixo do toldo, e geralmente ocupada por mulheres, soldados e serventes.

Nada se omitia do que pudesse ser útil à conveniência e ao prazer dos espectadores. O enorme dossel ou toldo, que às vezes era estendido sobre toda a extensão, oferecendo proteção contra o sol ou a chuva, era uma das maravilhas do Coliseu. Faz-se necessária uma esticada na imaginação para acreditar. Quando nos colocamos, mesmo agora, em meio às ruínas, e vemos a vasta amplidão do céu sobre nós, a mente perde-se em dúvidas e conjecturas sobre a possibilidade de um fato tão prodigioso. Não obstante, todos os historiadores que escreveram sobre o Coliseu mencionam esta cobertura, como se nela nada houvesse de extraordinário. Lampridio relata que era preciso várias centenas de homens para lidar com este toldo, e que eles vestiam-se de marinheiros.[4] A um sinal, quando havia ameaça de chuva, ou o sol estava quente demais, havia um movimento simultâneo entre os atendentes; então as cordas rangiam, e a poderosa vela deslizava gradativamente para o centro, todas as velas reunindo-se em perfeita harmonia, e formando juntas o imenso lençol que cobria completamente o interior. Permanece estranho o fato de que no tempo de Tito esse dossel fosse de seda púrpura, e debruado de ouro.[5] O ar era constantemente refrescado pelas fontes, e uma infinidade de pequenos tubos aspergiam um chuvisco dos mais deliciosos perfumes, que descia sobre os espectadores como orvalho aromático. A arena, em cujo centro achava-se a estátua de Júpiter, formava o palco. Ela recebeu este nome por ser usualmente esparzida com a mais fina areia branca. Por baixo, havia um mecanismo do mais extraordinário e complicado caráter, que facultava à arena, durante os jogos, assumir diferentes formas, em rápidas sucessões. Numa ocasião, ela parecia subir da terra como o jardim das Hespérides; noutra, transformada em rochas e cavernas de Trácia. Canos subterrâneos transportavam um inexaurível suprimento de água, e o que minutos antes parecia uma planície, podia repentinamente converter-se em um vasto lago, coalhado de navios armados, para deleitar o povo com entretenimentos náuticos.

---

[1] "*Fecit amphitheatrum urbi media uti destinasse compererat Augustus*". – Suet. *In* Vespas. IX.

[2] "*Barbara pyramidum sileat miracula Memphis:*
Assiduus jacet nec Babylona labor...
Asre nec vacuo pendentia Mausolea
Laudibis immodicis Cares in astra ferant;
Omnis Caesareo cedat labor amphitheatro,
Unum prao cunctis fama loquatur opus". – Marcial, Séc. IX

[3] O cardeal Wiseman, numa nota em *Fabíola*, diz que ele podia conter pelo menos 150.000 espectadores; mas nenhum dos antiquários italianos mencionam mais que 100.000.

[4] "*A militibus classiariis qui vela ducebant in amphitheatro*". – Lamprídio, *In* Commodo.

[5] "*Sous Tito um tissu de soie et d'or avec dês broderies s'étend sue lê nouvel amphitheatre*". – Gerbert, Esquisse de Rome Christienna, li. 345.

Capítulo 3

Os Entretenimentos e Espetáculos do Coliseu

Os jogos e as distrações que deliciavam os romanos eram espetáculos de horror, que fazem estremecer o coração. Nenhum entretenimento era popular, se não fosse acompanhado de derramamento de sangue e de perda de vida; nenhum drama simulado seria aplaudido nesse templo das Fúrias. Os divertimentos do Coliseu compõem as páginas mais negras nos registros do passado.

Durante as grandes celebrações, raramente se passava um dia sem que algumas centenas de carcaças dilaceradas de homens e feras fossem arrastadas da arena para a casa dos mortos. Os jogos começavam por volta das dez horas, e geralmente iam até o escurecer; ao longo dessas horas, vítima após vítima ia tombando. Os espectadores, cada vez mais intoxicados a cada novo gole de sangue, bebido através de seus olhos brilhantes, clamavam por novas vítimas e mais sangue. Em mais de uma ocasião aconteceu de todos os animais do viveiro serem mortos num só dia. Eutrópio, falando de Tito, conta: "E quando ele construiu o anfiteatro em Roma, inaugurou os jogos e fez morrer cinco mil animais". (Eutrópio, livro IX, cap. X) Gladiadores, escravos, e cristãos eram as principais vítimas nos jogos.

Entretanto, havia manchas brilhantes neste quadro de mortandade. Houve ocasiões em que o aplauso do populacho percorreu cada porção do edifício, em aprovação a cenas de beleza, inocência, e mecanismo que dificilmente pode ser rivalizado na arte moderna. Seus grandes jogos, que geralmente duravam semanas inteiras, eram uma estranha combinação do trágico e do cômico, do jovial e do horrível. Uma diversão favorita era assistir ao treinamento de animais no circo. Os escritores dessa época contam-nos de um elefante equilibrista,[1] de um urso que se sentava numa cadeira, vestido como uma matrona, e era carregado em volta da arena pelos atendentes.[2] E temos a história do rei da floresta, com garras douradas e uma juba enfeitada com ouro e pedras preciosas, que num estranho contraste com as cenas sucessivas, representava a virtude da clemência, sendo treinado para brincar com uma lebre. Ele pegava o trêmulo animalzinho com a boca, colocava-o nas costas, e prodigalizava-lhe mil carícias.[3] Então lemos de doze elefantes domesticados, seis machos e seis fêmeas, vestidos com togas masculinas e femininas, que se sentavam à mesa, e comiam delicadas viandas e bebiam vinho em taças de ouro, usando com a maior delicadeza e cuidado as extraordinárias trombas, com as quais podiam levantar um alfinete do chão, ou arrancar pela raiz um bosque de carvalhos.[4] Outros eram treinados para a dança pírrica, e espalhavam flores pela arena. Eles possuíam uma bebida forte peculiar, pela qual os elefantes tinham certa inclinação; ela os inebriava e os levava a mover-se de maneira engraçada, que produzia nos espectadores um incessante gargalhar.

Tomamos conhecimento, através de Marcial e de outros escritores, que havia outras espécies de distrações de um caráter mais grandioso e mais estimulante, porém mesclado e enodoado com aquele espírito de crueldade que caracterizava a maior parte dos jogos do anfiteatro. Conforme já mencionamos, as passagens subterrâneas serviam de calabouço e de toca para as feras, ou podiam transformar-se em imensos aquedutos para inundar a arena, que se tornava um lago para entretenimentos navais. Navios com homens armados flutuavam ali, e lutavam desesperadamente uns contra os outros, como se um império dependesse do resultado da batalha. Em certa ocasião, um grande navio, cheio de homens e animais, foi introduzido neste lago artificial, e a um sinal combinado, ele abriu as laterais, desintegrando-se, e despejando nas águas a sua carga viva. Então vieram todos os horrores de um naufrágio: os guinchos dos animais, e o lamento comovente dos escravos se afogando, soaram como música aos ouvidos romanos.

Por uma combinação de habilidade mecânica, a lenda de Orfeu foi novamente concretizada. O solo da arena era feito para abrir repentinamente em uma centena de lugares, e árvores brotavam completas, numa folhagem de um verde profundo, e sustentando maçãs de ouro, numa imitação da árvore fabulosa do jardim das Hespérides. Animais selvagens eram deixados soltos nesta floresta encantada; as árvores moviam-se ao som de uma flauta; e para que nada faltasse à realidade da representação, um desafortunado escravo, que tinha a honra de representar o Orfeu do espetáculo, era feito em pedaços por um urso.[5]

Uma falha em qualquer desses mecanismos do show era considerada menosprezo ao imperador, e o organizador era punido com morte pública. Não fosse por esses costumes desumanos e bárbaros, que paralisavam de medo os maiores gênios do Império, o Coliseu teria testemunhado muitos grandes triunfos da arte mecânica.

Dentre os espetáculos originados na mitologia pagã, Marcial faz menção, em seu Epigrama, a um parricida crucificado no Coliseu; menciona também uma horrível cena de Dédalo elevado ao ar com asas falsas, e então deixado cair na arena, onde foi devorado por animais selvagens. Noutra ocasião, um escravo foi obrigado a representar Múcio Scaevola, e pôr a mão no fogo até ficar completamente queimada. O infeliz submetido a esta pavorosa crueldade não teve outra alternativa: as suas roupas foram cobertas com piche e alcatrão; se ele vacilasse ou recuasse por um momento, seria queimado vivo.

Porém a diversão mais comum do Coliseu era o combate com as feras e os gladiadores. Os animais eram postos a lutar uns com os outros, e depois com os homens; e por último, os homens com os seus companheiros. Quando as feras eram postas na arena para lutar entre si, tudo o que pudesse provocá-las ou excitá-las era estudado com a mais cruel destreza. As cores mais detestadas pelos animais eram espalhadas em profusão à sua volta; eles eram açoitados com chicotes, e as laterais de seus corpos, rasgadas com ganchos de ferro; pratos de ferro aquecidos eram presos a eles, e bolas de fogo eram postas sobre suas costas. Assim, as feras enfurecidas corriam em volta da arena; a terra tremia ao troar de seus rugidos agonizantes. O peito inflado dos animais parecia arrebentar sob o fogo da cólera que os enlouquecia. Seus olhos faiscavam de raiva, e arrancando a areia com as garras, eles envolviam-se numa nuvem de pó. Em sua fúria, despedaçavam-se uns aos outros.

Se, como vez ou outra acontecia, uma leoa ou tigresa enfurecida matasse os homens e animais que lhe eram apresentados, gritos e aplausos frenéticos espocavam de todos os lados do anfiteatro, e enquanto a fera, soberana do campo de batalha, caminhava sobre os corpos de suas vítimas, o povo clamava por sua liberdade, para que fosse enviada de volta ao seu deserto nativo.

Os combates entre homens e feras eram ainda mais populares. Os próprios imperadores costumavam tomar parte neles, e até as mulheres tinham a audácia de entrar na arena, e combater com os mais ferozes animais. Havia duas espécies de pessoas destinadas a esse tipo de esporte: uma entrava armada, carregando armas de acordo com a sua escolha; a outra eram os pobres escravos, cativos, ou criminosos, expostos às bestas sem qualquer defesa. A esta classe *pertenciam os cristãos*. Eles eram distinguidos dos gladiadores pela ignominiosa alcunha de *bestiários*.

Supõe-se que o combate entre gladiadores seja de origem etrusca. Ele fazia parte das honras funéreas dos grandes homens, de acordo com a crença pagã de que as almas dos mortos eram saciadas pelo derramamento de sangue. Esse estranho ritual fúnebre foi introduzido em Roma nas exéquias de Junio Bruto, no ano 490 da cidade, e cerca de 260 anos antes da era cristã. Ele parece ter sido tão prazeroso ao gosto cruel dos romanos, que logo se tornou um passatempo comum. As lutas gladiatórias eram, estritamente falando, os jogos do Coliseu; a elas os gladiadores deviam sua existência. Tal era o furor do povo por estes espetáculos, que se estima que cem mil gladiadores tombaram dentro daqueles muros.

Durante doze dias, Trajano fez dez mil gladiadores lutar sucessivamente; e quase todos os imperadores que o sucederam seguiram-lhe o exemplo. Os homens que assim lutavam eram geralmente cativos de guerra, ou escravos. Numa época posterior, a luta tornou-se uma espécie de profissão, e conta-se que homens livres e nobres, enlouquecidos pelo entusiasmo, alistavam-se para o combate mortal com pobres cativos da Trácia e Gália. Até mulheres apareciam na arena como amazonas, e lutavam frenética e valentemente em meio às aclamações incessantes da multidão.

Tanto Herodiano como Lamprídio contam que o imperador Cômodo, não contente em assistir as lutas dos gladiadores, entrou ele mesmo na arena, quase nu, e armado com uma espada curta, e os desafiou ao combate. Aqueles que combateram com ele receberam ordens de não lhe infligir qualquer ferimento; mas no momento que recebessem um golpe, ainda que leve, deveriam cair de joelhos perante o soberano, declarando-se derrotados e suplicando clemência. Havendo, desse modo, vencido mil gladiadores, ele ordenou que tirassem a cabeça da colossal estátua do sol, e pusessem no lugar a sua própria imagem. Na base do monumento, pôs a inscrição: "*Mille Gladiatorum Victor*" – "O Vencedor de Mil Gladiadores".

Após a procissão dos deuses (que dava abertura aos jogos do anfiteatro e aos do circo), os gladiadores sorteados para lutar também rodeavam a arena em procissão; então formavam pares, e suas espadas eram examinadas pelo administrador. Como um prelúdio da batalha, e para criar o clima de exaltação apropriado, lutavam primeiro com espadas de madeira; então, a um sinal dado pelo soar de uma trompa, elas eram postas de lado e substituídas por armas mortais. O interesse dos milhares reunidos era imediatamente elevado ao mais alto grau; de tempos em tempos, eles rompiam em gritos e aplausos ensurdecedores; ou um apreensivo silêncio reinava no vasto anfiteatro, num suspense que só terminava com a morte de um dos combatentes. Quando um gladiador recebia um golpe, o seu adversário gritava: "Ele foi atingido!" – (*Hoc habet!*) Às vezes, o pobre ferido esforçava-se para esconder o ferimento, ou fingia que não tinha importância, para então cair na areia ao fazer sua última e desesperada investida contra o adversário. A sua sorte, porém, dependia da vontade do povo; se desejassem que fosse salvo, viravam o polegar para cima; se quisessem a sua morte, viravam-no para baixo. O último era geralmente o veredicto mais freqüente da turba insensível. O brado de"*recipe ferrum*" caía com terrível veemência nos ouvidos do moribundo. Isto significava simplesmente que ele era submetido brava e dignamente à sua sorte; que não devia demonstrar estremecimentos vergonhosos ou contorções de dor; que deveria ter arte mesmo na agonia da morte. "O povo", escreve Sêneca, "sentia-se insultado quando o combatente não morria de boa vontade; e pelo olhar, pelo gesto, e pela veemência dos modos, bradavam por sua execução imediata".

Lactâncio, no sexto livro de sua sublime *Apologia à verdadeira religião*, dá uma idéia da barbaridade desses jogos, nas palavras que usa para condená-los: "Qualquer um que se deleite à vista do sangue, ainda que seja de um criminoso justamente condenado, avilta a própria consciência. Mas os pagãos converteram em passatempo o derramamento de sangue humano. A humanidade retrocedeu tanto de seus sentimentos, que a sua diversão consiste em estimular o assassinato e o sacrifício da vida humana. Pergunto, agora: Podem ser chamados de justos e piedosos esses que não apenas permitem a morte de alguém que jaz prostrado sob a espada desembainhada, suplicando pela vida, mas ainda exigem que seja assassinado? Que dão o seu voto cruel e desumano para a morte, não satisfeitos com as feridas e o sangue coagulado de suas vítimas indefesas? Não somente isto, mas quando o morto estira-se na areia, mandam que o corpo sem vida seja trespassado vezes e mais vezes, cortado e lacerado, a fim de se iludirem com um homicídio simulado. Ficam bravos com os combatentes que não despacham rapidamente um ao outro, e, como se ansiassem por sangue humano, impacientam-se com a demora. Cada grupo de recém-chegados, à medida que entra no circo, vocifera por novas vítimas que lhes saciem os olhos".

Assim, duelos, combates em grupos, e lutas corpo-a-corpo da maior carnificina passavam como redemoinhos sob o olhar desvairado da plebe. Durante horas, e todos os dias, a arena do Coliseu era impregnada com o sangue das vítimas; seus vapores repugnantes subiam ao ar puro do céu, como se viessem de um imenso caldeirão de crueldade e prazer.

Agostinho oferece-nos, no sexto livro de suas *Confissões*, uma descrição singularmente vívida da excitação que prevalecia entre os espectadores, durante essas lutas sanguinárias. Conta ele:

"Aconteceu de um dia, enquanto seu amigo Alípio achava-se estudando a lei em Roma, ele encontrar alguns de seus colegas de escola, que estavam caminhando após o jantar, e que insistiram em levá-lo ao anfiteatro; era um dos feriados mais sinistros, quando Roma encontrava prazer nesses espetáculos de matança humana.

"Como Alípio tivesse um extremo horror a essa espécie de crueldade, resistiu com todas as suas forças; mas recorrendo àquela espécie de violência que às vezes é permitida entre amigos, eles o arrastaram consigo, enquanto ele repetia: 'Vocês podem arrastar meu corpo consigo, e pôr-me entre vocês no anfiteatro, mas não podem dispor de minha mente e de meus olhos que, seguramente, não tomarão qualquer parte no espetáculo. Eu estarei ausente, ainda que presente em corpo, e deste modo não me renderei à violência e à paixão da qual vocês estão possuídos'. Contudo, Alípio teria feito melhor se ficasse em silêncio; eles o arrastaram, já com a intenção de ver se ele podia ser tão bom quanto suas palavras.

"Finalmente chegaram, e posicionaram-se o melhor que puderam. Enquanto todo o anfiteatro era transportado pelos bárbaros prazeres, Alípio guardou o coração para não participar daquilo, mantendo os olhos fechados. E aprouvera a Deus", continua Agostinho, "ele houvesse bloqueado os ouvidos. Afetado pelo grito universal, que se levantara dentre o povo em reação a algo extraordinário que ocorrera no combate, ele foi fisgado pela curiosidade; desejando meramente averiguar o que seria – persuadido de que, não importava o que fosse, ele o desprezaria – abriu os olhos. Ao fazê-lo, recebeu na alma um ferimento mais fatal que aquele que acabara de ser infligido ao corpo do gladiador. Foi a ocasião para uma queda bem mais perigosa que aquela do gladiador, cuja derrota arrancara da multidão o grito desumano, que por sua vez o tentara a abrir os olhos. A crueldade entrou-lhe no coração; o sangue que jorrava sobre a arena encontrou-lhe os olhos, e ele, longe de desviá-los dali, manteve-os arregalados sobre a mancha, sorvendo em longos tragos de fúria, sem perceber, e permitindo-se ser intoxicado com o prazer criminoso.

"Ele não era mais o Alípio que para ali fora arrastado à força; era um homem do mesmo cunho que aqueles que enchiam o anfiteatro, e uma companhia adequada àqueles que o trouxeram ali. Ele olhou, gritou, misturou seus gritos aos deles, ferveu de entusiasmo e, como eles, absorveu-se nas vicissitudes do combate. No final, partiu do anfiteatro com uma tal paixão por aquelas visões, que não podia pensar em mais nada. Não apenas estava pronto a retornar com aqueles que haviam usado de força para trazê-lo na primeira instância, como era mais enfurecido que eles acerca dos gladiadores, arrastando outros consigo, e sempre pronto a seguir o caminho do anfiteatro". (Livro VII, cap. VIII)

Tão intenso era o excitamento das pessoas durante essas lutas, que elas pareciam perder todo o autocontrole; de manhã à noite, sem se importar com o frio ou o calor, fitavam com demente exaltação a arena, e a suas mentes eram agitadas com os oscilantes sentimentos de esperança e medo, como o oceano sacudido por ventos contrários. O demônio da discórdia não gastava seu tempo em vão, nem era à toa que as Fúrias abriam suas asas funéreas sobre essas cenas sanguinolentas. Os espectadores dividiam-se em diversas partes. Discussões afiadas e amargas sobre os méritos rivais dos combatentes formavam uma inexaurível fonte de brigas e disputas; e às vezes, tornavam-se tão exaltados, que passavam das discussões aos socos, e até mesmo às armas mortais, até as bancadas do anfiteatro converterem-se, de ponta a ponta, num cenário de tumulto e massacre.

Temos o relato de uma dessas terríveis ocasiões no Circo Máximo, quando mais de trinta mil pessoas foram mortas ou feridas. Algo semelhante aconteceu no Coliseu, numa circunstância de horrenda crueldade. Um dos imperadores obrigara um celebrado gladiador a lutar com três outros, sucessivamente. O tirano Gesler, que fez Tell partir com sua flecha uma maçã na cabeça do filho, a cem passos de distância, não foi mais desumano. O pobre gladiador lutou bravamente, e derrotou os dois primeiros oponentes, mas cansado e ferido, caiu enquanto lutava com o terceiro. A exacerbação desta cena levou o povo à loucura; voltaram-se uns contra os outros, e o resultado foi um terrível derramamento de sangue.

Concluiremos esta breve nota da cena gladiatória do Coliseu, citando as belas e tocantes linhas do Lord Byron:

"Vejo diante de mim o gladiador deitado;
Ele recosta sobre a mão a testa varonil,
Consente em morrer, mas subjuga a agonia,
A sua cabeça enlanguescida pende gradualmente,
E de seu lado, as últimas gotas vazam lentamente,
Da ferida vermelha caem pesadas, uma a uma,
Como as primeiras de uma pancada de chuva; e agora
A arena flutua à sua volta, ele se vai,

Antes que cesse o grito inumano que saudou o
Miserável vencedor.

Ele o ouviu, mas não lhe prestou atenção; seus olhos
Estavam com seu coração, que estava bem longe;
Ele não fez caso da vida que perdeu, nem do prêmio;
Exceto de sua rude cabana junto ao Danúbio,
Lá estavam seus jovens bárbaros todos a brincar,
Lá estava Dácia, a mãe deles – ele, seu pai,
Abatido para comemorar um feriado romano.
Tudo isto correu com seu sangue: devia ele expirar,
E sem vingança? Levantai-vos, godos, e fartai a vossa ira".

— Childe Harold

[1] *"Elephas erectus ad summum theatri fornicem, unde decurrit in fune sessorem gerens".* – Dio. In Neron. Também Suetônio, em Galba, cap. VI, diz: *"Galba elephantos funâmbulos dedit".*

[2] *"Vidi ursum mansuetum quae cultu matronali sella vehebatur".* – Apul. Asin. Lib. XII.

[3] *"Leonum*
Quos velos leporum timor fatigat.
Dimittunt, repetunt, amantque captos;
Et securior est in ore praeda
Laxos cui dare, perviosque rictus
Gaudent et timidos timere dentes,
Mollen frangere dum pudet rapinam".
– Marcial, lib. I. Epigrama CV.14

[4] *Veja Buling de Venation. Circ. Cap. XX.*

[5] *Marcial, Spect. XXI. I.*

[6] *Marangoni, p. 38.*

[7] *"Jam ostentata per arenam periturorum corpora mortis sua pompam auxerant".* – Quintiliano Declam. IX.

Os Cristãos

Capítulo 4

Tais eram as sangrentas e cruéis distrações oferecidas aos romanos, de tempos em tempos. Esta espécie de esporte desumano teve um reinado de mais de mil anos, e remonta à mais distante antiguidade. Bem antes do alvorecer do cristianismo, e antes que fosse lançada a pedra de fundação do imenso Coliseu, os poetas faziam deles o tema de seus versos, e os oradores coloriam suas efusões com descrições desses combates sanguinários; os afrescos sobre as paredes eram cenas de derramamento de sangue, e as sombrias esculturas de mármore mostravam os seus horrores. As duas maiores ruínas remanescentes da Roma antiga são os monumentos do seu paganismo e da sua crueldade. A magnificência e o esplendor do Panteão e do Coliseu formam um terrível contraste com as cenas que se passaram dentro deles. Quando levantamos o véu que o tempo estendeu sobre o passado, e contemplamos os romanos em sua prosperidade, seu poder e magnificência, ficamos horrorizados e surpresos diante dos escuros e lúgubres registros de tirania e crueldade, que mancham cada página de sua história. O povo que se deleitava com aquelas cenas de carnificina eram homens como nós; naquele tempo, como agora, o coração era capaz de sentimentos nobres.

Havia no Coliseu, testemunhando os jogos cruéis, senadores que podiam sentar-se com honra no parlamento britânico; poetas que retornavam ao lar após os jogos, e escreviam, em tabuinhas perfumadas, relatos emocionantes daquelas cenas, com a mesma mão que aplaudira um assassinato. Havia pais de família, que bradavam clamorosamente para que o gladiador ferido fosse acometido novamente, e o seu corpo moribundo, cortado em pedaços pelo oponente triunfante, e que à tarde, ninavam os filhos com toda a ternura do amor paternal. E havia a terna e amorosa natureza feminina, arruinada pela visão e pela sede de sangue; a nobre senhora e a jovem vestal, vestidas de branco e coroada de flores, tornavam-se furiosas no teatro, e viravam para baixo o polegar adornado de jóias, pedindo o assassinato de uma vítima caída; contudo, uma tinha o sentimento enobrecedor de esposa, mãe, e amiga, e a outra pretendia cultivar a virtude cristã da castidade.

Ai! Vemos nisto a natureza humana sem o cristianismo. Elas eram as vítimas do paganismo, essa terrível escravidão, que manteve cativa as nações, até que viesse o Libertador da humanidade. Podemos facilmente traçar um elo de união entre a impiedade e a crueldade do passado pagão, com as suas cenas desumanas, capazes de partir o coração, e as nações infiéis que ainda se acham sepultadas na escuridão da sombra da morte. Em nossa imaginação podem passar as cenas dos massacres sangrentos do Coliseu, a matança inclemente de mulheres, crianças e cativos indefesos, que clamavam por misericórdia enquanto soava a música do triunfo romano, bem como o costume inumano dessas nações que expõem seus infantes às margens das torrentes nas montanhas, destroem seus velhos, e jogam vítimas vivas sob as rodas dos carros triunfantes de seus ídolos, ou podemos pensar nos acampamentos dos bárbaros de Daomé, sentados em brutal alegria à roda de uma fogueira, devorando uma refeição de carne humana.

Mas uma nova era despontou sobre a terra. À luz desta crença que a Roma pagã empenhou-se por esmagar no Coliseu, enxergamos a solução para o terrível enigma da vida. Eles nada conheciam da sublime moralidade daquEle que disse: "Nisto todos conhecerão que sois meus discípulos, se vos amardes uns aos outros". A nuvem escura da culpa primeva pairou sobre o mundo por quatro mil anos, e o paganismo, a idolatria, e todo o seu absurdo concomitante, foram o resultado desse primeiro pecado. Mas quando chegou o tempo determinado por Deus para a regeneração do homem, o novo estado de coisas não rompeu no mundo como a brilhante descarga de uma nuvem. Aprouve ao Deus Todo-poderoso que o seu reino abrisse o próprio caminho e conquistasse a própria dinastia. Ele enviou na frente os seus apóstolos para que subjugassem o mundo com as armas invisíveis da fé. Eles o atacaram e o conquistaram. Quatro séculos de batalha enfurecida; o paganismo nada tinha para enfrentar o poder invisível dos apóstolos desarmados, a não ser a sua crueldade e os seus horrores. E os poderes das trevas tremeram diante da força indestrutível dos seguidores de Cristo. Não obstante, muitas vítimas tiveram de tombar antes que a vitória fosse ganha, e rios de sangue, mais nobre que o daqueles brutos e gladiadores, tingiram a areia do Coliseu.

Outra espécie de diversão deve ser acrescentada àquelas já enumeradas no capítulo anterior. Cerca de oitocentos anos após a construção de Roma, apareceu uma nova estirpe de seres, que ofereceu à crueldade e à depravação daquele povo um novo deleite. Eram homens que não procuravam armas para lutar, nem demonstravam medo de morrer.

Depois de testemunhar os corajosos combates dos gladiadores armados, lutando loucamente por suas vidas, admirar a força e a agilidade dos caçadores, ridicularizar o aspecto deplorável e trêmulo dos miseráveis indefesos, expostos à morte sem ao menos uma chance de se defender, era estranha e inusual a visão daqueles homens entrando na arena com passo destemido e semblante jovial, olhos erguidos ao céu, onde pareciam contemplar uma cena brilhante de glória, e brava e intrepidamente, anunciar a religião do Deus crucificado. Eram homens que pertenciam à detestável seita que viera da Judéia. Eram os desprezadores dos deuses do Império. Eram os cristãos.

Não eram os cativos desamparados da Trácia ou da Gália, nem os pobres escravos, cujas vidas eram propriedade de seus senhores, mas pessoas dentre as mais nobres famílias do Estado, e algumas delas, membros da própria casa imperial. Em vez do corpo robusto e musculoso do ousado gladiador, é a terna virgem que, à flor da mocidade, enfrenta agora a fúria do leão. Triunfos de outra espécie surpreenderão as arquibancadas abarrotadas, e os mais selvagens animais, da floresta e do deserto, curvar-se-ão aos pés dos mártires de Cristo.

O Primeiro Mártir do Coliseu

Capítulo 5

As ruínas da cidade incendiada ainda fumegavam nos montes Palatino e Esquilino, quando Nero concebeu a idéia de satisfazer a raiva do povo com o sangue dos cristãos. Esse monstro, cujo nome é associado a tudo o que é cruel e impiedoso, foi o primeiro imperador romano a decretar a perseguição aos inofensivos servos de Deus. O édito foi emitido; o clamor, em toda parte, era o extermínio do cristianismo. Todo o mundo pagão armou-se contra ele. Mal fora promulgado o terrível decreto, e as pessoas, como que possuídas por demônios, lançaram-se em fúria desumana contra os inocentes e indefesos seguidores do Crucificado. A frenética resolução de desarraigar o cristianismo começou em Roma e difundiu-se através de cada província e cidade do Império. Membros da mesma comunidade, e até da mesma família, converterem-se em delatores e executores uns dos outros. Nestas páginas acham-se registradas duas ou três ocasiões em que pais tentaram em vão, com todo tipo de tortura e castigo, abalar a lealdade de seus tenros e inocentes filhos. Em cada cidade e aldeia, foi concedida licença irrestrita aos magistrados para pilhar, aprisionar, torturar e destruir os cristãos; e esses oficiais subordinados, por sua vez, delegavam poder aos lacaios mais cruéis a seu serviço. O mesmo aconteceu, em época recente, na China e no Japão.

"Foi proclamado, além disso", afirma um mártir citado por Eusébio, "que ninguém deve experimentar qualquer cuidado ou pena por nós, mas que todos devem pensar e comportar-se em relação a nós como se não mais fôssemos gente".

Esses horrores não cessaram com os tiranos que lhes deram início. Por trezentos anos, os poderes do Inferno continuaram a sua guerra contra a Igreja, com maior ou menor fúria, levantando e caindo, como as ondas do oceano; num momento, desabando com o estrondo e a espuma dos vagalhões na tempestade, e no outro, calmo e tranqüilo como um lago.

Os escritos de Basílio sobre a perseguição de Deoclécio dão uma idéia geral do que foram as crueldades e os horrores daqueles dias.

"As casas dos cristãos eram deixadas em ruínas; seus bens, pilhados. Seus corpos caiam nas mãos dos ferozes lictores, que os dilaceravam como bestas selvagens, e arrastavam as matronas pelos cabelos através das ruas, insensíveis às súplicas por clemência, viessem elas dos idosos ou daqueles em tenra idade. Os inocentes eram submetidos a tormentos reservados apenas aos mais vis criminosos; os calabouços eram lotados com os habitantes dos lares cristãos, que agora jaziam desolados; os desertos sem caminhos e as cavernas das florestas enchiam-se de fugitivos, cujo único crime fora a adoração a Jesus Cristo. Nesses dias trevosos, filhos traíam os pais, e pais acusavam a própria prole; os servos obtinham a propriedade de seus senhores por denunciá-los, e um irmão buscava o sangue do outro. Nenhuma reivindicação ou vínculo de humanidade parecia ser reconhecido, tão completa era a cegueira que a todos acometera, como se fora uma possessão demoníaca. Além disso, as casas de oração eram profanadas por mãos ímpias; os altares mais sagrados, derrubados. Nenhuma oblação a Deus era feita; nenhum lugar foi deixado para os mistérios divinos; era só tribulação, uma escuridão lutuosa calava todo consolo; o colégio sacerdotal foi disperso; nenhum sínodo ou concílio pôde reunir-se, por medo da matança que assolava em toda parte; mas os demônios celebravam suas orgias e poluíam tudo com a fumaça e o sangue de suas vítimas".

As catacumbas são o último memorial dessa época terrível; aquelas cavernas lúgubres e as escuras passagens nas entranhas da terra são o mais precioso registro da Igreja; suas lajes toscas, com a palma e a coroa, falam de aproximadamente um milhão de mártires.

O Coliseu é outro testemunho dos triunfos do passado. Ele surgiu em meio aos horrores da perseguição, e tornou-se o campo de batalha onde a inocência e a fragilidade lutavam com a tirania e a criminalidade. O sangue, os milagres, e as vitórias da Igreja Primitiva lançaram uma reminiscência sagrada à volta dessas veneráveis ruínas, que nos faz aproximar com uma espécie de temor religioso. Supõe-se que milhares de mártires verteram seu sangue em suas arenas, embora os registros exatos não tenham chegado até nós. Dentre esses mártires, havia pessoas de ambos os sexos, e de diversas posições sociais: eram príncipes de sangue real, bispos, matronas de idade avançada, donzelas no rubor da juventude e da inocência, e crianças de tenra idade. A sua coragem e brandura, o seu triunfo sobre a dor e a morte, foram a eloqüência que plantou aquela cruz, que agora projeta a sua sombra na desolada arena. Os atos dos heróis do Coliseu preenchem as páginas mais interessantes e maravilhosas da história da Igreja Primitiva. São belos, eloqüentes, tocantes, e estabelecem um notável contraste entre a força, a sublimidade e a magnificência do cristianismo, e a fraqueza, a vileza e a estupidez da infidelidade; são evidências incontestáveis da natureza divina da Igreja de Deus.

Mas quem foi o primeiro mártir do Coliseu? A resposta a esta indagação envolve a resposta de outra, igualmente importante. Quem projetou e construiu essa estupenda obra-prima da arquitetura? Que grande mente concebeu esta estrutura gigantesca, dispôs as suas proporções em tão primorosa ordem e simetria, edificou arco sobre arco e bancada sobre bancada, cortou e lavrou uma montanha de calcário, na mais sublime obra da arte antiga? O que é dito do esplêndido anfiteatro não redunda em louvor de algum grande homem, cujo talento e habilidade superiores deram nascimento à construção? Quem é ele, para que lhe levantemos a efígie no altar dos gênios, e lhe ofereçamos o incenso da adulação e do elogio?

O arquiteto do Coliseu não carece do ouropel do louvor humano; contudo, deixe os amantes da arte sussurrar-lhe o nome com reverência, porque ele foi um cristão e um mártir.

É um fato estranho que, por aproximadamente dezessete séculos, o arquiteto do Coliseu permanecesse desconhecido. Certamente uma construção de tamanha magnitude, contendo tantos detalhes e medidas, deve ter sido obra de uma mente superior. Todo edifício de renome reflete honras ao seu arquiteto; a fama dos grandes construtores do passado ainda brilha nas páginas da história, embora as estupendas obras de sua genialidade já hajam desaparecido.

Marangoni, um erudito historiador do século passado, escrevendo na Cidade Eterna, e à sombra do próprio Coliseu, fez esta bela observação: "É algo digno de reflexão que, não obstante a magnificência desta obra, tão excelente em sua arquitetura, tão admirável em sua construção, a até mesmo considerada por Marcial a mais maravilhosa de todas as maravilhas do mundo, nem ele, nem qualquer outro escritor das eras seguintes, tenham mencionado o seu grande arquiteto".

Marcial, como todos o sabem, foi um poeta romano que se distinguiu nos reinados de Vespasiano, Tito, e Domiciano. Ele exalta com pomposos elogios a memória de Rabírio, por sua habilidade em construir um grande anexo ao palácio dos césares, durante o reinado de Domiciano. Afirma em seus escritos que este arquiteto ergueu um palácio que alcançava o firmamento e refletia a glória das estrelas; que o seu gênio penetrara os céus distantes, e copiara das fortificações celestes a magnificência e a majestade de seu projeto. "Com muito mais razão", prossegue Marangoni, "não deveria ele imortalizar o nome e a memória do grande arquiteto do Coliseu – uma construção muito superior ao palácio da Palestina, e edificado por um homem tão celebrado quanto conhecido do próprio Marcial?"

Marcial não fez simplesmente uma alusão casual e passageira ao Coliseu; ele constituiu-se o seu panegirista. Os seus melhores poemas foram escritos sobre os horrores do anfiteatro; contudo, enquanto exalta com bombásticos louvores os méritos de um arquiteto inferior, por haver acrescentado uma nova ala à casa áurea, deixa passar em silêncio o nome que deveria ser escrito em letras de ouro em sua estrofe sobre o Coliseu. O silêncio de Marcial e dos escritores contemporâneos não é um enigma da história?

Dezessete séculos se passaram sobre os muros imperecíveis deste estupendo monumento da antiguidade; turistas e estrangeiros afluíram de todos os pontos da bússola para fitar com admiração as ruínas, que imortalizaram em seus escombros um arquiteto desconhecido. Em vão, os amantes da grandeza passada leram histórias e registros antigos, à procura do nome deste homem. Debruçaram-se atentamente sobre as inscrições apagadas e as lajes de mármore rachadas, que ainda se agarram às velhas paredes, esperando achar ao menos um efêmero elogio ao construtor. Porém o esquecimento eterno ter-lhe-ia amortalhado o nome, não fosse uma descoberta acidental trazê-lo à luz.

Durante escavações feitas na catacumba de São Agnes, na estrada de Nomentan, uma rude tumba foi descoberta. Estava fechada por uma lápide de mármore ostentando a figura da palma e da coroa, e junto a ela, um frasco de sangue, o inconfundível testemunho do martírio. A tosca inscrição declarava: GAUDÊNCIO, o arquiteto do Coliseu.

Eis aqui a explicação para o estranho silêncio de Marcial e dos historiadores pagãos contemporâneos seus. Gaudêncio era um cristão e um mártir; pertencia a seita odiada e perseguida por todo o poder do Império. Provavelmente, foi uma das primeiras vítimas a ter o sangue derramado na areia do anfiteatro.

O imperador romano pensava não apenas aniquilar o cristianismo, mas obliterá-lo da memória humana. Nenhum ato público era permitido em favor dos cristãos; abrigá-los, elogiá-los, ou imaginar que fossem capazes de qualquer coisa grande e nobre, era traição. O poeta bajulador, que buscava somente os sorrisos de César, conhecia o tema que o agradaria; não arriscaria a vida expressando simpatia pelos perseguidos seguidores da cruz. Assim, Gaudêncio partiu sem um monumento. Os tímidos amigos deitaram os seus restos na tumba de um mártir, nas escuras criptas das catacumbas, e na débil esperança de que um dia a posteridade reconhecesse-lhe o gênio e o talento, rabiscaram rudemente, sobre a laje de mármore que o cobria, que ele fora o arquiteto do Coliseu.

Não surpreende que os restos mortais de Gaudêncio, bem como o de centenas de outros nobres mártires, fossem depositados silenciosamente, e aparentemente sem honras, nas melancólicas galerias das catacumbas. Numa época em que tudo era horror e confusão, quando os trêmulos sobreviventes mal podiam, em segredo e na escuridão da noite, reunir os restos de seus amigos martirizados, não havia oportunidade para registrar-lhes os triunfos e homenagens em epitáfios estudados, ou monumentos imperecíveis.

Há milhares de santos brilhando no resplandecente grupo vestido de branco, e que "seguem o Cordeiro por onde quer que vá", desconhecidos da Igreja militante, a não ser pelo nome. Contudo, encontramos nos registros das catacumbas alguns versos curtos, porém tocantes, homenageando alguns mártires em particular; talvez a rude composição de algum amigo sobrevivente, lavrada na pedra dura por uma mão delicada, à baça luz de uma lâmpada a óleo. Tais eram os versos na tumba de Gaudêncio:

Sic premia servas Vespasiane Dire
Premiatvs es morte gavdenti letare
Civitas vbi glorie tve avtori

Promisit iste dat kristvs imnia tibi
Qvi alivm paravit theatrv in celo

Eis aqui um panegírico em poucas palavras, porém simples e sublime. Ele declara que nosso herói foi vítima de grosseira ingratidão, e embora o seu gênio tenha contribuído para a glória da cidade, a sua recompensa foi a morte cruel. O cristão que entalhou este epitáfio parecia consolar-se com a glória e apreciação dada ao amigo no outro mundo. "César prometeu três grandes recompensas", parece dizer ele, "Mas o pagão foi falso e ingrato. Aquele, que é o grande Arquiteto do céu, e cujas promessas não falham, preparou para ti, em recompensa à tua virtude, um lugar no teatro eterno da cidade celestial".

À primeira vista, estes versos não parecem possuir toda a importância que lhes atribuímos, mas um momento de reflexão provará que são um dos mais cândidos registros do passado. Não havia outro teatro construído no tempo de Vespasiano, a não ser o Coliseu; ele era *a glória da cidade*, e ainda o é em suas ruínas. Vespasiano não perseguiu os cristãos, mas houve mártires em seu reinado. As leis de Nero não tinham sido revogadas, e ainda eram executadas, com maior ou menor violência, em diferentes partes do Império. Lemos a respeito de Apolinário, bispo de Ravena, no martirológio romano de 23 de julho: "*qui sub Vespasiano Caesare gloriosum martyrium consummavit*". Eusébio, em sua *História da Igreja* (livro III, cap. 15), assim como Barônio (ano 74), asseveram que Vespasiano levantou uma terrível perseguição contra os judeus; mandou matar todos os que se diziam descendentes de Davi. Para os gentios daquele tempo, cristãos e judeus eram a mesma coisa. Dion Cássio afirma que Domiciano mandou matar aqueles "*qui in mores Judeorum transierant*" (livro 47), isto é, aqueles que se tornaram cristãos. Líderes superficiais são inclinados a duvidar da inferência deste epitáfio. Mil questões podem ser feitas, e muitas objeções levantadas, mas sem entrar num tedioso, e talvez desinteressante exame da questão, será suficiente declarar que é a opinião aceita de todos os antiquários modernos, que este epitáfio só pode se referir ao arquiteto do Coliseu. Dentre os autores que defendem esta opinião, sem duvidar, estão Arringhi, Nibe, Rossi, Marangoni e Gerbet.

A laje que contém esta inscrição pode ser vista atualmente na igreja subterrânea de Santa Martina, no Fórum. Martina foi uma das virgens expostas às bestas selvagens do Coliseu. A capela subterrânea é uma jóia da arquitetura, e o último monumento da genialidade e da munificência de Pietro da Cortona, que a projetou e construiu. É ricamente ornamentada, e possui muitas peças de belo e excelente mármore. Entre os ornamentos que lhe adornam as paredes não há um tão interessante quanto a rude lápide de Gaudêncio.

Nada se sabe de sua vida ou do modo como morreu; a sua história, o seu martírio, e o seu panegírico acham-se contidos neste breve e obscuro epitáfio. A Igreja blasonou em seus registros, com letras brilhantes, os nomes desses heróis cujos talentos ou triunfos foram a glória daqueles tempos primitivos; dentre eles, pode-se reconhecer o arquiteto da maior obra da antiguidade, o cristão e mártir Gaudêncio.

Inácio

Capítulo 6

Após a sua gloriosa transfiguração no Tabor, o Senhor Jesus retirou-se para a Galiléia com os discípulos. Havendo prenunciado sua paixão e morte, e os preparado para as tremendas cenas que se desenrolariam em alguns dias, Ele iniciou a sua última e memorável jornada a Jerusalém. Os discípulos seguiam-no a curta distância. Na estrada de Cafarnaum, entraram a discutir entre si qual deles seria o mais importante. Suas mentes ainda não estavam iluminadas pelo Santo Espírito, e eles ainda ignoravam as sublimes virtudes da moralidade cristã.

Jesus, porém, sabia o que se passava entre eles. Ao chegarem a Cafarnaum, Ele entrou numa casa, fez os discípulos sentarem-se à sua volta, e pôs-se a ensinar-lhes aquelas maravilhosas lições de humildade, que são a fundação de toda real grandeza. Irradiando amor e bondade no semblante, Ele indagou: "De que é que vocês vinham tratando pelo caminho? Mas eles ficaram quietos".

Um raio de luz penetrou-lhes o coração, enquanto as palavras de Jesus lhes penetravam os ouvidos, e um rubor foi o reconhecimento de seu orgulho. Perto do Senhor havia uma bela criança – um menininho de olhos brilhantes, de quatro ou cinco anos, com os cabelos dourados caindo em cachos pelos ombros. Era o símbolo de tudo o é que belo e inocente. Jesus chamou o menino, e imprimindo-lhe um beijo na testa, colocou-o diante dos discípulos. Então, no doce tom de sua voz celeste, advertiu-os: "Em verdade vos digo que, se não vos converterdes e não vos fizerdes como crianças, de modo algum entrareis no Reino dos céus" (Mt 18.3).

Segundo a tradição, aquele menino era Inácio! O garotinho abraçado por Cristo, e posto em sua inocência como modelo de tudo o que é verdadeiramente grande, seria, nos anos vindouros, o bispo de Antioquia, que foi devorado por bestas feras no Coliseu.

Na verdade, nada se sabe da infância e juventude de Inácio. Ele aparece nas páginas da história já como o bispo de Antioquia, que nessa ocasião era uma das maiores cidades de Roma. A circunstância acima descrita, embora mencionada por alguns escritores antigos, não possui confirmação histórica além da tradição. Não a tomamos como certa, mas a apresentamos como uma introdução interessante aos *Atos* desse grande mártir, que são, indubitavelmente, genuínos.

Inácio fora discípulo dos apóstolos Pedro e João. Aprendera desses mestres competentes a sublime ciência do amor de Deus, que fez dele um dos pilares e ornamentos da Igreja Primitiva. Depois dos apóstolos, ele foi um dos homens mais notáveis da igreja; seus contemporâneos, e os pais que viveram nos três séculos seguintes, mencionam-lhe o nome com a maior reverência. Policarpo e Crisóstomo fizeram dele o objeto de seu mais eloqüente panegírico. Após uma vida de mais de cinqüenta anos no episcopado de Antioquia, aprouve ao Todo-Poderoso chamá-lo a receber sua coroa, por uma morte que deveria ser uma glória e um modelo para a Igreja. A história de seus labores e virtudes não foi escrita, mas todas as particularidades de sua morte foram registradas por testemunhas oculares, e distribuída em várias igrejas; por isto seus *Atos* são os mais autênticos na história do passado. O documento original, escrito em grego, acha-se preservado, e foi publicado por Ruinart, em Paris, em 1690.

A cena de seu martírio começa, de acordo com a melhor autoridade, no ano 107 de Nosso Senhor. Trajano tinha nas mãos o cetro dos césares, e Evaristo sentava-se na cadeira do papa. A tempestade que atacara a Igreja durante o reinado de Domiciano fora acalmada. Relatam os historiadores que Trajano não amava naturalmente o derramamento de sangue, e possuía um sentimento de humanidade mais nobre que todos os imperadores que o precederam; era, no entanto, covarde e escravo da opinião pública. Ele reprimia os próprios sentimentos para favorecer o gosto brutal da plebe. A fim de ganhar popularidade, e sob o pretexto de devoção aos deuses do Império, dava continuidade, de tempos em tempos, às horríveis cenas de perseguição aos inofensivos cristãos. Inácio foi uma de suas vítimas.

No oitavo ano de seu reinado, Trajano obteve uma gloriosa vitória sobre Decébalo, o rei dos dácios, e anexou todo o seu território ao Império Romano. No ano seguinte, assentou uma expedição contra os partos e os armênios, aliados dos dácios. Chegando a Antioquia, ameaçou com as mais severas punições todos aqueles que não sacrificavam aos deuses. Os labores e as pregações do venerável bispo desta cidade fora tão coroado de sucesso, que a igreja florescera, e deixara de ser uma desprezível comunidade de uns poucos indivíduos. Os pagãos viam com maus olhos a igreja crescendo à sua volta, e aproveitaram a presença do imperador para pedir a sua extinção. "O magnânimo campeão de Jesus Cristo" dizem os *Atos* de Inácio, "receando que sua igreja se transformasse num cenário de massacre, voluntariamente entregou-se em suas mãos, para que saciassem nele a sua fúria, salvando assim o rebanho".

Ele foi imediatamente conduzido à presença do imperador, e acusado de ser o cabeça e promotor do cristianismo na cidade. Trajano, assumindo um tom arrogante e desdenhoso, dirigiu-se ao idoso bispo, que se mantinha destemido perante ele, com estas palavras: – Quem és tu, espírito ímpio e mau, que te atreve não somente a transgredir nossas ordens, mas também a aplicar-te em carregar outros contigo para um fim miserável?

Meigamente, Inácio replicou: — Os espíritos ímpios e perniciosos pertencem ao Inferno; eles nada têm a ver com o cristianismo. Tu não podes chamar-me de ímpio e mau, quando levo no coração o Deus verdadeiro. Os demônios tremem à simples presença dos servos do Deus a quem adoramos. Eu tenho Jesus Cristo, o Senhor universal e celestial, e Rei dos reis. Pelo seu poder, posso pisar todo o poder dos espíritos infernais.

— E quem é que possui e carrega seu Deus no coração? — indagou Trajano.

— Todos os que crêem no Senhor Jesus Cristo, e o servem fielmente — foi a resposta daquele homem santo.

— Então não acreditas que também carregamos dentro de nós os nossos deuses imortais? Não vês como eles nos favorecem com o seu auxílio, e que grande e gloriosa vitória obtivemos sobre os nossos inimigos?

— Vós estais enganados ao chamar de deuses aquelas coisas que adorais — replicou Inácio, majestosamente. — Eles são espíritos amaldiçoados; são os demônios. O Deus verdadeiro é apenas um, e foi Ele quem criou os céus, a terra, e o mar, e tudo o que existe. E apenas um é Jesus Cristo, o Filho primogênito do Deus Altíssimo, e a Ele eu oro humildemente, para levar-me um dia à possessão do seu reino eterno.

— Quem é este Jesus Cristo? Não é Ele que foi posto à morte por Pôncio Pilatos?

— É dele que eu falo — volveu Inácio. — Ele, que foi cravado na cruz, que aniquilou o meu pecado e o inventor do pecado, e que, pela sua morte, pôs sob os pés daqueles que devotamente o levam no coração todo o poder e malícia dos demônios.

— Então carregas dentro de ti este Jesus crucificado? — Perguntou o imperador com um sorriso sarcástico.

— Assim é — afirmou Inácio. — Porque Ele nos diz em sua santa Escritura: "Neles habitarei e andarei entre eles" (2 Co 6.16).

Por um momento, Trajano silenciou; pensamentos conflitantes passaram-lhe pela mente. Estava ansioso para ouvir mais sobre a religião dos cristãos, e tocado pela venerável aparência do servo de Cristo, esteve para mandá-lo de volta ao seu povo com uma leve reprimenda, mas o demônio do orgulho e da infidelidade levantou-se de um salto em seu coração, e recordou-lhe que qualquer parcialidade para com a seita odiada seria um sinal de fraqueza, uma perda de popularidade, e uma falta de lealdade aos deuses. Ademais, a hesitação trairia o falso zelo de seu coração hipócrita, então, sentando-se no trono, pronunciou a sentença contra o bispo de Antioquia:

— Ordenamos que Inácio, que afirma carregar consigo o Jesus crucificado, seja levado em cadeias à grande cidade de Roma, e em meio aos jogos do anfiteatro, como um prazeroso espetáculo ao povo romano, seja dado em alimento às bestas feras.

Quando Inácio ouviu sua sentença, caiu de joelhos, e erguendo os braços ao céu, bradou num êxtase de alegria: – Oh, Senhor, agradeço-te haver-me honrado com o mais precioso sinal da tua caridade, e permitido que eu seja acorrentado por teu amor, como foi o apóstolo Paulo.

Ele permaneceu na mesma posição, os braços levantados, os olhos fixos no céu; parecia haver tido um vislumbre daquela inefável alegria que tão ardentemente desejava, e que logo desfrutaria. Foi arrancado de seu devaneio pelas garras de um soldado que agarrou-lhe a frágil mão, e a prendeu numa algema de criminoso. Seu crime foi "carregar dentro de si Jesus crucificado". Ele não ofereceu resistência; cheio de alegria, e orando por seu pobre rebanho, foi com os guardas para uma das celas da prisão pública, onde aguardaria a partida para Roma.

Uma multidão agrupara-se no pátio do palácio do governo, onde residia o imperador. Quando viram o venerável bispo algemado e condenado à morte, um murmúrio de compaixão rompeu de cada lábio; havia muita gente com lágrimas nos olhos, e no peito, um soluço reprimido. Eram cristãos assistindo o seu amado bispo e pai ser arrastado para uma morte ignominiosa.

João Crisóstomo reflete com muita eloqüência e piedade sobre a razão de Inácio haver sido levado a Roma. Os mártires eram geralmente mandados do tribunal para o cadafalso, e freqüentemente tornavam-se vítimas da ira impotente dos tiranos, e eram torturados e postos à morte na própria corte de justiça. Trajano, porém, não era homem de disposição brutal, e teria suspendido a perseguição contra os cristãos, não fosse o temor da indignação popular. Quando ordenou que o velho bispo fosse levado a Roma, e exposto às feras perante dezenas de milhares de espectadores, foi para que o Império inteiro pudesse louvar-lhe o zelo a serviço dos deuses, e o povo fosse dissuadido de abraçar o cristianismo ao testemunhar a terrível sorte de seus líderes. Entretanto, a divina Providência, que pode tirar o bem das más ações humanas, destinou essa jornada à edificação da Igreja e à salvação de inúmeras almas. A constância, a piedade, e a eloqüência do mártir em seu caminho para a morte espalharam amplamente a sublime verdade da lei divina; ele despejou de seu coração o fogo do amor que queimava dentro de si. Por onde ele passava, os cristãos eram animados a um novo fervor, e muitos infiéis reconheceram no respeitável prelado um reflexo da divindade do evangelho que ele pregava; abjurando os falsos deuses do paganismo, tornaram-se filhos de Deus.

Durante sua viagem a Roma, a sua felicidade e a sua paz de espírito foram além de qualquer descrição. A cada dia crescia o seu desejo pelo martírio. Ele foi levado de Antioquia a Selêucia, e lá embarcou para Esmirna. Aportaram seguramente após longa e penosa viagem marítima, e Inácio imediatamente empenhou-se para ter um encontro com o bispo Policarpo, seu condiscípulo de João. Pelo esforço dos cristãos que o acompanharam, e que provavelmente subornaram os guardas, foi-lhe dado este privilégio, e ele passou alguns dias com Policarpo.

Os estudiosos da história eclesiástica acharão, talvez, à primeira vista, alguma dificuldade em trazer para a mesma página os notáveis nomes de João, Inácio e Policarpo. João foi o discípulo amado, que reclinou-se no peito do Senhor; Inácio foi martirizado no ano 107; e quanto a Policarpo, supõe-se que sofreu o martírio no final de 167. Inácio exerceu o bispado antes que Policarpo houvesse nascido; contudo, ambos foram discípulos de João. Estes fatos são facilmente conciliados: João viveu até a idade de 101 anos. Ele consagrou Policarpo ao bispado de Esmirna por volta do ano 90 de Nosso Senhor, antes de ter as misteriosas visões do Apocalipse, na ilha de Patmos. Viveu alguns anos na Ásia Menor, e deve ter estado freqüentemente na cidade de Antioquia, quando Inácio era o seu bispo. Além disso, no primeiro século, aqueles que podiam consultar os apóstolos por cartas, ou entrevista, sobre as dúvidas que surgiam acerca dos discípulos ou dos ensinamentos da Igreja, eram chamados discípulos desses apóstolos. Assim sendo, Inácio e Policarpo foram condiscípulos de João.

Da residência de Policarpo, Inácio escreveu algumas cartas maravilhosas e sublimes, solicitando aos cristãos de diferentes igrejas, especialmente de Roma, que não lhe impedisse o martírio. Não que os cristãos fossem acostumados a resgatar seus mártires das mãos dos tiranos por meio da força física, mas Inácio bem sabia que eles possuíam armas mais poderosas que aquelas ostentadas pelos exércitos nas batalhas; era a invisível, irresistível, e poderosa arma da oração. Por ela, a ira dos tiranos era desviada, e a morte, frustrada. E Inácio suplicou-lhes, com todo o fervor de seu coração, que o deixassem receber sua coroa, e partir agora, em sua idade avançada, de uma enfadonha vida de inquéritos judiciais para a bem-aventurança inefável do reino celestial. Os cristãos consentiram, e o mártir ganhou sua coroa.

"Obtive do Deus Todo-poderoso", escreveu ele em sua carta aos romanos, "o que há longo tempo venho desejando: ir ver-vos, a vós, verdadeiros servos de Deus; e mais que isto, espero alcançar sua misericórdia. Vou a vós algemado pelo amor de Jesus Cristo, e algemado, espero chegar logo à vossa cidade para receber vosso abraço e despedidas para o fim. As coisas começaram de modo auspicioso, e eu oro sinceramente para que o Senhor remova todo impedimento ou atraso para o glorioso fim que Ele parece me haver destinado. Mas, oh! Um medo terrível arrefece-me a esperança, e vós, meus irmãos, sois a causa deste temor. Temo que a vossa caridade se interponha entre mim e a minha coroa. Se vós desejásseis impedir-me de receber a coroa do martírio, ser-vos-ia fácil fazê-lo. Mas que tristeza e dor seria para mim essa bondade que me privaria da oportunidade de sacrificar a minha vida – oportunidade que talvez eu nunca mais tivesse. Permitindo que eu me vá sossegadamente ao meu fim, vós me ajudais naquilo que me é mais caro. Se, todavia, em vossa caridade mal orientada, quisésseis salvar-me, estaríeis-vos pondo como os mais cruéis inimigos no próprio portal do céu, e arremessando-me de volta ao profundo e tempestuoso mar da vida, para ser novamente atirado de um lado para outro em seus vagalhões de aflição.

Se me amais com verdadeira caridade, permitir-me-eis subir ao altar do sacrifício, e vós mesmos reunir-vos-eis à minha volta, entoando hinos de agradecimento ao Pai e a Jesus Cristo, por Ele haver trazido, do leste para o oeste, de Esmirna a Roma, o bispo de Antioquia, para fazê-lo confessor de seu grande nome, e sua vítima e seu holocausto. Oh! Que feliz e abençoada a nossa sina, morrer para este mundo, e viver eternamente em Deus!"

Noutro trecho de sua carta, ele usa estas sublimes e tocantes palavras: "Deixai-me ser o alimento das feras; deixai-me ir, desse modo, à possessão de Deus. Sou o trigo de Jesus Cristo; portanto devo ser quebrado e moído pelos dentes dos animais selvagens, para que me torne seu pão imaculado e puro. Afago aqueles animais que logo serão meu honrado sepulcro. Eu desejo e peço a Deus que eles não deixem nada de mim sobre a terra, para que quando o meu espírito voar ao descanso eterno, o meu corpo não seja uma inconveniência a ninguém. Então serei um verdadeiro discípulo de Cristo, quando o mundo não puder ver mais nada de mim. Oh! Oro a Deus para que assim seja; que eu possa ser consumido pelas bestas, e ser a vítima do seu amor. É para solicitar o vosso auxílio que vos escrevo; não vos envio mandamentos e preceitos, como Pedro e Paulo. Eles eram apóstolos; eu, um criminoso miserável. Eles eram livres; eu, um escravo sem valor. Mas se eu sofrer o martírio, serei livre. Agora que estou em cadeias por Jesus Cristo, reconheço a futilidade das coisas mundanas, e aprendi a desprezá-las. Na viagem que fiz desde a Síria, por terra e por mar, de noite e de dia, lutei e ainda luto com dez leopardos ferozes, que me pressionam de todos os lados; são os dez soldados que me mantêm algemado, e são meus guardas, que se tornam ainda piores e mais cruéis, de acordo com os benefícios que recebem. No entanto, estas coisas são para mim lições do mais sublime caráter; contudo, ainda não sou perfeito". (Veja *Acta Sincera*, Ruinart, vol. I, etc.)

Embora as cartas de Inácio despertem os mais profundos sentimentos de devoção em nossa alma, trazem-nos aos olhos lágrimas de compaixão. Não resta dúvida de que ele sofreu muito em sua longa e tediosa jornada a Roma. Essa viagem deve ter levado mais de seis meses; a sua carta de Esmirna data de 24 de agosto, e ele só foi martirizado em 20 de dezembro. Havendo chegado à Grécia, cruzaram por terra a Macedônia, e navegaram novamente de Epidamo à Itália. Cruzaram o mar Adriático, e foram rodeando o litoral sul da Itália, para a costa oeste. Passando a cidade de Pozzuoli, Inácio ansiou desembarcar lá, a fim de ir à Roma pela mesma estrada que Paulo percorrera muitos anos antes. Mas levantou-se um vento favorável, e toda a viagem foi feita pelo porto de Ostia. "Por um dia e uma noite", relatam os cristãos que acompanharam Inácio e escreveram os *Atos* de seu martírio, "tivemos este vento favorável. Para nós, decerto, era ele uma fonte de grande tristeza, porque nos obrigava a mais depressa separar-nos da companhia desse homem santo; para ele, no entanto, era motivo de grande alegria e felicidade, porque o aproximava cada vez mais de seu fim almejado".

Chegaram à Ostia pouco antes do término dos jogos anuais das calendas de janeiro. Estes jogos eram chamados *sigillaria*, e eram os mais populares e concorridos. Os soldados, desejando chegar a Roma antes de seu término, apressaram-se de Ostia, sem demora. Muitos dos cristãos ouviram da chegada de Inácio, e foram encontrá-lo num lugar próximo de onde agora se vê a imponente igreja de São Paulo. Ele foi saudado com uma mistura de alegria e tristeza; alguns estavam maravilhados de ver o venerável pastor, e receber a sua última bênção; outros choravam em voz alta a tristeza de saber que aquele grande homem ser-lhes-ia tirado por uma morte ignominiosa. Ele os consolava com a alegria de seu próprio coração, e tornava a implorar-lhes que não lhe evitassem o sacrifício com suas orações. Chegando junto aos portões, caíram todos de joelhos e receberam a sua última bênção solene.

Era a manhã do dia 20 de dezembro, de 107 d.C. O sol já se erguera no céu, e despejava seu esplendor dourado sobre a cidade. Os soldados e o velho bispo algemado adentraram aquele portão, através do qual rolara a corrente do triunfo, e passaram muitos cativos do leste, para serem massacrados no Capitólio, como o clímax glorioso do bárbaro triunfo.

Inácio desejara, desde a infância, ver a grande metrópole do Império, e agora, ela se abria diante dele em brilhante esplendor. Era uma floresta de templos, túmulos e mansões, de um branco nevado que parecia imperecível. Seus olhos, porém, estavam embaçados de lágrimas; seu coração, moído de tristeza pela medonha escuridão que pairava sobre a cidade poderosa. O esplendor e a magnificência de seus monumentos de mármore e ouro mais se assemelhavam à decoração de uma tumba colossal. Com os braços cruzados sobre o peito, ele orou para que o sol da justiça eternal um dia raiasse sobre a cidade ignorante; que o sangue de tantos mártires derramado em seu solo contribuísse para que na vida de outros santos se apresentassem os frutos daquele sangue mais precioso vertido no Calvário.

Enquanto Inácio absorvia-se na oração, uma breve curva na estrada trouxe-os para dentro da visão do poderoso Coliseu, do deslumbrante vestígio do palácio dourado de Nero, que coroava o Palatino, e, à distância, dos templos imponentes do Capitólio. Ao mesmo tempo, ouviram o troar de alguns milhares de vozes, misturadas aos rugidos dos leões e das outras feras. Um gladiador havia tombado no anfiteatro, e o populacho brutal ovacionava o golpe fatal que o derrubara; os animais alarmavam-se no calabouço, e a terra parecia tremer ao som do medonho coro de homens e bestas. Alguns minutos, e Inácio chegou junto aos muros maciços do Coliseu. Mas adiantemo-nos a ele, e tomemos assento numa das bancadas, para testemunhar a horrenda cena que se seguirá.

Um simples olhar à volta do anfiteatro, e seriam necessários alguns volumes para descrever tudo o que vemos. Imensidão e arte, beleza e conforto, envolto com os raios de luz que trazem as primeiras impressões – a mistura heterogênea de milhares de pessoas que ocupam cada assento disponível, o multicolorido suavizado pelo toldo púrpura, enriquecido pelas brilhantes armaduras dos soldados, e tudo o que o ouro e a prata podem oferecer para deslumbramento dos olhos. O trono do imperador, numa plataforma elevada, com o pálio carmesim, é de notável suntuosidade. Ele não está presente; encontra-se no acampamento. Mas o seu lugar está ocupado pelo prefeito da cidade, um coitado imprestável, cujo deus é a vontade do seu senhor. Próximo a ele estão os organizadores dos jogos, os irmãos Arvals, e as virgens vestais; no primeiro círculo de bancadas, sentam-se todos os ricos e grandes da cidade; a ordem acima deles acha-se vestida de belos mantos brancos – são os cavaleiros. E então vem a imensa plataforma, ou galeria do povo, onde se acham bancadas de madeira para as mulheres, obrigadas, por lei, a estarem separadas, e modestamente à distância das cenas de nudez e crueldade, que se passam na arena. Entre o povo, estão os enviados de todos os territórios sob a águia romana, e em todas as variedades de cores e costumes. Vê-se a raça robusta do norte gelado, de alvas feições e cabeleira castanha, lado a lado com o árabe trigueiro e o etíope de cabelo encaracolado; vêem-se os habitantes das profundezas do Egito, que bebem água das cataratas do Nilo, ao lado dos sarmácias, que mitigam a sede com o sangue de seus cavalos.

> *"Quae tam seposita est, quae gens tam barbara, caesar,*
> *ex qua spectator non sit in urbe tua!"*
>
> — Marcial.

A confusão das vozes era como o murmúrio do mar vigoroso. Parecia que a soberania do povo, banida do Fórum, buscara refúgio no anfiteatro, e vindicava com gritos ensurdecedores a sua liberdade de insultar e abusar. Em vão imaginamo-nos como pessoas do passado, para pintar as cenas do Coliseu nos dias de sua glória! Nada possuímos no âmbito de nossa experiência para comparar aos seus 100.000 espectadores tripudiando sobre imagens de assassinato e sangue.

Percorrera a multidão o rumor de que um dos líderes dos cristãos havia sido trazido da Síria, e condenado, por ordens do imperador, a ser exposto às feras. Um frenesi selvagem vai passando de banco para banco; o anfiteatro inteiro levanta-se e solta o grito coletivo, pedindo que os cristãos sejam lançados aos leões. Os mais fortes aplausos de nossos maiores teatros são apenas brisa, se comparados aos brados da raiva diabólica com que os romanos pediam o extermínio dos seguidores do galileu crucificado. Como o estrondo de uma avalanche alpina ecoando através dos montes, a vibração das vozes humanas percorre os palácios e os monumentos de mármore da cidade que, pelos desígnios da Providência, tornou-se um dos centros do cristianismo antigo.

Repentinamente, a calma reina sobre as massas vivas; todos os olhos fixados no portão leste. Os soldados conduzem à arena um homem idoso e fraco. Os cachos prateados de seu cabelo foram branqueados pela neve de mais de cem invernos; seu passo é firme; seu aspecto, animado; nunca uma vítima mais venerável foi conduzida através daquelas areias manchadas de sangue. Ele é levado aos pés da plataforma imperial; o prefeito, tendo ouvido de sua longa viagem desde o leste, e tocado por sua idade e aparência respeitável, pareceu experimentar um sentimento de piedade, e dirigiu-se-lhe nestas palavras: "Admiro-me de que ainda estejas vivo, após toda a fome e o sofrimento que já suportaste; agora, consente ao menos em oferecer sacrifício aos deuses, para que sejas livre da horrível morte que te ameaça, e salva-nos do pesar de ter de condenar-te".

Inácio, empertigando-se com majestade, e lançando ao representante do imperador um olhar de desdém, declarou:

— Com tuas palavras brandas, desejas enganar-me e destruir-me. Sabe tu que esta vida mortal não tem atração para mim; desejo ir a Jesus, que é o pão da imortalidade e a bebida da vida eterna. Vivi inteiramente para Jesus, e a minha alma anela por Ele. Desprezo todos os teus tormentos, e lanço aos teus pés a tua liberdade oferecida.

O prefeito, enraivecido com a linguagem ousada do bispo, proferiu num tom arrogante: — Já que este velho é tão orgulhoso e desdenhoso, deixai-o ser amarrado, e soltai dois leões para devorá-lo.

Inácio sorriu com alegria. Com um ato de ações de graças no coração, e uma súplica muda por forças, dirigiu-se à assembléia nestes termos: — Romanos que testemunhais a minha morte, não penseis que sou condenado por algum crime ou má ação. É-me permitido que eu vá a Deus, o que anelo com insaciável desejo; sou trigo de Deus, e devo ser moído pelos dentes das feras, a fim de tornar-me para Ele um pão branco e puro.[1]

Caiu, então, de joelhos, cruzou os braços sobre o peito, e com os olhos erguidos ao céu, esperou calma e resignadamente pelo momento que deveria libertá-lo dos problemas desta vida, e lançar-lhe a alma em seu vôo para a eternidade. Mais um momento, e os pequenos portões das passagens subterrâneas se abrem, e dois leões saltam para a arena.

Um silêncio palpável reina no anfiteatro. As feras avançam... Basta. Deixemos que a imaginação complete os detalhes angustiantes. O mártir foi-se ao encontro de sua coroa. Podemos apenas transcrever as breves e tocantes palavras de seus *Atos*: "Sua oração foi ouvida: os leões nada deixaram, a não ser os ossos mais sólidos de seu corpo".

A noite arrastou-se sobre a cidade. O Coliseu está silencioso como uma tumba. À frouxa luz do luar, três homens caminham rápida e silenciosamente à sombra das arcadas. Perto do centro da arena, num dos lados da arquibancada do imperador, eles abaixam-se e desdobram um pano, onde recolhem alguns ossos e uma porção de areia empapada de sangue. São os cristãos Carus, Philom, e Agathopus, que acompanharam Inácio desde a Antioquia.

Próximo ao Coliseu, há uma casa freqüentada pelos cristãos. É a casa de Clemente, membro da família de Flávio, e discípulo de Pedro. Para esta casa os três amigos levam os restos mortais do querido pastor, e prestam-lhe as homenagens fúnebres.

Embora Inácio seja o primeiro a ser mencionado por sofrer no Coliseu, temos muitas razões para acreditar que houve muitos mais antes dele, e depois também, expostos às bestas feras no mesmo lugar, e de quem nenhum registro chegou até nós. Quando Inácio morreu, o Coliseu já tinha vinte e sete anos de uso. Nesse tempo a perseguição aos cristãos assolava com fúria ora maior, ora menor, e temos relatos de cristãos sendo lançados às feras noutros anfiteatros do Império. Lemos a respeito de Tecla, exposta, a mando de Nero, no anfiteatro de Licaônia. Supõe-se que ela tenha sido a primeira mulher martirizada. Atílio Glabrione, que era cônsul sob Domiciano (93 d.C.), teve de lutar com um leão no anfiteatro de Albano. O servo de Deus bravamente matou o leão, mas foi depois martirizado pelo tirano, em Roma.

Conquanto seja pequena a lista autenticada desses que sofreram no Coliseu de Roma, temos várias razões para presumir que milhares foram enviados ao céu, sem que tenhamos deles qualquer registro. O último e terrível dia, que desvelará ao homem o passado e o futuro, encontrará entre o inigualável coro dos mártires uma multidão de almas triunfantes, que lutaram na arena do Coliseu, e cujos nomes não fomos capazes de honrar nas páginas deste livro.

---

[1] Estas palavras foram usadas por Inácio numa de suas cartas, mas de acordo com os *Atos*, elas foram usadas por ele uma segunda vez, no Coliseu.

O General Romano

Capítulo 7

1

Antes de apresentar ao leitor os extraordinários relatos a respeito de Eustáquio e sua família martirizada, julgo de bom proveito contemplar por um momento o maravilhoso e consolador aspecto de triunfo concedido pelo Todo-Poderoso aos seus servos, nos dias da perseguição. Embora centenas de mártires tenham partido da arena do Coliseu para o céu, poucos deles foram mortos pelas feras. Este fato é um raio de luz em meio a todos os horrores de crueldade e carnificina.

Deus, que sabe mudar a natureza feroz desses animais que rondam por suas montanhas e desertos nativos, à caça de alimento, e transformá-los em protetores e companhias de seus eremitas, fez deles, em vez de instrumentos da mais horrenda morte, os defensores da castidade de suas virgens, e as testemunhas da santidade de seus santos. O Criador de todas as coisas planejou que o animal irracional fosse servo do homem e, com poucas exceções, não lhe permitiu ser o executor de inocentes.

Uma das mais consoladoras páginas na história das perseguições aos servos de Deus é o milagre, muitas vezes repetido, de Daniel na cova dos leões. Contudo, não no silêncio e escuridão da caverna onde o jovem profeta foi jogado, mas ao sol do meio-dia, no grande anfiteatro da capital do mundo, e perante 100.000 espectadores. Os milagres foram destinados por Deus a serem os servos da verdade e os agentes da convicção. Na intervenção visível de seu poder em preservar os seus filhos da fúria das bestas no Coliseu, Deus apresentava aos pagãos de Roma uma prova incontestável da divindade do cristianismo, e uma clemência que eles não sabiam apreciar. Se os muros do Coliseu pudessem falar, relatar-nos iam algumas cenas de triunfo consoladoras, onde os mártires eram maravilhosamente preservados.

Eusébio, que foi uma testemunha ocular de algumas dessas cenas, descreve com eloqüência e sentimento como as bestas selvagens foram incapazes de causar dano aos cristãos, e voltaram-se aos pagãos com fúria destrutiva. "Às vezes", conta ele, "investiam contra os campeões de Cristo nus e indefesos, mas detendo-se como que por um poder divino, voltavam a suas cavernas. Isso acontecia repetidamente, e despertava a admiração dos espectadores; por exigência deles, quando a primeira fera se recusava a atacar, uma segunda e uma terceira eram enviadas contra o mártir, mas sem qualquer efeito.

"Você teria ficado boquiaberto", continua Eusébio, "diante da firme intrepidez daqueles santos campeões, e da fortaleza impassível demonstrada por pessoas da mais tenra idade. Podia-se ver jovens, que ainda não haviam completado vinte anos, resistirem imóveis no meio da arena, enquanto oravam a Deus com fervor, e não se retraiam de onde estavam nem mesmo quando os ursos e leopardos, respirando ira e morte, quase lhes tocavam o corpo com o focinho. Podia-se ver outros lançados à frente de um touro enfurecido, que atacava os pagãos que se aproximassem, atirando-os ao ar com os chifres, e deixando-os semimortos; mas, quando esse mesmo touro, berrando de raiva, investia contra os mártires, não podia aproximar-se deles: esgravatando a areia com as patas, arremessando os chifres de um lado para o outro, e resfolegando raiva e violência por haver sido irritado com as brasas incandescentes, o animal enfurecido era, a despeito de tudo, puxado para traz por mão invisível. E outros ainda, depois de os animais selvagens haverem sido inutilmente provocados, eram mortos à espada, e seus restos mortais, em vez de serem sepultados, eram entregues às ondas do mar" (História Eclesiástica, livro VIII).

As situações descritas por Eusébio eram freqüentes em todo o Império. Onde quer que se ouvisse o nome cristão, a perseguição assolava. Parecia que o Deus Todo-poderoso adotara um expediente para conferir publicidade à sua Igreja iniciante, bem como um sinal – uma espécie de selo – de divindade. Em sua misericórdia e bondade, Ele fez da perseguição uma abundante colheita de almas. Baronio menciona (ano 307) que na perseguição de Deoclécio, quando a morte violenta alcançava diariamente a casa dos milhares, vinte e cinco novas paróquias foram designadas na cidade para batizar e instruir o povo que se multiplicava sob a espada. As horrendas e execráveis barbaridades a que eram submetidos os cristãos, com o objetivo de forçá-los a apostatar, bem como impedir outros de abraçar a crença proscrita, produziam um efeito totalmente contrário.

Os mártires de ambos os sexos, desde a mais tenra à mais avançada idade, não apenas suportavam com força sobre-humana os seus sofrimentos, como os saudava com alegria, visando a glória de Deus e a conversão dos pagãos. Seus próprios perseguidores eram forçados a aplaudir o heroísmo daqueles a quem odiavam tão amargamente, e a sentir-se desgostosos e afligidos diante das atrocidades que eles mesmos haviam exigido.

A reverência que os animais dispensavam aos mártires é demonstrada de modo tocante na circunstância que citaremos dos *Atos* de três mártires de Tarso, apresentados nos *Anais* de Baronio, no ano 290. Eles não sofreram no Coliseu de Roma; o seu martírio deu-se noutro anfiteatro do Império, e os registros de sua morte servem como amostra do que geralmente acontecia naqueles dias de horror. Esses mártires, Taraco, Probo e Andrônico, haviam sido torturados da maneira mais cruel em Tarso, na Cilícia; foram transportados de lá para Mopsueste, onde foram novamente submetidos a indescritíveis barbarismos, e depois, atormentados de novo em Anazobus. Ficaram tão cobertos de ferimentos, e com os ossos quebrados e puxados de suas articulações, que quando Máximo, o governador, desejou finalmente expô-los às bestas no anfiteatro, foi necessário que os soldados obrigassem alguns homens a carregar pelas ruas os seus corpos quase sem vida.

"Quando vimos aquilo", contam os três cristãos que escreveram os *Atos* e sepultaram os restos desses mártires, "viramos o rosto e choramos. E quando os seus corpos esfacelados foram arremessados dos ombros dos homens ao chão da arena, os espectadores, horrorizados pela visão, começaram a murmurar contra o governador; muitos deles levantaram-se e deixaram o teatro, expressando seu desgosto pela feroz crueldade. Máximo, então, mandou os guardas junto de si tomarem os nomes daquelas pessoas, pretendendo acertar contas com elas. A seguir, ordenou que as feras fossem soltas sobre os mártires, e quando elas não os tocaram, determinou que os tratadores fossem açoitados. Um urso, que devorara três homens naquele dia, agachou-se aos pés de Andrônico, e pôs-se gentilmente a lamber-lhe as feridas, não se importando que o mártir lhe puxasse os pelos, numa tentativa de irritá-lo.

"Enfurecido, o governador ordenou que os lanceiros transpassasse o urso. Terentiano, o organizador dos jogos, temendo a ira do tirano, tratou de garantir o sucesso da carnificina, determinando que uma leoa trazida de Antioquia por Herodes fosse solta sobre os mártires. Porém, para terror dos espectadores, a leoa pôs-se a saltar no lugar onde estivera reclinada, e quando finalmente puderam trazê-la até os mártires, ela abaixou-se diante de Trácio, portando-se mais como um cordeiro que como uma leoa.

"Gritos de admiração romperam de todo o anfiteatro; acabrunhado, Máximo gritou com os tratadores para que provocassem a leoa. A felina, porém, com outro salto, abriu caminho através da paliçada, e voltou à sua toca. Terentiano, o organizador, recebeu então ordens de prosseguir, sem mais delongas, com os gladiadores, instruindo-os a, primeiramente, executar os mártires a espada".

Acham-se registrados um ou dois fatos extraordinários de animais que se recusaram a tocar os escravos a eles jogados, mas esses foram casos excepcionais de reconhecimento e gratidão – traços de nobreza mais freqüentemente encontrados na criação bruta que na racional. Nossos leitores conhecem bem a história de Androclus e o Leão. Sêneca também menciona em seu segundo livro, *De Beneficiis*, no capítulo nove, que um leão não tocou num de seus tratadores que fora condenado à exposição à fera. Na vida de Sabba, um fato similar ao de Androclus é mencionado, e o leão agradecido viveu no monastério com os seus monges.

Esses fatos, ainda que interessantes e estranhos, não foram meros milagres. Não existe nada de sobrenatural neles, mais do que há na fidelidade de um cão, que perderia a vida em defesa de seu dono, ainda que este fosse rude. Somente a intervenção do poder divino pode impedir um animal enraivecido de saltar sobre uma vítima indefesa, ou fazê-lo agachar-se aos pés de uma pessoa que nunca viu antes, e ao mesmo tempo dirigir a sua fúria ao tratador que o alimentava. Esses milagres foram operados pelo Todo-Poderoso a favor de seus servos, e Eustáquio e sua família são outro exemplo dessa preservação maravilhosa.

Na vida desse grande mártir temos um dos extraordinários romances sagrados do segundo século; uma conversão tão maravilhosa quanto à de Paulo; uma vida de provações e aflições semelhante a do patriarca Jó; e uma gloriosa morte pelo martírio, a mais terrível nos anais da perseguição.

Nenhum romance sensacional dos dias modernos detalhou as vicissitudes imaginárias da vida, de modo mais estranho e interessante que este acontecimento real, chegado até nós com a autoridade da história. Há homens acostumados a duvidar de tudo o que é estranho na história, e eles riem com sarcasmo de nossa credulidade nos mais sagrados registros do passado. Portanto, apresentaremos primeiramente um epítome dos eventos mais singulares da vida de Eustáquio, e então, mostraremos uma das páginas da história eclesiástica, de cuja verdade não há razão para duvidarmos.

2

Os romanos eram, desde o nascimento de sua dinastia, um povo bravo e belicoso; os heróis que os guiaram às batalhas e às conquistas eram homens de consumada habilidade e inteligência, e acham-se merecidamente imortalizados nas páginas da história. Nos tempos antigos, a arte da guerra era grosseira e rudimentar, e toda a existência de um exército dependia da habilidade de seu general. Ele tinha de dirigir onde não havia ordem, nem inteligência, nem julgamento, a não ser aquele que lampejava em sua mente superior; ele movimentava a poderosa máquina de força viva e brutal, de acordo com a sua vontade; os espíritos mais rudes e selvagens eram cimentados juntos, na irresistível falange, por um único elemento: a confiança em seu líder. A sua destreza valia mais para o exército que número, posição ou coragem. Foi por isso que César, um dos maiores guerreiros do passado, declarou temer mais um general sem exército que um exército sem general. Eustáquio, ou Plácido (nome pelo qual era mais conhecido), foi um dos grandes generais do exército romano, no início do segundo século.

Seu nome e sua influência eram notórios entre os soldados, tanto por causa de suas virtudes quanto por sua capacidade e triunfos militares. Todos o admiravam por sua brandura e seu amor à justiça e à caridade. Ele era um pai para os soldados, e tratava-os com mansidão e justiça, virtudes desconhecidas da bárbara soldadesca, mas apreciadas no momento em que a sua influência benigna era sentida. Ele era generoso e caritativo com os desafortunados, e apesar de pagão, notavelmente virtuoso. A verdadeira grandeza é incompatível à propensão brutal do homem. As virtudes e a posição exaltada de Plácido atraíram os homens mais conspícuos da época, como se fora uma estrela solitária brilhando através da massa escura de nuvens, numa noite tempestuosa. Não admira que ele fosse assinalado pela Providência como objeto de graça especial, e instrumento de grandes milagres, pois que o Todo-Poderoso ama a virtude e a ordem, ainda que praticadas por um gentio, e nunca falha em recompensá-lo no devido tempo.

Talvez tenha sido a caridade de Plácido, algum ato silencioso de benevolência em sua vida, que tenha movido o coração de Deus a fazer dele um vaso escolhido.

Certo dia, como era de costume, Plácido saiu a caçar. Foi com alguns oficiais da cavalaria, de que era comandante, ao cume do monte Sabino, onde toparam com um bando de belos antílopes. Dentre eles, um de maior porte e beleza atraiu a atenção de Plácido, que se pôs a persegui-lo com todo o ardor da caçada. Com o entusiasmo somente conhecido dos caçadores, ele logo separou-se dos companheiros, e transpôs colinas e corredeiras, e esteve à beira dos mais perigosos precipícios. Plácido não conhecia perigos; não estava acostumado a derrotas. Prosseguiu, por montanhas e vales, até alcançar a sua presa numa ravina deserta, não muito longe do local onde hoje se acha a pitoresca vila de Guadanolo. Estes foram o local e o momento destinados por Deus para iluminar com a luz de Cristo a mente do grande general. O antílope estava na ponta de uma rocha, acima dele. Enquanto olhava para o animal, Plácido ouviu uma voz:

— Plácido, sou Jesus, a quem serves sem conhecer. A tua caridade e os teus atos de benevolência chegaram até mim. Um homem justo, amado por suas obras, não deve servir ao Diabo e aos falsos deuses, que não podem dar vida nem recompensa.

Aturdido e atemorizado, Plácido desmontou. Ele não podia desviar os olhos da luz brilhante à sua frente – mais brilhante que o sol. Finalmente, ganhando coragem, bradou num tom exaltado e trêmulo:

— Que voz é esta? Quem está falando? Revela-te para que eu possa conhecer-te.

Novamente a voz celeste caiu-lhe aos ouvidos:

— Sou Jesus Cristo, que do nada criou os céus e a terra, que a tudo deu forma, e fez a luz surgir da escuridão. Sou aquele que criou a lua e as estrelas, e fez o dia e a noite; que formou o homem do pó da terra, e para a sua redenção, vim em corpo humano, fui crucificado, e ressuscitei dentre os mortos ao terceiro dia. Vai até a cidade, Plácido, procura o pastor dos cristãos, e sejas batizado.

Um raio – o último raio da luz brilhante que lhe deslumbrara os olhos – penetrou-lhe o coração, e ele entendeu tudo. Plácido permaneceu quatro horas de joelhos; sua primeira oração a Deus, oração fervorosa e plena de gratidão. Quando se levantou de sua profunda adoração, percebeu que estava tudo escuro e em silêncio. O sol desaparecera atrás dos montes, e o seu cão e o seu cavalo fiéis, porém cansados, dormiam atrás de si. Plácido levantou-se, à semelhança de Paulo na estrada de Damasco, com a coragem de um leão para proclamar a verdade de Cristo e a misericórdia de Deus. Despertou o cavalo, e retornou lentamente à cidade, através das passagens desoladas dos montes.

Entrementes, os alarmas pela segurança de Plácido já haviam chegado até sua casa, na cidade. Ele fora abençoado com uma nobre e amável esposa; sua união vinha-se fortalecendo por longos anos de paz. À semelhança de suas almas virtuosas, seu lar era um cenário de felicidade doméstica raramente encontrado nos círculos pagãos. A ausência inusitada do general causara à esposa imensa ansiedade; durante toda a noite, ela esperara ouvir-lhe os passos na soleira da porta, mas a alvorada pardacenta já rompia no horizonte, e ainda nem sinal de Plácido.

Despertando de um repouso momentâneo e de um sonho ilusório, ela encontrou a escrava esperando que retornasse à consciência para entregar-lhe uma mensagem.

— Nobre senhora, Rufo, que acompanhou o general à caçada, retornou e pede uma audiência.

— Rápido, rápido, Sílvia, traze-o à minha presença.

Ela saltou do leito, encontrou o soldado veterano à porta, e tremendo de expectação, falou-lhe:

— Dizei-me, Rufo, tu sabes tudo sobre o general. Tu és um verdadeiro soldado, e mantém-te ao seu lado nas horas mais escuras. Como pudeste separar-te dele? Fala, eu temo o teu silêncio.

O veterano inclinou-se sobre a alabarda, uma arma constituída de uma longa haste de madeira rematada em ferro largo e pontiagudo, atravessado por outro em forma de meia-lua. Após pequena pausa, falou em voz profunda e solene:

— Nobre senhora, não desejo atiçar-te o receio das mais escuras calamidades, mas temo pela segurança do general.

— Eu te conjuro, Rufo, conta-me tudo! — exigiu ela freneticamente. — O seu cavalo de confiança caiu e o lançou num precipício? Os lobos das ravinas alimentaram-se de seu corpo lacerado?

— Nenhuma dessas calamidades, nobre senhora, sucederam ao bravo comandante — interrompeu Rufo. — Achamos que ele perdeu o caminho nas montanhas, e deverá estar aqui antes do meio dia. Eu estava ao seu lado, quando um grande antílope saiu do matagal; os cães o perseguiram, e os nossos cavalos voaram pela encosta áspera da montanha. O antílope era o maior que já vimos nestas paragens, e o mais veloz também. Nossas cavalgaduras inferiores logo ficaram para trás, e vimos o elmo brilhante de nosso comandante correndo como uma bola de fogo através da floresta. Logo o perdemos de vista, perto das ravinas do Marino. Paramos à sombra de uma figueira, esperando a cada momento ver o nosso galante comandante retornar com a presa de sua bela caçada. As horas passaram-se vagarosamente; esperávamos ansiosos ouvir o som de sua trompa. Nenhum cachorro voltou com a boca suja de sangue para assegurar-nos da vitória; cada momento de ansiedade fazia pulsar mais forte o martelo da vida. Procuramos nos lados da montanha, e chamamos em alta voz o nome de nosso general; não houve resposta, a não ser os ecos que quebravam a quietude do bosque das oliveiras. Tremendo por sua segurança, corri de volta ao quartel-general, e pedi um destacamento de cavalos para percorrer a montanha. Nota, nobre dama, como foi que me separei do general. As correntes de vida do sangue do meu coração não me são mais preciosas que a segurança do meu senhor. Rufo não deve servir sob outro comandante além de Plácido.

Enquanto Rufo ainda falava, ouviu-se do lado de fora um alvoroço, e alguns escravos empolgados entraram correndo, anunciando a chegada do general. Esgotado, e coberto de pó, ele apeou da montaria. Em silêncio, abraçou a esposa, e fazendo um sinal para que todos deixassem o aposento, voltou-se para ela:

— Estela, tenho uma história muito estranha para contar-te. Tu sabes que os terrores da guerra e o esfacelar-se dos impérios foram sempre a minha ambição e a minha alegria. Antigamente, eu nada temia; não conhecia Deus além de minha espada. Mas desde a última vez que me sentei à sombra destas torres ancestrais, e de teu sorriso amoroso, uma mudança operou-se em meus sonhos de ambição. Como o sol nascendo de uma grossa camada de nuvens, uma visão do mundo invisível passou diante de meus olhos: uma Deidade maior que os deuses do Império manifestou-se a mim. Estela, sou um cristão!

Com muitas lágrimas, ele descreveu a visão que tivera: a miraculosa intervenção de Deus para trazê-lo à fé. Naquele dia, ele pôs em ordem suas obrigações, a fim de entregar-se generosamente à vocação divina. Mensageiros foram confiados de conduzi-lo às catacumbas, onde o bispo cristão dirigia a Igreja de Deus. Apesar das objeções de sua tímida esposa, que temia as terríveis conseqüências envolvidas na profissão do cristianismo naqueles dias de horror, ele apressou-se, na primeira hora após o anoitecer, às criptas do Caminho Salariano. Dentre as sublimes lições que lhe foram ensinadas na visão, nas montanhas, estava a seguinte:

"Deixando às misericórdias de um momento
as vastas preocupações de uma cena eterna".

É provável que as terríveis perseguições de Domiciano tenham sido tão somente amainadas, nesse tempo. Os cristãos eram forçados a abrigar-se da fúria da tempestade nas catacumbas, e enquanto, com a permissão de Deus, não podiam pregar publicamente a mensagem da graça e da redenção, Deus lhes supria o ministério pelas operações interiores da graça, e dava aos seus apóstolos banidos a consolação de uma colheita mais abundante. Se, conforme imaginamos, o martírio de Eustáquio só ocorreu cerca de dezesseis anos após o seu batismo, Trajano era o imperador nesse tempo; sobre o caráter de seu reinado, já comentamos na história de Inácio.

O pastor cristão abrigara-se das tempestades da perseguição numa cripta, nas catacumbas da Via Salara. Deus, em sua misericórdia, informou-o, numa visão, sobre a conversão de

Plácido. O pastor estava ajoelhado sobre a lápide marmórea do túmulo de um mártir, e uma pequena lâmpada a óleo lançava uma luz fraca e trêmula sobre as lajes sepulcrais. O silêncio desses corredores dos mortos era quebrado apenas pelo suave murmúrio das orações, ou pelo eco abafado dos martelos e machados dos coveiros. De repente, o servo de Deus viu uma das paredes desaparecer de suas vistas, e em lugar dela, surgiu uma tocante cena passada nos Apeninos. Na ponta de uma rocha, estava um belo antílope, e em meio ao clarão que cercava o lugar, um general romano orava ajoelhado. A visão desfez-se rapidamente, e o líder cristão, compreendendo que a graça divina havia sido revelada a uma nobre alma, permaneceu um longo tempo em poderosa oração.

Quando a noite envolveu a cidade, um grupo misterioso, espessamente velado e oculto por grandes capas, passou pelo portão Salariano. Nenhuma interrogação foi feita, porque a capa militar de Plácido era uma garantia de proteção. Duas crianças, de três e cinco anos, agarravam com temor infantil as vestimentas da mãe, e seus passinhos ligeiros sobre o pavimento maciço harmonizavam musicalmente com as passadas solenes de seu pai militar. Em silêncio, passaram pelas habitações imponentes, que adornavam ambos os lados da estrada, e logo alcançaram o suave declive conhecido pelos cristãos antigos como *Clivum Cumeris*. O guia conduziu-os através de longos e estreitos corredores, e introduziu-os na presença do líder cristão, que abraçou Plácido como se o conhecesse havia muitos anos.

Podemos imaginar a alegria com que ele fez passar pelas águas batismais o general romano e sua família. Foi nessa ocasião que Plácido recebeu o nome de Eustáquio; sua esposa passou a ser chamada de Teopista, e os dois filhos, Ágapo e Teopistão. Todos os nomes derivavam-se do grego, expressando honra a Deus. As palavras do sacerdote à família recém-convertida foram para que tomassem corajosamente a cruz, e a suportassem como fizera o seu Senhor crucificado; eles haviam sido chamados a glorificar a Deus nos dias de dificuldade, e os cristãos são provados na fornalha da aflição; "por meio de muitas tribulações devemos entrar no reino do céu". Suas palavras foram proféticas: no próximo capítulo veremos Plácido sendo provado, e declarado fiel.

3

Deus prova aqueles a quem ama. Havendo escolhido a Plácido como um vaso para a sua glória, provou-o por uma série de aflições, que fizeram a paciência desse grande servo brilhar mais que qualquer outra virtude. Seus biógrafos têm-no comparado ao patriarca Jó. Mas aquela luz que lhe penetrou o coração, ensinou-lhe o valor secreto das provas e aflições.

Aquele que agora era o seu Senhor e Modelo vivenciara muitas dores e angústias; e o discípulo não é maior que o Mestre. Uma vida de facilidades, um colchão de plumas, roupas de seda, e ornamentos de ouro e pedras preciosas não são a armadura que distingue os soldados do Cristo crucificado. Quando experimentamos os leves e passageiros sofrimentos da vida, devemos lembrar que eles são para a glória de Deus e aperfeiçoamento de nossa fé.

Após ser batizado e recebido na Igreja, Plácido retornou ao monte Sabino, onde tivera seu encontro com Jesus. Fez questão de agradecer a Deus naquele local, para ele, memorável. O Altíssimo concedeu-lhe, então, outra visão que, ao mesmo tempo em que o consolava, mostrava-lhe as provações que o aguardavam.

Plácido mal retornara ao lar depois disso, quando a tormenta abateu-se sobre ele, esmagando-o de todos os lados. A triste narrativa de suas provações despertará compaixão até nos corações mais endurecidos. Em poucos dias, Plácido perdeu todos os seus cavalos e gado; cada ser vivo de sua casa, até mesmo os empregados domésticos, foram varridos por uma peste virulenta. A temível melancolia que a morte espalhou à sua volta, o mau cheiro das carcaças insepultas, e a insalubridade da atmosfera pútrida obrigaram-no a deixar a casa por algum tempo; e isto foi a fonte de novas aflições. Durante sua ausência, ladrões entraram-lhe na casa e roubaram tudo o que possuía, reduzindo-o à absoluta pobreza. Por esse tempo, a cidade estava regozijando e celebrando o triunfo dos exércitos romanos sobre os persas. Plácido não pôde tomar parte nessas festividades, e vencido pela tristeza, o desapontamento e a vergonha, combinou com Teopista, sua esposa, irem viver num país desconhecido, onde ao menos pudessem carregar a sua dor e pobreza sem o insulto cruel dos amigos orgulhosos e insensíveis.

Seguiram o caminho para Ostia, e lá encontraram uma embarcação prestes a partir para o Egito. Eles não possuíam dinheiro para a passagem, mas o capitão do navio, homem mau e cruel, vendo a juventude e beleza de Teopista, sentiu nascer no coração uma paixão impura; permitiu então que subissem a bordo, pensando num modo de satisfazer seus desejos pecaminosos. Esse homem nada sabia da bela e sublime virtude da castidade numa mulher cristã. E quando viu-se tratado com o desprezo da virtude indignada diante de uma sugestão cochichada de infidelidade, retorceu-se em seu desapontamento, e pensou numa vingança. O Diabo sugeriu-lhe um plano. Chegando à costa da África, o capitão exigiu novamente o pagamento das passagens, e intimou Plácido: se ele não pagasse, ficaria com Teopista como refém. Ele foi enviado à terra com seus dois filhinhos desamparados, enquanto sua bela e fiel esposa ficou detida no navio, que logo zarpou para outro porto.

Pobre Plácido, sentiu as lágrimas quentes deslizando-lhe pela face, enquanto via as velas da pequena embarcação enfunarem-se com um vento favorável, e levarem para longe o maior tesouro que ele possuía neste mundo. E viu a si mesmo numa terra estéril e inóspita, exilado, pobre e solitário. Se as suas fiéis legiões soubessem de sua triste sorte, como suas espadas confiáveis relampejariam em vindicação de seu general injuriado! Olhando para os filhos, agora sem mãe, ele puxou-os para junto de seu coração partido, e apontando com um dedo trêmulo o navio que agora era uma mancha branca no horizonte azul, afirmou:

— Vossa mãe foi dada a um estranho.[1]

Apertando a testa com a mão, Plácido curvou-se e chorou amargamente. Não há pontada de sofrimento humano tão pungente como a afeição frustrada, e ela é mais agudamente sentida quando o objeto de nosso amor é entregue não à morte, à matança, ou à penúria, mas à infâmia e à desonra. Até mesmo os pais pagãos de Virgínia preferiram cravar-lhe no coração um punhal a deixá-la viver em desonra.

Contudo, "melhor é o homem paciente que o bravo". O homem capaz de suportar provações e infortúnios é maior que o herói do campo de batalha. Recordando suas promessas a Deus na ravina dos Apeninos, Plácido imediatamente reprimiu seu pesar; levantando-se com uma determinação como a de Jó, e tomando os dois filhos pela mão, adentrou aquela região com um coração valente e resignado. Deus, porém, tinha outras aflições para prová-lo ainda mais.

Plácido não havia ido muito longe, quando topou com um rio bastante alargado por chuvas tardias. Era um rio vadeável, mas vendo que seria perigoso levar as duas crianças juntas, ele decidiu levar uma de cada vez. Deixando na margem a mais velha, entrou na corrente com a mais jovem. Mal alcançara a margem oposta, quando o grito da que ficara atraiu-lhe a atenção. Olhando para trás, viu um leão pegando a criança com a boca e arrastando-a para devorá-la. O pai aflito depositou à margem o filho que levava nos braços, e sem temer o perigo, mergulhou uma vez mais na correnteza. A angústia deve ser tremenda, quando faz um homem desarmado acreditar que pode caçar e lutar com o rei da floresta.

Mal ele saíra da água, quando a outra criança foi atacada por um lobo.[2] Esta última visão paralisou-lhe a coragem; ele não pôde dar mais nem um passo. Caiu de joelhos, e apelou ao grande Deus que, sabia ele, dispusera todas as coisas. Com o fervor de sua fé iniciante, e a dor de um pai desolado, orou pedindo paciência, e que nenhuma blasfêmia lhe saísse dos lábios; que nenhum receio viesse minar-lhe a adoração. O general permaneceu algum tempo de joelhos, e sentiu o bálsamo da consolação celeste gotejar-lhe gradualmente sobre a alma angustiada. Somente a fé pode quebrar as barreiras do tempo, e levar a alma a antecipar a união que a imortalidade trará.

Plácido confiara a família a Deus, e sabia que eles estavam felizes. Quanto a si, determinou suportar virilmente os poucos dias de sofrimento que a Providência lhe designara. Levantou-se uma vez mais da oração, fortalecido e consolado, mais separado de toda consolação humana, e mais unido a Deus. Logo deixou aquelas paragens tão dolorosas, e escapou para outra parte do país.

A seguir, encontramos Plácido como um pobre trabalhador numa fazenda chamada Bardyssa. Mas esta é a última parte da escura noite de sua provação; o crepúsculo que precede o glorioso nascer do sol. O Deus Todo-poderoso havia provado o seu servo com a mais severa adversidade que pode sobrevir a um homem; no redemoinho da aflição, Ele fez voar todo o seu conforto temporal, a sua felicidade doméstica, e a sua afeição paternal. E o vaso escolhido, novo na fé, foi achado fiel, merecedor da coroa.

Alguns anos haviam se passado desde que Plácido perdera a esposa e os filhos, e ele passara todo o tempo ignorado, em trabalho, oração, solidão, subindo cada vez mais alto na escada da perfeição, e em união com Deus. Chegara, porém, o tempo de sua recompensa: pelo mover da mão de Deus, para quem não há acaso, foram-lhe restituídos o conforto e a honra que antes possuía. Foi novamente posto à frente do exército romano, e devolvido aos braços de sua esposa e filhos, para nunca mais ser separado, nem mesmo pela morte, pois foram todos reunidos na alegria infindável do céu, pela morte gloriosa do martírio. Sigamos o curso dos eventos que conduziram a este resultado grandioso e consolador.

4

A grande capital do Império Romano encontrava-se em total comoção. Notícias do leste diziam que os persas, e outras nações, haviam atravessado a fronteira, e estavam devastando tudo diante de si. Os veteranos poliam as espadas, e exércitos de jovens afluíam de todas as províncias. Rumores recentes do avanço do inimigo deram um novo impulso à agitação, e uma expedição de magnitude e importância maiores que as usuais foi rapidamente preparada. A alma arrogante de Trajano, que ainda ocupava o trono dos césares, não podia tolerar, nem por um momento, a menor violação do Império, ou o arrefecimento de sua glória pessoal. Ele não perdeu tempo nem poupou despesas ao lançar-se rápida e pesadamente sobre o ousado inimigo. Mas a quem confiaria ele as legiões bélicas e o próprio destino do Império? À sua volta só via jovens e homens inexperientes.

Trajano pensou em Plácido, o grande general, ídolo do exército e terror dos inimigos, o comandante de sua cavalaria, que em tempos passados levara a maré da vitória aos mais distantes termos do Império. Ouvira boatos de que ainda estava vivo, mas afastado da vida pública. Trajano agarrou-se a esses boatos com a avidez de um homem cuja esperança malograra, e arriscou tudo numa última oportunidade. Ofereceu generosa recompensa a quem descobrisse o refúgio de Plácido e o trouxesse novamente ao comando das legiões de ferro de seu Império. Ardendo de ansiedade e dúvidas, ele foi adiando de um dia para outro a partida da expedição, esperando receber notícias de seu general favorito.[3] E o soberano não foi desapontado: encontraram Plácido.

Dois veteranos, Antíoco e Acácio, partiram para as províncias egípcias, à procura de Plácido. Suas incessantes perambulações e inquirições já pareciam infrutíferas, quando, certa manhã, prestes a desistirem da busca, passaram por uma bela e bem cuidada fazenda, e avistaram, a curta distância de si, um pobre lavrador. Aproximaram-se do homem, e indagaram se não vivia por aquelas bandas um certo cidadão romano, chamado Plácido.

Os dois soldados acreditaram ter visto algo naquele homem que lhes recordava o seu general; a nobreza de sua aparência e conduta falava de alguém que já conhecera dias melhores. Eles até pensaram ver em suas feições cansadas, bronzeadas pelo sol e enrugadas pelo desgosto, alguns traços do amável semblante de Plácido. Contudo... não podia ser... Seu general um exilado? Um lavrador naquele lugar miserável? Que reverso da fortuna o teria reduzido a isto? Como poderia um homem tão importante haver sido lançado da honra e da glória à obscuridade e à pobreza?

Mas o homem com os andrajos de lavrador pobre reconhecera naqueles soldados dois dos mais bravos veteranos de suas legiões.[4] A lembrança das guerras e batalhas e vitórias de outros tempos cruzou-lhe a mente; o papel que aqueles dois tiveram na derrocada do inimigo, sua bravura ao seu lado nos campos de batalha, as cicatrizes recebidas nas lutas sangrentas – tudo assaltou-o num momento, despertando cada bravo sentimento de sua alma. Plácido estava prestes a correr para eles de braços abertos, mas a prudência reteve-o onde estava, e numa atitude de autocontrole, suprimiu seus sentimentos exaltados. Compondo-se dignamente com um suspiro que por si só revelava a luta dentro de si, o general perguntou: — Por que estais procurando por Plácido? [5]

Enquanto Antíoco relatava como os adversários haviam uma vez mais declarado guerra no leste, e que o imperador desejava confiar a expedição unicamente àquele general, e por isso enviara à sua procura, a todas as partes, os soldados que haviam servido sob suas ordens, Plácido não pôde mais conter os sentimentos. Abrindo a rude vestimenta que lhe cobria as cicatrizes do peito, mostrou-as aos dois veteranos atônitos, e revelou-lhes ser o general que procuravam. No momento seguinte, eles estavam abraçados ao seu pescoço, e derramando lágrimas de alegria.

Uma vez Roma fora salva pelo bravo Cincinato, levado de seu arado para defender a cidade ameaçada. Como esse grande chefe do passado, Plácido foi recebido com alegria pelo povo; a confiança do exército foi restaurada, e um novo alento surgiu em todas as tropas. Combates e triunfos foram antecipados e declarados antes de serem lutados e alcançados. O imperador deleitou-se; abraçou o antigo comandante da cavalaria, ouvindo com interesse a história de suas vicissitudes, suas perdas e luto. E prendendo-lhe à cintura o cinto de ouro do comando consular, suplicou-lhe que desembainhasse uma vez mais a espada em prol do Império.[6] O santo homem já havia reconhecido, na humildade e prece de seu coração, que a grande mudança vinda de modo estranho e repentino era uma disposição do amor e providência de Deus; e preparara-se, mesmo em sua idade avançada, para conviver novamente com o ruído das armas e a fadiga da guerra. Durante a sua provação e resignação nos campos solitários do Egito, o Espírito Santo já lhe revelara que logo chegaria o dia da restauração de tudo o que ele perdera neste mundo. Eis aqui o primeiro passo no cumprimento de seu sonho; vejamos como Deus realizou o restante:

Enquanto Plácido coloca em ordem o seu rude exército, e exercita seus soldados na terrível ciência da guerra, retrocedamos alguns anos, e demos uma olhada na pobre e infeliz Teopista, deixada no barco daquele capitão tirano, que cruelmente a separara de seu marido e de seus filhos.

Sem dúvida, na empatia de seu coração piedoso, o leitor compadeceu-se dela em sua aflição, e esperou que alguma circunstância afortunada viesse salvá-la. Acaso o Todo-Poderoso já abandonou seus filhos quando a pureza é ameaçada? Não lhe comove o coração a inocência indefesa de uma mulher? Na história do passado, nenhuma virtude foi mais visivelmente protegida pelo céu que a castidade; nenhum vício despertou maior vingança que a impureza. A sua oração por proteção de sua inocência não apenas varou as nuvens, como arrancou delas o raio que atingiu o opressor com julgamento.

Não tema pela virtude e fidelidade de Teopista. Deus é o seu escudo. Quem pode prevalecer contra o Altíssimo? Os meios que Ele adota para proteger seus servos são silenciosos, consoladores e misericordiosos.[7] Deus não acertou o capitão com um golpe merecido, mas inspirou-lhe no coração um sentimento de ternura e piedade que o fez corar pela crueldade que fizera à jovem mãe. Mal o vento afastara a embarcação das vistas de Plácido e dos meninos, os soluços do coração partido de Teopista suscitaram um fio de piedade nos sentimentos do pagão. Ao mesmo tempo, Deus removeu-lhe os estímulos da carne, e o fez amar e admirar em sua cativa a virtude que ele jamais conhecera. A alma virtuosa é como uma árvore frutífera em florescência: libera a sua fragrância em cada brisa, e espalha na atmosfera um delicioso aroma. A sublimidade da virtude que brilhou na fidelidade da matrona cristã, e a paciência e o perdão daquela filha da desdita venceram de tal modo o capitão, que, em vez de ser seu inimigo e opressor, tornou-se seu protetor e guardião. Desembarcou Teopista no porto seguinte, e deu-lhe dinheiro e víveres para que se sustentasse por algum tempo. Ela também teve a sua cota de provações; quinze anos de sofrimento e exílio comprovaram-na merecedora da alegria e da coroa reservadas para ela.

Tudo pronto, a expedição partiu para o leste. O espírito de alegria e bravura que animava os soldados prenunciava os maiores triunfos. Eles fluíam aos milhares pelos portões orientais da cidade, e enquanto o sol matinal refletia em sua alabardas e lanças lustrosas, as tumbas de seus mortos importantes, alinhadas na Via Ápia, faziam ecoar uma vez mais as canções de guerra das irresistíveis legiões do Império Romano. O líder octogenário – Plácido, o cristão – comandava a retaguarda, numa biga puxada por dois belos cavalos árabes.

É desnecessário demorar-nos sobre a narrativa, tantas vezes repetida, do triunfo romano. As legiões despejaram-se como avalanches alpinas sobre o território inimigo, esmagando em sua passagem tudo o que se lhes opunha. Não apenas os rebeldes eram sujeitados, como a águia conquistadora estendia suas asas sobre novos domínios, e novas províncias eram acrescentadas ao vasto território dos césares.

A brandura e a habilidade de Plácido sabiam transformar em bem todas as coisas; em suas conquistas, evitava a mortandade e o derramamento de sangue desnecessários. Ele perdoava livremente, e nunca retribuía a resistência de um povo corajoso com as retaliações tão terríveis das crônicas da guerra pagã.

Todo exército tem seus heróis. A campanha de Plácido estava quase no fim, quando se revelaram os seus verdadeiros soldados. Onde a conquista fora fácil, todos eram bravos; chegado porém um momento de perigo e provação, os louros da fama distinguiram aqueles que os mereciam. O exército foi surpreendido numa emboscada, mas salvo pela pronta ação de dois moços pertencentes à unidade dos númidas. Eram dois jovens corajosos, que se haviam conhecido nas fileiras e se tornado amigos. Estavam ambos vagueando fora do acampamento, quando ouviram o grito: "Às armas!" Correram à vanguarda como leões, e animaram os companheiros. Lutaram juntos contra forças terríveis, mas suas alabardas eram manejadas rápida e habilmente, causando destruição por toda parte. Com alguns bravos companheiros, resistiram ao progresso do adversário até que o seu próprio exército ficasse livre. Uma resistência tão brava e inesperada causou pânico nas fileiras inimigas, que fugiram ao massacre. Alguns milhares foram mortos, e o exército da oposição foi tão completamente destruído, que nunca mais foi visto no campo de batalha.

O general vira tudo o que se passara, e quando a batalha chegou ao fim, mandou chamar os dois heróis que salvaram o exército, elevou-os ao cargo de capitão, e concedeu-lhes a honra de sua amizade.

O exército avançara de triunfo em triunfo, e devemos agora descortinar o cenário de nossa narrativa: uma planície agreste na costa da Arábia, onde eles estavam acampados antes do retorno à capital. Viam-se cabanas de pescadores à beira-mar, e aqui e ali, às margens férteis de um rio, pequenas e graciosas casas cercadas de jardins e vinhedos. Dentre elas, uma destacava-se pela beleza, no suave declive para o rio. Pertencia a uma pobre viúva, que vivia dos frutos de seu quintal e do trabalho de suas mãos.

O velho general, fatigado da batalha, armou aí a sua barraca, pretendendo descansar um pouco antes de empreender a fatigante viagem de volta. Junto dele ficaram os dois jovens capitães, a quem ele fizera seus confidentes, e tratava como filhos adotivos. Certamente, o ancião via na juventude e beleza dos rapazes o que os seus próprios filhos teriam se tornado, se suas vidas houvessem sido preservadas. Uma atração invisível fez com que ele os amasse ternamente, não suportando que se separassem dele. Os moços também desenvolveram uma profunda amizade entre si. A semelhança nos sentimentos e disposição, o amor secreto pela virtude, e um certo traço de nobreza em cada pensamento e ação, não apenas os ligava com os laços inseparáveis da harmonia, mas os elevava na estima de quantos os conheciam.

Um dia, como de costume, passeavam eles à margem do regato. À sua volta, tudo era frescor e beleza. Os pássaros cantavam nas árvores, e as flores, que cresciam abundantemente na vizinhança, espalhavam mil odores na brisa que ondulava a superfície da água. Os dois soldados sentaram-se à sombra de uma figueira, e entabularam animada conversa.[8] O mais velho era alto e bonito, e aparentava ter dezoito anos; parecia ser uns dois anos mais velho que seu colega. Era um jovem de ânimo calado e gentil, e às vezes parecia absorto em pensamentos, como se uma nuvem pairasse sobre ele. O amigo já notara isto, e particularmente nesse dia, observou que, durante a conversa, ele parava e olhava distraidamente para o riacho, que corria rápido e mais volumoso, em conseqüência das chuvas que caíra sobre as montanhas vizinhas. Naquela familiaridade permitida pela amizade comprovada, o mais jovem indagou do companheiro a causa de sua preocupação.

— Faz algum tempo que nos conhecemos — começou o jovem capitão —, e percebo que tens trancado no coração um segredo que me consolaria e interessaria ouvir. Conta-me a tua história, para que eu participe da tua tristeza. Tu sabes que sou teu amigo.

O outro fitou-o com bondade, ao mesmo tempo que parecia ler-lhe o semblante para ver se era de fato sincero. Depois, voltando os olhos o céu e suspirando, puxou a mão do companheiro para que se aproximasse mais, e confessou exaltadamente:

— Sim, vou contar-te uma estranha história, mas tu não deves trair-me o segredo. Sou um cidadão romano, e sou cristão.

O jovem sobressaltou-se como que abalado por um trovão, mas o outro, impedindo-o de dizer uma palavra, e chamando-o pelo nome, continuou num tom majestoso e cheio de bondade:

— Embora eu tenha me alistado no exército romano na mesma província que tu, não nasci lá. Meu pai era um general romano, e homem de grande apreço. Lembro-me de um dia, quando eu tinha cinco anos, ele saiu para caçar, e só voltou na manhã seguinte. Chegou em casa agitado, e disse coisas que fizeram minha mãe chorar. Na noite seguinte, quando estava tudo escuro e silencioso, meu pai levou-me a mim e a meu irmãozinho, que tinha apenas três anos, a uma caverna sombria. Depois de passarmos por corredores escuros e sinuosos, entramos num compartimento iluminado. Lá estava um homem idoso, sentado numa cadeira de pedra, usando no pescoço uma bonita estola. As paredes do pequeno quarto estavam cobertas de figuras de homens, peixes e cordeiros. O venerável ancião conversou com meu pai e minha mãe por um longo tempo. Não recordo todas as suas palavras, mas ele falou do Deus verdadeiro, desconhecido dos pagãos, e de todas as coisas boas que Deus fizera pelo homem: como o amara e morrera por ele, e lhe prometera felicidade eterna. Meus pais ficaram visivelmente afetados, e meu pai chorou novamente, como se tivesse feito algo errado. Então o velho batizou-nos nas águas, e deu-nos nomes diferentes. Recebi o nome de Ágapo. Quando, após várias orações, deixamos aquele lugar, meus pais pareciam regozijar-se.

Sem poder parar com a sua história, o jovem continuou:

— Logo depois, meu pai perdeu tudo o que possuía; seu gado e seus cavalos morreram de uma terrível moléstia; até os escravos e servos morreram. Deixamos então a nossa casa, e fomos para uma vinha fora da cidade. Em sua ausência, meu pai foi roubado de tudo o que possuía, e reduzido à pobreza. Então, uma noite, ele levou minha mãe, meu irmão e eu ao litoral, e embarcamos num navio, passando quinze dias no mar agitado. Quando aportamos, meu pai, meu irmão e eu fomos enviados à terra, mas minha mãe ficou no navio, que partiu imediatamente. Oh! Nunca esquecerei a aflição de meu pobre pai naquela ocasião.

O jovem enterrou o rosto nas mãos, e chorou por algum tempo. Enquanto isso, uma lágrima passou despercebida pela face de seu companheiro. Levantando novamente a cabeça, ele continuou a história em meio a lágrimas e profundos suspiros.

— Meu pai pegou meu irmão no colo, enquanto puxava-me pela mão, e entramos naquela região. Chegamos a um rio de correnteza veloz, e como meu pai não podia levar-nos a ambos de uma vez, mandou-me ficar à margem, enquanto levaria primeiro meu irmãozinho, e prometeu voltar para buscar-me. Entretanto, atravessava ele o rio, quando... Oh! Nunca esquecerei! Um leão saiu do mato e agarrou-me.

Um estremecimento passou pelo jovem ouvinte. Sem controlar a agitação, ele gritou:

— Que estranho! Mas conta-me, como foste salvo?

O moço parecia em grande comoção. Algumas palavras vieram-lhe aos lábios, mas ele as reprimiu, e ouviu com uma ansiedade inerte o restante da narrativa.

— Bem — prosseguiu o jovem capitão —, gritei por socorro, mas era tarde demais. O leão apanhou-me com a boca... ainda tenho no corpo as marcas de seus dentes... e carregou-me para a floresta. Afortunadamente, passavam por ali alguns pastores. Ao ver-me presa do leão, soltaram os cães atrás dele. Um dos cães agarrou-me e pôs-se a puxar-me, então o leão me largou e agarrou o cão, indo embora com ele. Os pastores levaram-me a sua casa, onde uma boa mulher deitou-me na cama e cuidou de mim. Recuperei-me e cresci naquela casa, mas nunca mais vi meu pai e meu irmão.

Apertando o braço do amigo, e com os olhos rasos d'água, ele completou:

— Não admira, meu amigo, que eu esteja triste. Este riacho, estas árvores, e esta planície agreste onde estamos acampados recordam-me aquelas terríveis cenas de minha infância. Acaso posso esquecer o dia em que perdi pai, mãe, irmão, tudo?

Ele não pôde dizer mais nada; escondeu novamente o rosto nas mãos e chorou amargamente.

Não obstante, observara, enquanto contava sua história, que seu amigo ficara cada vez mais emocionado, e de tempos em tempos deixava escapar frases desconexas e expressões de surpresa, como, "Estranho! Deve ser! Oh, céus!".

Após um instante de silêncio, o mais jovem gritou com força e exaltação:

— Ágapo, acho que sou teu irmão!

— Como? — espantou-se o outro. — Fala! Dize o que estás pensando, ou... Tu estás menosprezando o meu sofrimento?

— Também perdi meus pais na infância — replicou rapidamente o jovem. As pessoas que me criaram contavam que haviam me salvado de um lobo perto do rio Cobar, e que eu era de uma nobre família romana, por causa desse ornamento de ouro que trago ao pescoço.

Enquanto ele levava a mão ao peito para pegar o adorno, o outro pôs-se de pé num salto, e gritou:

— Mostra-o! Ele tem gravado o nome Teopisto e o mês de março?

— Sim, aqui está.

Ágapo, reconhecendo a medalha que sua mãe lhes pendurara ao pescoço na manhã seguinte ao batismo, tomou nos braços o jovem, exclamando:

— Meu irmão! Meu irmão!

As explicações não apenas colocaram o fato além das dúvidas, como puseram juntos os dois irmãos durante horas, abraçando-se, volta e meia, com lágrimas de afeição. Contaram um ao outro todas as minúcias de suas vidas. Teopisto fora salvo do lobo por um lavrador, que o criara como um de seus filhos. Eles cresceram separados por poucos quilômetros, e não o sabiam, mas Deus, cujos caminhos são inescrutáveis, reuniu-os no exército romano, a fim de restitui-los aos pais como recompensa por sua virtude. A alegria dos jovens estava para ser acrescentada por outra descoberta ainda mais consoladora e extraordinária. O leitor já sabe: o general era seu pai.

Quando a comoção do primeiro momento amainara, concordaram em procurar o general e informá-lo da incrível descoberta. Encontraram o ancião em sua tenda, sentado à mesa tosca, a face oculta nas mãos, absorto em meditações.

O mais velho correu para ele, e anunciou que tinha notícias surpreendentes e alegres para dar-lhe. O general levantou a cabeça; seus olhos estavam úmidos, e uma nuvem de melancolia sombreava-lhe a fronte. Olhando com um sorriso paterno os jovens animados, convidou:

— Então falai, meus filhos, pois a vossa alegria será a minha. A felicidade dos outros faz-nos esquecer nossas tristezas; vossas palavras virão como um raio de sol para o meu coração melancólico. Ah, este dia me trouxe tristes reminiscências... É o aniversário de uma série de infortúnios que me privaram de minha esposa e meus filhos.

Plácido fez uma pausa, e erguendo ao céu os olhos turvos de lágrimas, exclamou: — Mas é a vontade dEle, que reina sobre tudo. Ele deu, e Ele tomou; bendito seja seu santo nome!

Os jovens estavam estupefatos. Era a primeira vez que o velho general orava ao Deus verdadeiro diante deles. Mil pensamentos cruzaram-lhes a mente; não sabiam se primeiro deviam declarar que também eram cristãos, ou relatar a descoberta que fizeram. Amavam o velho como a um pai, e seu amolecido coração derreteu-se uma vez mais ao ver sofrer o veterano. Algumas explanações ligeiras bastaram para revelar a verdade: estavam falando com seu pai! No momento seguinte, os jovens estavam abraçados ao seu pescoço, e o velho comandante apertava ao peito seus filhos valentes.

Deixe a imaginação pintar o quadro que pena alguma pode desenhar. Um momento de alegria como este pesa mais que os anos de negras provações. Todavia, a noite escura e tempestuosa de Plácido já ia passando, e os raios luminosos da recompensa brilhavam sobre ele. Uma luminosidade que, pelo resto de sua vida, seria nublada, exceto por um momento: o momento que o introduziria na claridade da beatitude eterna e imutável – o momento em que sofreria a morte do martírio pela fé em Cristo.

5

Enquanto tinham lugar os eventos que relatamos, uma visível comoção envolvia o acampamento. Um mensageiro chegara em grande pressa. Trazia a notícia da morte de Trajano, em Selinonte (uma cidade da Cilícia), e da eleição de Adriano pelo exército. A eleição fora confirmada pelo senado, e o exército de Plácido recebera ordens de retornar imediatamente para reunir-se em triunfo nas celebrações fúnebres do imperador falecido. Os soldados sob o comando de Plácido haviam estado ausentes por quase dois anos, e achavam-se esgotados pelas privações da guerra. Saudaram com deleite a notícia de seu retorno. Os gritos ensurdecedores, anunciando a boa nova, alcançaram a tenda de Plácido antes que o correio chegasse até ele. O mensageiro, com os pés feridos e cobertos de pó, entregou ao general um rolo de pergaminho, onde estava escrito:

"Aprouve aos deuses elevar-nos ao trono do Império. Decretamos uma marcha triunfal pelo exército de Plácido, e ordenamos ao bravo general retornar imediatamente à capital."

— Adriano

O general segurou por um momento o pergaminho, completamente distraído. Erguendo lentamente os olhos ao céu, proferiu:

— Tu estabeleces, brilhante Sol de minha esperança. Aqueles destinos prefigurados em cochichos proféticos são rapidamente feitos realidade. Eia! Para Roma! Ao triunfo! Ao martírio!

Ordenou então que desarmassem as tendas e se preparassem para a marcha geral no dia seguinte. Dispensando a todos de sua tenda, permaneceu sozinho, em comunhão com Deus, agradecendo-o pela felicidade daquele dia. Percorria rapidamente a tenda; a visão do martírio futuro passando diante dele. Podemos ouvir, na imaginação, o tom majestoso de seu ardente solilóquio:

"Eia! Ao triunfo! Da carruagem de ouro ao túmulo — subir ao cume brilhante do monte Capitólio, em meio aos gritos de blasfêmias contra Deus, que laceram os céus — acender os fogos do sacrifício impuro aos demônios da idolatria!? É preferível que Plácido seja lançado à pira ardente, e seja ele mesmo a vítima.

"Nos sonhos da ambição jovem e mal-orientada, desejei a honra que agora está ao meu alcance, mas à luz do destino mais elevado que se segue, ela não passa de bela sombra que flutua diante da imaginação enfeitiçada, como as bolhas douradas da correnteza, que se desfazem no ar quanto tentamos pegá-las.

"Meus filhos! Bebereis vós do meu cálice? Passeareis na mesma carruagem e sorvereis um copo de alegria terrena, até alcançardes o átrio do templo de Júpiter. Então sereis amarrados à mesma estaca; as chamas de nossa pira funerária enviarão nosso espírito livre à terra do triunfo eterno, onde o brado de alegria real soará com as congratulações dos coros celestes pela nossa vitória cristã!

"Pobre Teopista! Sua nobre alma ainda está esperando para completar o holocausto! Estaria sendo forçada na casa de algum vilão?

> *"'Quem sabe você morra na juventude; ela pode ser curvada*
> *com aflições bem mais pesadas que a tumba poderosa,*
> *que pesou sobre seu pó suave – uma nuvem*
> *pode colher sua beleza, e uma melancolia*
> *em seus olhos escuros, profetizar a sentença*
> *do céu aos seus favoritos: morte prematura.'"*

Plácido foi interrompido por um servo anunciando que a pobre mulher, dona do jardim onde ele armara sua tenda, desejava vê-lo. Ele não era um homem orgulhoso e austero, que deixasse os assuntos dos pobres serem resolvidos por oficiais sem coração. Era acessível ao mais rude soldado de seu acampamento, bem como ao mais elevado oficial. Com um gesto, indicou que trouxessem a mulher.

Ela parecia avançada em anos, e vítima de muito sofrimento. Sua compleição enfraquecida e a simplicidade de seu vestido falavam de necessidade e pobreza; contudo, suas maneiras eram nobres. Seus olhos injetados revelavam o quanto havia chorado. As lágrimas haviam deixado sulcos em sua face; seu semblante, no entanto, em toda a sua terna expressão de cuidados e dores, evidenciavam traços de beleza, nobreza, e inocência. Havendo entrado na tenda, ela caiu de joelhos diante de Plácido:

— Grande chefe e líder dos exércitos de Roma! Peço-te que te compadeças do sofrimento de uma pobre e desafortunada mulher. Sou cidadã romana. Alguns anos atrás, fui separada de meu marido e filhos, e trazida para este lugar à força, para propósitos ilícitos. Mas empenho minha palavra, perante o senhor e o céu, nunca deixei de ser fiel a meu marido e a meus filhos. Estou aqui no exílio, em tristeza e miséria. Suplico-te, pelo amor que o senhor tem por tua esposa e teus filhos, leva-me de volta a Roma, aos meus amigos, aos meus...'[10]

Ela não pôde dizer mais nada. Em sua exaltação, pôs-se de pé, apertando os dedos cruzados, e olhando fixamente para Plácido, ela... reconheceu o marido.

No momento em que ela apelara ao amor que o general tinha pela esposa, ele levou a mão à testa para ocultar as lágrimas denunciadoras de seu coração aflito. Virando o rosto, expôs uma grande cicatriz atrás da orelha. O olhar da matrona reconheceu o ferimento que seu esposo recebera na guerra judaica, e um olhar atento às feições cansadas de Plácido convenceu-a. Teopista lançou-se para ele, e com os soluços sufocando cada palavra, pediu:

— Dizei-me, suplico-te, tu és Plácido, o comandante da cavalaria romana, a quem o Deus verdadeiro falou nas montanhas da Itália, que foi batizado e mudou o nome para Eustáquio, e perdeu sua esposa...?

— Sim! Sim! — interrompeu-a Plácido — A senhora a conhece? Fala! Ela ainda está viva?

A pobre criatura fez um esforço para jogar-se nos braços dele, mas vencida pela emoção, caiu chorando: — Eu sou Teopista![11]

O corpo enfraquecido de Teopista não pode suportar o choque da descoberta repentina. Quando recuperou os movimentos, ela ainda delirava, como se diante dela houvesse passado um sonho maravilhoso. Quando lhe retornou a razão, ela indagou:

— É mesmo verdade, ou um espírito maligno cria fantasmas para enganar-me? Oh, como Deus é bom!

Uma hora se passara, e a tenda de Plácido era cenário de uma alegria raramente experimentada neste lado da vida. Quatro corações solitários e moídos foram curados; o esposo e a esposa, os pais e os filhos, após anos de separação e provações, foram postos juntos e se reconheceram; tudo isto no espaço de uma hora. O Deus Todo-poderoso não os abandonara por um momento sequer, desde que decretara as vicissitudes que os provaria; comprovando-lhes a fidelidade, sabia como recompensá-los. A alegria que Deus despeja no coração dos fiéis é um regato da poderosa torrente de delícias inefáveis que inunda a alma dos santos. Se os cristãos soubessem como Deus zela com especial providência sobre aflitos, se imaginassem que os problemas e aflições são enviados diretamente por Ele, como a dor perderia a sua ferroada! Como a amargura diminuiria, e como o desapontamento se tornaria não apenas suportável, mas uma fonte de paz interior! A alma aflita, ajoelhada humildemente diante de Cristo, é o tipo do verdadeiro cristão.

Se a história de Plácido cair nas mãos de um aflito, saiba ele, como aquela alma valente e generosa, aguardar sem blasfêmia as disposições da Providência, reprimindo até mesmo um pensamento repreensivo para com Deus, e cada murmúrio de impaciência. Tão certo como as horas de aflição e angústia são longas e escuras, o momento da recompensa virá logo, brilhantemente, totalmente desanuviado.

A maior alegria que a alma pode fruir em sua habitação terrena foi preparada por Deus para aquela família feliz. A sua união aqui duraria apenas algumas semanas. Quando o acampamento foi levantado, e o exército pôs-se em marcha para Roma, Plácido sabia, por inspiração, que estava indo para a última e mais severa luta que Deus lhe tinha reservado: o seu triunfo na morte. Triunfo sobre o eu, sobre o mundo, e sobre os poderes das trevas. Ele dedicou todo o seu tempo a orar e a instruir os filhos na sublime moralidade e doutrina da fé cristã. E pediu a Deus um favor que lhe foi concedido: já que Ele havia permitido, em sua misericórdia, abraçar novamente a família, que a felicidade de sua união não fosse, nunca mais, anuviada pela separação; se o testemunho de seu sangue fosse exigido para fortificação da fé e da glória da Igreja, que a sua esposa e os seus filhos pudessem participar do mesmo favor recompensador da graça divina.

Enquanto as legiões marcham do leste, sigamos adiante delas até a grande capital, e preparemos nosso leitor para as cenas que em breve se seguirão. A bela e comovente história do nobre general romano está para ter um fim trágico – um dos desfechos mais luzentes nas páginas da Igreja, porém um dos mais escuros nos anais da ingratidão e da crueldade pagã.

6

O fraco e supersticioso Adriano ocupava o trono dos césares. Era homem de pouca habilidade, mas de ânimo vil, enganoso e cruel, capaz de todos os horrores que desgraçaram os reinados de seus antecessores. Mas a opinião pública estava farta da matança indiscriminada, e as mortes medonhas que encerraram a infame carreira daqueles tiranos faziam tremer o imprestável Adriano, e coibir a brutal propensão de seu coração impiedoso. Ele estava disposto a fazer vigorar as leis de perseguição aos cristãos, e a manchar novamente os centros de execução pública com o sangue de centenas de inocentes. Contudo, o exemplo de seu predecessor parecia ser a sua estrela guia: sob o governo de Trajano, o Império prosperara, os inimigos do leste foram derrotados, e novas províncias foram agregadas aos seus limites.

Mesmo assim, em sua política hipócrita de conciliação, homens notáveis dentre os cristãos foram publicamente executados; seu sangue foi derramado como penhor da devoção de Adriano aos demônios venerados pelo povo. Na primeira parte de seu reinado, ele punha nos deuses uma confiança supersticiosa; mas o medo, a imbecilidade, e uma piedade ridícula pareciam conflitar em seu caráter, destruindo um ao outro. A conseqüência foi que os cristãos desfrutaram de uma paz razoável em seu reinado.

Não obstante, alguns martírios ocasionais tiveram lugar. O martírio de Sinfrósia deu-se sob o reinado de Adriano, na inauguração de sua imensa habitação próxima a Tivoli. As ruínas cobertas de hera desta vila são hoje a parada favorita dos excursionistas do antigo Tibre. Dentre outros, encontramos na lista dos mártires de seu reinado os seguintes nomes: Maria, a jovem serva de Tertuliano, Alexander e Sixto, líderes da Igreja, Denis, o areopagita, e muitos outros igualmente dignos de nota. Todos concordam que a perseguição desse tempo era irregular, e dependia grandemente da disposição volúvel, impetuosa e cruel do imperador. Ela nunca foi completamente extinta, mas como brasa viva, ocasionalmente explodia em chamas, e depois apagava-se novamente.

Adriano possuía um gosto especial por arquitetura, e a tranqüilidade vivida pelo Império durante o seu reinado permitiu-lhe voltar a atenção à sua ocupação favorita. Algumas das mais belas ruínas da antiguidade, que têm suportado o peso dos séculos, ostentam a marca de seu orgulho e prodigalidade. O Tibre, o Danúbio, o Reno, e o Tine, na Inglaterra, ainda conservam em suas margens os restos de pontes e tumbas, castelos e fortificações, que olham altivamente para os rios poderosos, fluindo tão regular e majestosamente quanto o próprio tempo, sempre jovem na vitalidade da natureza. De todos os imperadores romanos, o nome de Adriano é o mais familiar aos peregrinos da Cidade Eterna. O estrangeiro chegado à Roma, em seu caminho à Igreja de São Pedro, a maior maravilha da arte moderna, cruza a ponte e passa sob o castelo de St. Ângelo; estes são os dois primeiros monumentos da antiguidade a atrair o olhar, e ambos são obras de Adriano. Séculos de guerra e devastação, chuvas e tempestades de aproximadamente mil e setecentos invernos têm despojado o mausoléu de seus ornamentos, mas suas paredes maciças e indestrutíveis ainda servem de fortaleza, prisão e castelo, e como uma rocha da natureza, olha de cima as gerações que passam. Por muitos séculos vindouros, ele permanecerá às margens do Tibre como um marco da correnteza do tempo.

"Volva ao molhe que Adriano erigiu no alto,
imitador imperial dos edifícios do Egito,
copista colossal da deformidade;
cuja fantasia viajada, do modelo enorme
do Nilo distante, condenou o trabalho do artista
a construir para gigantes, e para sua terra vaidosa;
recolhidas as suas cinzas, levanta este domo!
Como sorriem com alegria filosófica os olhos do observador,
Ao ver o imenso projeto que brota de tal nascimento!

— Childe Harold

Sobre o edifício venerável, paira agora o arco da aliança atual – o anjo de Deus embainha a espada flamejante da justiça. Ele foi erguido para comemorar a visão dada a um líder eclesiástico – um símbolo adequado do período mais notável da história romana, representando não apenas o fim de um flagelo momentâneo, mas o término dos dias sangrentos da perseguição, e o começo de um reinado pacífico para o benefício da humanidade.

No momento em que escrevemos, o sol da época de ouro de Roma já passou o meridiano, e acha-se na segunda ou terceira hora de seu declínio. Contudo, o esplendor e a magnificência da cidade estão além da descrição. A região que se estende como uma arena desde o Capitólio, e dos montes Quirinal e Piceno, até o Tibre, era adornada de ponta a ponta com teatros, hipódromos, lugares para jogos e espetáculos bélicos, templos cercados com bosques de sempre-vivas, ligados um ao outro por passeios sombreados e gramados que mais pareciam veludo. Monumentos e troféus de uma brancura nevada, de toda espécie, alinhavam-se às margens do rio. A história dos triunfos da cidade, escrita em mármore e travertino, desde a coluna de Duilius, até a magnificente coluna que acabara de ser feita em memória do falecimento de Trajano, apresenta um cenário tão fascinante, que Estrabo, em sua descrição, afirma ser quase impossível desviar delas o olhar. Elevando-se, porém, acima de tudo isto, surgia o mausoléu de César Augusto, onde ficavam as armas da família de Juliano e de muitos outros imperadores. Quando qualquer um deles estava para ser deificado, ou acrescentado ao número dos deuses, (uma cerimônia que Adriano realizou para Trajano), seu corpo era levado com pompa e cerimônia num leito de ouro, e posto sobre uma pilha de madeira odorífera; quando as chamas começavam a subir ao cadáver, soltava-se uma águia que ali estivera presa. Sob o aplauso de milhares de pessoas, o gênio do Império, ou "deificador de homens", elevava-se no ar rumo aos céus. Enquanto sorrimos com o sarcasmo da filosofia e o conhecimento da fé, somos tocados pela poesia e a habilidade do passado ignorante.

Um triunfo foi oferecido a Trajano por suas muitas vitórias. Ele era um homem bélico, e ia aos campos de batalha à frente de suas legiões. Foi em sua ida à Armênia que ele condenou o bispo de Antioquia. Ele escolheu Plácido para conduzir as legiões às fronteiras sírias porque fora ameaçado de revolução no território mais importante de Pártia. Por essa razão ele resolvera, caso a guerra fosse declarada, ir ele mesmo subjugar o inimigo naquela parte do Império. Aconteceu como ele previra, e ele foi à expedição, mas... Nunca retornou a Roma; morreu durante a campanha. Todavia, um triunfo foi decretado em sua homenagem, e Adriano, que era um de seus oficiais comandantes, foi declarado seu sucessor pelos soldados, e escreveu ao senado anunciando que ia, em pessoa, representar o conquistador falecido.

O triunfo era a ambição mais alta de um romano; vinha logo depois da honra divina, e excedia em esplendor a todos o espetáculos da cidade. De acordo com um costume legítimo, nenhum general era intitulado ao cargo se não houvesse matado em combate cinco mil inimigos da república, e com esta vitória, alargado o seu território. Mas aquele que tivesse a fortuna de merecê-lo, avançava à frente de seus companheiros de armas, desde os campos do Vaticano até o portão triunfal. Ali, após uma leve refeição, ele era vestido com o manto triunfal; os ritos habituais às deidades postas junto ao portão eram realizados, e então a procissão seguia pela *Via Triunfal*, as ruas ladeadas de altares de incenso, e forradas de flores.

Em sua bela obra *Rome Under Paganism and the Popes*, Miley descreve a procissão do triunfo. Há certos itens na formalidade da cerimônia que devemos mencionar.

"Primeiro vinham os músicos de várias espécies, tocando e cantando canções triunfais; depois eram conduzidos os bois para serem sacrificados, com os chifres dourados, e a cabeça adornada com fitas e grinaldas. A seguir, eram trazidos em carruagens os espólios de guerra – estátuas, pinturas, placas, armaduras, ouro, prata e cobre, coroas de ouro e outras dádivas enviadas pelos estados aliados e tributários. Os títulos das nações vencidas eram inscritos em molduras de madeira, nas quais eram mostradas imagens ou representações das regiões e cidades conquistadas. Os líderes e príncipes cativos seguiam acorrentados, com seus filhos, parentes e cortesãos. Após eles vinham os lictores com suas machadinhas e feixes de varas entrançadas com louro, seguidos por um grande grupo de músicos e dançarinos, vestidos como sátiros, e levando na cabeça guirlandas de ouro. No meio deles vinha um palhaço vestido de mulher, cuja ocupação era insultar, com o olhar e os gestos, os inimigos derrotados. A seguir, vinha uma longa fila de gente carregando perfumes, e então, vinha o conquistador.

"Ele vinha vestido de ouro e púrpura, uma coroa de louros na cabeça, um ramo da mesma planta na mão direita, e na esquerda, um cetro de marfim com uma águia na ponta. Sua face era pintada de escarlate, à semelhança da estátua de Júpiter nos dias de festa; trazia pendurada ao pescoço uma bola de ouro, contendo algum amuleto ou magia contra a inveja. Sua carruagem, onde se sentava ereto, resplandecia com o brilho do ouro e do marfim. E desde o tempo de Camilo, ou quem sabe de Tarquínio, era puxada por quatro cavalos brancos, e às vezes por elefantes, ou outro animal selvagem igualmente singular. Era escoltado por pessoas de suas relações, clientes, e uma multidão de cidadãos, todos trajando togas brancas. Seus filhos seguiam numa carruagem junto à dele. E para que não se orgulhasse demasiadamente, um escravo carregando uma coroa de ouro e pedras preciosas, abaixado atrás dele, sussurrava-lhe de vez em quando ao ouvido: 'Lembra-te que és homem'!

"Sua carruagem era seguida pelos cônsules e senadores a pé; seus legatários e tribunos militares geralmente cavalgavam ao seu lado. Por último vinha o exército vitorioso, tanto o montado quanto o a pé, em formação marcial; os soldados, coroados de louro e ornados com as dádivas que haviam recebido por seu valor, cantavam em seu próprio louvor, e em honra ao seu general, a quem às vezes atacavam de brincadeira. Gritos de 'Ao triunfo' rompiam freqüentemente das fileiras de guerreiros, e faziam coro com as miríades de romanos, ecoando nas margens do Tibre, entre os vales das sete montanhas, e parecendo abalar o próprio Capitólio.

Chegado ao Fórum, e antes que sua carruagem começasse a subir a colina do triunfo ladeada por templos, o conquistador ordenava que os reis e chefes das nações vencidas fossem levados pelos executores, para serem mortos na Gemônia, a horrenda masmorra ao pé do monte Capitólio.

"Aproximando-se do templo de Júpiter, ele esperava até ser informado, pelos oficiais designados, que as suas ordens sanguinárias haviam sido cumpridas. Então, depois de haver incensado a Júpiter e a outros deuses por seu sucesso, ele requisitava as vítimas, sempre brancas e das pastagens de Olitumnus, para serem sacrificadas, e depositava seu diadema de ouro no regaço de Júpiter, a quem também dedicava uma grande porção do espólio."[12]

Os jogos e divertimentos do triunfo continuavam por algumas semanas, e eram celebrados no circo e no anfiteatro. Esses jogos tinham mais o caráter de flagelo que de diversão, consistindo da imolação indiscriminada de vítimas humanas e animais. O gasto do dinheiro público nessas ocasiões era enorme: nada era poupado do que a genialidade e a destreza pudessem sugerir.

Depois que a exaltação popular era amainada, e a pantomima da adulação havia deificado suficientemente o conquistador, alguns arcos ou colunas estupendas eram erigidos para comemorar, através das gerações futuras, os méritos do herói e o triunfo dos exércitos romanos. Alguns desses monumentos ao triunfo ainda resistem em meio às ruínas de Roma, e são, indubitavelmente, os melhores registros que possuímos da magnificência da cidade antiga.

Adriano entrou em Roma na glória emprestada do imperador falecido; os gritos de triunfo ressoavam pela cidade. Ele deificou Trajano da tumba de Augusto, e enviou a águia de seu espírito à liberdade dos céus; dedicou ao conquistador a soberba coluna erigida em sua memória, e a arena do Coliseu foi uma vez mais molhada com o sangue dos gladiadores e das vítimas. Durante os jogos, mais de duzentos leões foram trucidados, e um número imenso de cativos e escravos foi levado à morte.

Foi num anoitecer, durante essas celebrações, que se espalhou na cidade a notícia de que o exército de Plácido vinha chegando, e já se achava na Via Ápia. As diversões ganharam um novo impulso, e outro triunfo e procissão foram preparados para o exército vitorioso. Não havia nada que entusiasmasse tanto o povo como o retorno de seus exércitos de uma campanha bem-sucedida. Aqueles que recordam o dia quando os heróis da Criméia desembarcaram nas praias da Inglaterra bem podem imaginar os exércitos de Roma adentrando a capital em triunfo.

De acordo com o costume, o imperador saiu ao encontro do general e o abraçou.[13] Como a noite avançava, e o sol já afundara no Mediterrâneo azul, o imperador ordenou que o exército acampasse fora dos muros, onde pernoitaria, e na manhã seguinte entraria triunfalmente na cidade. Plácido e sua família acompanharam o imperador ao Palatino, e foram entretidos com um suntuoso banquete. Ele deu ao imperador o relato de sua campanha, e falou até tarde da noite sobre suas batalhas, suas conquistas, a bravura de seus dois filhos, e a descoberta extraordinária de sua família.[14]

Sonoro, agudo, e alegre foi o toque da trombeta que despertou o exército sonolento na manhã seguinte. A taça da alegria para aquelas pobres criaturas foi cheia até a borda. Eles não conheciam maior recompensa pelos anos de dureza e provações, e pelas cicatrizes e ferimentos que os incapacitavam para a vida, que os gritos de uma multidão bárbara e brutal, que os aclamava ao longo da estrada do triunfo.

Quando entraram pelos portões, cada um recebeu uma coroa de louro, cujo frescor e beleza contrastavam com as feições queimadas de sol e os trajes esfarrapados. À volta do pescoço, e junto a si, levavam uma profusão de bugigangas vistosas, retiradas do inimigo vencido, para oferecer às esposas e aos filhos. Havia carroças puxadas por bois, tão lotadas de espólios, que faziam ranger o pavimento da Via Ápia; armaduras, ornamentos de ouro e cobre, animais selvagens em gaiolas, e tudo o que pudesse mostrar os usos e costumes dos povos conquistados.

O general seguia na retaguarda de seu exército, com a esposa e os dois filhos, numa carruagem dourada, puxada por quatro cavalos brancos. Não se via na mansa fisionomia de Plácido nenhum orgulho, animação, ou alegria embriagada, comum nos conquistadores pagãos. Toda aquela demonstração de regozijo e suntuosidade era para ele e sua família cristã a pompa funeral que os conduzia ao túmulo. O rei que, em seu leito de morte, ostentava a coroa e o manto real para enfrentar a morte como um monarca, era um retrato de Plácido levado em triunfo ao martírio – uma narrativa da vacuidade e instabilidade da grandeza humana, geralmente contada nas vicissitudes da história! Ele estava silencioso e sereno; nem mesmo o aplauso ensurdecedor da multidão de espectadores ociosos, que fazia o seu nome ressoar através dos palácios e tumbas que ladeavam as ruas desde o portão Capena ao Fórum, o levava a olhar para eles com um sorriso de aprovação jovial. Plácido estava bem consciente de que, em alguns instantes, a sua fé em Cristo seria declarada, pois ele não poderia sacrificar aos deuses.

Enquanto a procissão avançava, um murmúrio percorria a turba. Perguntavam um ao outro onde estariam as vítimas. Cadê os chefes cativos? Onde estariam os escravos que geralmente vinham arrastados pela carruagem do conquistador? Onde as matronas e as filhas lastimosas da raça vencida, que juntavam à música do triunfo o seu lamento lutuoso?

Chegando ao Fórum, a procissão parou, como de costume, e os guardas e executores da prisão Mamertine procuraram em vão por suas vítimas; era a primeira vez nos anais do triunfo que os seus machados não seriam mergulhados no sangue de heróis, cujo único crime fora lutar bravamente por seus lares e sua pátria. Eles desconheciam a sublime moralidade capaz de perdoar o inimigo. Plácido perdoou-os no instante em que os vencera, e em vez de arrastar vítimas indefesas, tomando-as de sua pátria e famílias para serem imoladas aos demônios de Roma, deixou seu nome no rastro de sua marcha, em bênção e amor.

Agora, porém, a procissão chegara à entrada do templo de Júpiter. Os sacerdotes aguardavam em seus mantos, e atados ao altar, viam-se os bois brancos, com os chifres dourados e guirlandas de flores na cabeça. Imensas achas ardiam no centro do templo para consumir as vítimas, e o incenso aromático era queimado em vasos de ouro. Plácido e sua família desceram da carruagem, e puseram-se a um lado. Recusavam entrar: não iam sacrificar.

Se um terremoto houvesse abalado o templo até as suas fundações, ou um eclipse repentino escurecido o sol, o choque não teria sido maior que o experimentado naquele momento pelos milhares ali reunidos. A notícia correu a multidão como fogo em rastilho de pólvora. Um murmúrio profundo e pesado, como uma vaga rompendo os seus limites, subiu da multidão que enchia o Fórum. Indignação e fúria foram as paixões que dominaram a plebe. O demônio do paganismo reinava em seus corações; piedade, justiça e liberdade eram virtudes desconhecidas. Os gritos e aplausos com que haviam aclamado Plácido o conquistador, a glória do Império, e o amado do deus marcial, tornaram-se em vaias, com gemidos e assovios. Dos templos dourados do Capitólio soavam os gritos de "Morte aos cristãos!" "Fora com os cristãos!" Mas o momento de um triunfo maior chegara para o nosso herói. Apressemo-nos no escuro cenário de crueldade e ingratidão que encerrou a carreira de Plácido neste lado vida, e antecipemos o triunfo que durará para sempre.

O nobre general e sua família foram trazidos perante o imperador. Adriano estaria alegre por Plácido haver sido trazido diante dele como criminoso? Sem dúvida, via com olhos ciumentos a glória, a popularidade, a reconhecida superioridade em destreza e realizações, e o triunfo real de alguém que, poucos meses antes, era seu igual como comandante do exército, enquanto o seu próprio triunfo não passara de um arremedo – o galardão emprestado de um herói falecido, cujo panegírico ele pronunciara relutantemente, em cima da carruagem do triunfo.

Além do mais, fraco de espírito e servil, ele deve ter regozijado com a oportunidade de satisfazer o gosto da turba cruel e brutal, acostumada a ver toda autoridade como usurpação e opressão, e que odiava o cristianismo como uma virulência satânica. Do mesmo modo que Trajano, ele resolveu provar sua lealdade aos deuses com a execução pública do maior homem do Império. Ele recebeu o velho chefe no templo de Apolo e, num discurso preparado, fingiu o que nunca sentiu: compaixão por sua insensatez. Quando inquirido pelo arrogante Adriano por que não sacrificaria aos deuses, Plácido respondeu brava e intrepidamente: — Sou um cristão, e adoro unicamente ao Deus verdadeiro.

— De onde vem esta obsessão? — indagou logo o imperador. – Por que perder toda a glória do triunfo e expor à desonra a tua cabeça grisalha? Não sabes que tenho poder para mandar-te a uma morte miserável?

Plácido replicou meigamente: — Meu corpo está em teu poder, mas a minha alma pertence Àquele que a criou. Nunca hei de esquecer a misericórdia que Ele me demonstrou ao chamar-me ao seu conhecimento, e regozijo-me em ser capaz de sofrer por Ele. Tu podes mandar-me conduzir tuas legiões contra os inimigos do Império, mas jamais oferecerei sacrifício a qualquer outro deus que não o grande, poderoso, e único Deus que criou todas as coisas, estendeu os céus em sua glória, adornou a terra com suas belezas, e criou o homem para servi-lo. Somente Ele é digno de sacrifício; todos os outros deuses são demônios que enganam o homem.

Assim responderam também sua esposa e os dois filhos. Eles gracejaram com o imperador por adorar peças inconscientes de mármore e madeira. Adriano tentou em vão promessas e ameaças, e todos os argumentos tolos usados em defesa do paganismo. A fiel família mostrou-se inflexível. A argumentação de Plácido era simples, porém sincera e poderosa; e a derrota palpável de Adriano, ao tentar arrazoar com alguém dotado da eloqüência prometida aos fiéis arrastados perante os tribunais terrenos, aumentou ainda mais o seu orgulho e crueldade, bem como o seu desejo de vingança.

O Coliseu ficava a poucos passos dali; os jogos estavam em andamento; os criminosos e escravos do Império eram as vítimas diárias de seus divertimentos. A condenação de Plácido seria um golpe de astúcia para aumentar a prosperidade de seu reinado; era a completa gratificação aos sentimentos de inveja e vingança que o demônio atiçara-lhe no coração. Ele ordenou que o general cristão e a sua família fossem expostos às bestas feras no anfiteatro.

No lugar onde se deu essa entrevista, existe hoje um convento das Irmãs da Visitação, e elas cantam em seu ofício o belo e profético salmo de Davi: *"Quare fremuerunt gentes"*... "Por que se amotinam as nações, e os povos imaginam coisas vãs? Os reis da terra se levantam, e os príncipes juntos se mancomunam contra o Senhor e contra o seu ungido, dizendo: Rompamos as suas ataduras e sacudamos de nós as suas cordas. Aquele que habita nos céus se rirá; o Senhor zombará deles" (Sl 2.1-4).

Quão sublime é a idéia sugerida pelo canto matinal pairando sobre as ruínas silenciosas e cobertas de hera do palácio dos césares, de onde partiram as terríveis perseguições à Igreja, e de onde veio tudo o que os poderes das trevas, personificados nos impiedosos soberanos de Roma, puderam fazer para destruir o cristianismo em seu início!

É provável que Plácido e sua família tenham passado aquela noite na escura e fétida prisão Marmetina. Era uma cela recortada na rocha sólida, ao pé do Capitólio, e consistia de duas câmaras, uma sobre a outra, onde só era possível entrar pelas aberturas no teto. (Hoje, uma cômoda escadaria foi ali construída.) A mais baixa e lúgubre dessas câmaras era destinada aos condenados à morte. Essas prisões existem a quase três mil anos, e juntamente com as cloacas, ou os grandes canos de esgoto da cidade, são os monumentos mais perfeitos da época augusta.

Na literatura clássica, as prisões são mencionadas como Gemônia ou Masmorra Tuliana. O historiador Saluste, que viveu cerca de cinqüenta anos antes de Cristo, falando de Catalina, escreve o seguinte: "Na prisão chamada Tuliana, há um lugar numa profundidade de três metros e trinta centímetros, quando se desce um pouco à esquerda, cercado por paredes, e com um teto arqueado; aí, a sujeira e a escuridão são terríveis". Não se pode imaginar nada mais medonho e lúgubre que este calabouço nos dias de seus horrores. A luz do sol nunca lhe penetrou a escuridão, e o seu fedor e sujeira produzem um veneno fatal ao organismo humano. Nesse lugar, Jugurta foi deixada a morrer de fome; aí, Vercingetorix, um líder gaulês, foi assassinado por ordem de Júlio César; e os companheiros de Catalina foram estrangulados a mando de Cícero. Nessa mesma cela, o infeliz Sejano, favorito de Tibério, encontrou uma morte merecida; e também Joras, um líder judeu, foi morto ali por ordens de Vespasiano. Contudo, ela é mais notável nos anais da Igreja pelos martírios dos heróis cristãos que pela sua antiguidade ou história política.

Muitos santos e mártires consagraram essas prisões com suas orações e lágrimas; e há em Roma poucos pontos tão santos, atrativos, e ricos em tesouros sagrados do passado, quanto a

Marmetina. Ela foi reservada de modo especial para prisioneiros estatais e pessoas de distinção. Portanto, ainda que os *Atos dos Santos* não o mencione, temos razão para presumir que Plácido e sua família passaram a noite anterior ao martírio nesse horrendo calabouço. Contudo, a fé e as consolações da oração podem lançar luz na mais trevosa das prisões; nenhuma escuridão externa ou aflição material pode arruinar a alegria da alma fiel.[15]

Na manhã seguinte, 20 de setembro do ano 120 de nossa era, o povo acorreu às dezenas de milhares ao Coliseu. Eles sabiam o que aconteceria; tinham ouvido sobre a condenação pelo imperador. A surpresa e a indignação diante da descoberta de que o general pertencia à odiada seita dos cristãos expressavam-se no franzir de suas frontes anuviadas. Fosse ele um assassino, um assaltante de estrada, ou um prisioneiro político, que houvesse tramado a ruína do Império, a compaixão seria exprimida por cada lábio, pedir-se-ia a suspensão da sentença, e a turba o teria salvado. Mas é sempre amarga e profunda a animosidade dos demônios que se deleitam no espírito do erro, e travam guerra contra a verdade. A intensidade deste sentimento hostil pode ser medida na proporção da rejeição total ou parcial da revelação.

Nenhuma nação pôde mergulhar mais fundo na idolatria, na sensualidade, e no vício que o grande império, cuja capital é considerada a Babilônia da impiedade, mencionada no Apocalipse. "Porque não temos que lutar contra carne e sangue", advertiu Paulo, "mas, sim, contra os principados, contra as potestades, contra os príncipes das trevas deste século, contra as hostes espirituais da maldade, nos lugares celestiais" (Ef 6.12).

Não seria num anfiteatro manchado com o sangue de feras e gladiadores, e repleto de gente excitada e insensível, que se ouviria a voz da piedade e da razão. O clamor impaciente da turba denunciava os cristãos como inimigos dos deuses e dos homens, e a condenação pública do general cristão já ressoara pelas bancadas do Coliseu. A chegada do imperador foi anunciada; o zumbido das conversas silenciou; todos os olhos voltaram-se à entrada que dava para o Esquilino, especialmente reservada ao séqüito real. Tão logo o imperador adentrou o anfiteatro, todos se levantaram; os lictores abaixaram a cabeça, e os senadores e as vestais curvaram-se profundamente. Os gritos de "grande", "imortal", "divino", ecoaram de todos os lados. A multidão de espectadores nada mais era que uma assembléia de escravos infames, que tremia ao aceno de seus governantes. Embora os freqüentadores do Coliseu geralmente odiassem o imperador como um opressor e tirano, no frenesi do medo gritavam, com língua mentirosa, que somente ele era grande e poderoso. Ele carregava um cetro de marfim encimado por uma águia de ouro, e um escravo o seguia, segurando acima de sua cabeça uma coroa de ouro maciço e pedras preciosas. Tão logo o imperador se sentou, o toque agudo de uma trombeta convocou ao silêncio e ao começo dos jogos. Após a procissão dos infelizes que tomariam parte no programa de esportes cruéis daquele dia, e a luta simulada dos gladiadores, era costume iniciarem-se os esportes de destreza e habilidade; nesse dia, porém, a ordem foi mudada. O populacho clamava pela condenação dos cristãos, e o imperador ordenou que Plácido e sua família fossem expostos às feras.

Eles foram conduzidos à arena acorrentados. Estavam silenciosos e absortos em oração. O diretor dos jogos pediu-lhes uma vez mais que sacrificassem aos deuses. Eles recusaram. Os guardas receberam ordens de soltar algumas bestas selvagens para os devorar. Um silêncio mortal reinou no ambiente. Todos foram tocados com a firmeza da família; nenhum grito de pavor, nenhuma tremedeira, nenhuma súplica por misericórdia, nenhum coração partido ou despedida frenética; tudo era calma e tranqüilidade. Os quatro esperaram de joelhos dobrados, e com majestosa resignação, a sentença tenebrosa. As portas de ferro dos cárceres subterrâneos rangeram em seus gonzos; dois leões e quatro ursos saltaram na arena.

Os animais não tocaram os mártires; puseram-se a cabriolar à sua volta. Um dos leões tentou enfiar a cabeça sob o pé de Plácido. Ele o permitiu. E aconteceu então a coisa mais bela e emocionante jamais vista no Coliseu: o rei das selvas pôs-se voluntariamente sob o pé do ancião desarmado, e agachou-se como se sentisse medo e reverência.

— Atiçai os animais! — gritou aos guardas o enfurecido imperador.

— Atiçai-os! Fazei-os devorá-los! — ouviu-se em cada fileira, desde os senadores e as vestais, às bancadas da plebe enlouquecida.

Não obstante, os animais voltaram aos seus guardadores, que os tiraram da arena. Outros bichos foram soltos, mas serviram apenas para aumentar a cena do triunfo: respeitosamente lamberam os pés de suas supostas vítimas. Deus, que usara um animal para trazer Plácido à luz da fé, e posteriormente usara outros como instrumentos de suas provações e tristezas, agora fazia-os expressar o seu amor e proteção aos seus servos.

A indignação e a vergonha do imperador pagão elevaram-se ao clímax; a sua raiva impotente e a sua crueldade natural explodiram, e para gratificar sua paixão brutal, ordenou que os mártires fossem postos no touro de bronze, e consumidos por um fogo lento. O touro de bronze era um terrível instrumento de tortura empregado na perseguição aos cristãos. Diversas pessoas podiam ser postas ao mesmo tempo em seu ventre oco, e quando o fogo era posto sob ele, tornava-se um forno, e... não é difícil imaginar a excruciante tortura que o fogo lento devia causar às vítimas vivas. Sabemos, por diversas fontes, que esse formidável instrumento de suplício foi usado tanto antes, quanto bem depois do tempo de Adriano, e que muitos fiéis foram nele martirizados.

Desse modo, Plácido e sua família receberam sua coroa. O Deus Todo-poderoso desejou mostrar, através de um grande milagre, que era pela sua vontade, e não pelas ordens do imperador, que os seus servos seriam despojados da vida. Três dias depois, seus corpos foram retirados de lá, na presença do imperador. Não havia neles qualquer traço de fogo; exalavam um agradável odor, e pareciam entregues a um doce sono. Os corpos foram deixados sobre o solo por vários dias, e toda a cidade acorreu para ver o milagre.[17]

Como o nosso Deus nada faz em vão, muitos foram convertidos mediante este milagre, e tornaram-se cristãos fervorosos. Os corpos dos mártires foram roubados por cristãos, e posteriormente enterrados juntamente com o touro de bronze no local onde se deu o martírio. Uma bela igreja edificada ali tem sido reconstruída e reparada durante os últimos quinze séculos, e ainda homenageia o nome do virtuoso Plácido, e guarda os seus restos mortais. Na mesma urna repousam os restos de sua fiel esposa e de seus filhos, aguardando o soar da trombeta do arcanjo, no último dia.

Os Bolandistas entram numa longa e erudita discussão sobre a autenticidade dos *Atos de Eustáquio*, que eles apresentam na versão original grega. Embora, na narrativa acima, tenhamos nos esforçado para evitar a monotonia dos fatos isolados, e dado uma roupagem imaginária à história desse santo homem, procuramos ater-nos substancialmente aos fatos apresentados nos *Atos*. A obscuridade e a dúvida causadas pelo lapso de dezessete séculos, e o caráter extraordinário dos fatos registrados, fazem-nos hesitar em declarar que esta estranha história seja um fato incontestável. Contudo, ela parece resistir ao teste de cuidadosos exames. Alguns dos mais antigos e notáveis martirológios mencionam a sua extraordinária conversão durante a caçada de um antílope, e o seu martírio no touro de bronze. João Damasceno cita a história de Eustáquio num sermão pregado em 734 d.C. A tradição indica o local, no monte Apenino, onde se deu a singular conversão. E supõe-se que uma capela construída ali, no quarto século, tenha sido erigida por ordem de Constantino, cujo primeiro cuidado, após sua conversão e triunfo, foi dedicar e preservar os pontos sagrados e históricos da Igreja Primitiva.

Um rude mosaico do quarto século, representando um antílope e outros episódios da vida de Eustáquio, foi removido da pequena igreja, e acha-se preservado na Coleção Kircheriana. O erudito e fidedigno Barônio, após cuidadoso exame dos *Atos*, pôde apenas dizer estas palavras: "*Putamos tamen eis multa superaddita esse*", 120 d.C. ("Achamos, contudo, que muita coisa lhes tenha sido acrescentada"). Os autores do Bolandista, no entanto, parecem inclinar-se à sua probabilidade.

É inútil e absurdo indagar por que o Todo-Poderoso usaria esses meios extraordinários para a conversão de Plácido. Existem enigmas nas dispensações dos favores divinos que só podem ser esclarecidos pela inteligência divinamente iluminada. Pode-se igualmente perguntar por que o apóstolo Paulo foi convertido na estrada de Damasco, e não na cidade, e por que foi feito um vaso escolhido, quando havia tantos mais merecedores que ele. Por que o Senhor Jesus realizou um de seus maiores milagres usando terra misturada à saliva? Por que Ele fez de pobres pescadores líderes de sua Igreja? Há coisas nas Sagradas Escrituras mais extraordinárias que qualquer uma mencionada em nossa narrativa. À nossa volta, em cada momento de nossa existência, e em cada parcela da Igreja de Deus, há intervenções sobrenaturais de sua misericórdia e seu amor – milagres, se você preferir chamar assim – que a inteligência humana não pode compreender. É orgulho e sinal de infidelidade zombar das obras de Deus por causa de sua aparente estranheza.

Quem pode impor limites ao poder e ao amor de Deus? Aquele que não possui a humildade e a simplicidade da fé. Embora não estejamos sob pena de anátema para aceitar tudo o que se acha registrado sobre a vida desses santos servos de Deus, também não estamos aptos a dizer que são romances e contos inúteis. Mas alguns deles são, dirá você. Pode ser, mas é difícil especificá-los. Quando passamos a examinar qualquer uma dessas vidas singulares, somos levados por uma tempestade de provas e fontes autorizadas, que nos faz sentir vergonha de nossa dúvida. Tentamos fazê-lo, e falamos por experiência própria; não existe estudante de história justo e honesto que não tenha experimentado o mesmo. Todavia, há muita gente ignorante e presunçosa, que vê tudo através das lentes do preconceito; tudo o que é estranho, consolador, ou impressionante nos anais sagrados do passado são para eles vislumbres da fantasia, e condenam tudo com um sorriso de sarcasmo. Para esta gente, a fé dos fiéis, seu passado e seu futuro, nada é além de ouropéis e imaginações.[18]

[1]*"Vae mibi et vobis quia mater vestra tradita est aliegnas marito"* – Atos, Bollandistas, 20 de setembro.

[2] *Portans vero unum infantem super bumeras suos reliquit alterum circa ripam et transposuit infantem quem portaverit super terram ibat ut reportaret et alterum. Cum venisset, autem, in médium fluminis, nimis autem fluvius dilatatus erat intendens vidit et ecce leo rapuit filium ejus et abiit in sylvas. Et desperans de eo, reversus est in patientia, spem babens alterius et cum abiret videt et ecce similiter lupus rapuit alterum filium ejus et abiit et non potuit eum consequi, etc.* – Atos, ib.

[3] *Et misit per unamquamque civitatem et terram quae erat sub imperio suo et requirerent eum.* – ib.

[4] *A longe considerans ex consuetudine incessus eorum ne cognovit sos.* – ib.

[5] *Dic nobis si nosti bic peregrinum aliquem, nomine Placidam, etc. Quapropter eum quaeritis, etc.* – ib.

[6] *Et cingitur ut ante magister militum.* – ib.

[7] *Domini vero gratia obumbravit mulierum, etc.* – ib.

[8] *Est facto meridie, sedentes exponebant sibi invicens de infantis, etc.* – ib.

[9] *Per Deum Christianorum, ut áudio frater tuus sum ego!*

[10] *Deprecor te Domine ego de terra Romanorum sum et captiva adducta buc, etc., et usque bodie servavite Dominus castitatem meam.* – ib.

[11] *Et surgens ruit in amplexus, etc.*

[12] *Miley, "Rome under Paganism and the Popes"*, vol. II, cap. 3

[13] *Reverso ergo Eustachio occurrit ei imperator ut mos est Romanis et victoria festivitates celebravit.* – ib.

[14] *Prolixius extendit convivium etc.* – ib., nº 20.

[15] *Accurrens vero leo et stans prope Beatos et submittens caput, etc.*

[16] *Post tres autem dies venit impiissimus imperator in locum et praecepit aperiri aercam machinam ut videret quid factum esset de reliquiis Sanctorum, et videntes corpora corum putaverunt eos ad bus vivere et ejicientes posuerunt eos super teram.* – Atos, ib.

[17] Dificilmente poderíamos dar ao leitor uma prova melhor da autenticidade dos *Atos*, que a sansão conferida a eles por alguns historiadores cristãos; nas mais antigas edições do Breviário Romano, as lições para a festa de 20 de setembro apresentam este estranho conto de forma abreviada. Citaremos o texto em latim, para que o leitor veja que os fatos principais deste conto são perfeitamente históricos:

"Eustachio, qui et Placidus, genere, opibus et militari gloria inter Romanos insignis, sub Trajano Imperatore magistri militum titulum meruit; cum vero sese aliquando in venatione exerceret, ac fugientem mirae magnitudinis cervum insequeretur, vidit repente inter consistentis ferae cornua excelsam atque fulgentem Christi Domini e cruce pendentis imaginem, cujos voce ad immortalis vitae praedum invitatus, uma cum uxore Theopista, ac duobus parvulis filiis, Agapito et Theopisto, Christianae militiae nomem dedit.

"Mox ad visionis pristinae locum, sicut ei Dominus praeceperat, regressus, illum praenuntiantem audivit quanti sibi deinceps pro ebus gloria perferenda essent. Quo circa incredibiles calamitates mira patientia perpessus, brevi in summam egestatem redactus est. Cumque clam se subducere cogeretur, in itinere conjugem primum, deinde etiam líberos, sibi miserabiliter ereptos ingemuit. Tantis obvolutus aerumnis in regione longínqua vilicum agens longo tempore dilituit; donec coelest voce recreatus ac nova occasione a Trajano conquisitus iterum bello praeficitur.

"illa in expeditione, liberis simul cum uxore insperato receptis, victor Urbem ingenti omnium gratulatione ingreditur. Sed paulo post inanibus diis pro parta victoria sacrificare jussus, constantissime renuit. Cumque variis artibus ad Christi fidem ejurandam frustra tentaretur uma cum uxore at liberis leonibus objicitur. Horum mansuetudine consitatus, imperator aereum in taurum subjectis flammis candenten eos immitti jubet, ubi divinis in laudibus consummato martyrio, duodecimo Kalendas Octobris ad sempiternam felicitatem convolarunt. Quorum illaesa corpora religiose a fifelibus sepulta, postmodum ad ecclesiam, eorum nomine erectam, honorifice translata sunt".

O Jovem Bispo

Capítulo 8

1

Cerca de vinte anos após o martírio de Plácido, e no império do mesmo Adriano, temos registros de outro episódio extraordinário ocorrido no Coliseu. Demos o título de "jovem bispo" a este capítulo, porque o nosso herói tinha apenas vinte anos quando recebeu o cargo. Ele era um jovem e nobre romano, de distinção consular. A sua mãe era uma santa mulher, convertida através do apóstolo Paulo, e posteriormente submetida ao martírio juntamente com o filho. O rapaz chamava-se Eleutério. Trazido sob os cuidados de sua piedosa mãe e de Anacleto, fez rápidos progressos na vida de santidade. Tão grande eram a sua piedade e pureza, que aos dezesseis anos foi ordenado diácono; aos dezoito, pastor; e aos vinte, bispo de Aquiléia (Veneza).

As pregações do jovem bispo estavam resultando numa grande colheita de almas, e o seu nome foi levado pelas asas da fama aos ouvidos de Adriano. A política hipócrita desse imperador era mostrar fidelidade aos deuses perseguindo os mais notáveis dentre os cristãos. Em seu retorno do leste, ouviu falar de Eleutério, e enviou um de seus generais, chamado Félix, com duzentos homens, para prenderem o bispo e trazê-lo a Roma.

Quando Félix chegou com os soldados, encontrou Eleutério na igreja, pregando a uma multidão. Postou os soldados em volta da igreja, e entrou com alguns dos mais confiáveis para agarrarem o pregador. Mal Félix entrara no templo, e a graça de Deus entrou-lhe no coração. Ele foi tocado pela solenidade da reunião. O silêncio e a devoção dos cristãos no templo do Altíssimo, a luz celeste brilhando à volta do bispo, a unção e a eloqüência com que ele falava, deixaram o soldado pagão preso ao solo, em temor e reverência. Ele esperou até que o sermão terminasse, mas em vez de se lançar sobre o servo indefeso de Cristo, e arrastá-lo ao martírio, pôs-se de joelhos no centro da igreja, orando ao Deus verdadeiro. O povo foi tomado de surpresa, e os soldados olhavam uns para os outros estupefatos.

O primeiro a tirá-lo de seus pensamentos foi o bispo, que, tocando-lhe o ombro, falou: — Levanta-te, Félix. Eu sei o que te trouxe aqui. É da vontade de Deus que eu vá contigo para glorificar o seu nome.

O general despertou como que de um sonho maravilhoso, e proclamou a sua crença no Deus dos cristãos.

Na jornada para Roma, ao chegarem a um grande rio (provavelmente o Pó), pararam à sua margem para descansar num lugar sombreado. Eleutério, cujo coração ardia de zelo e amor, agarrava cada oportunidade para trazer almas a Cristo. Reunindo o grupo à sua volta, falou por um bom tempo da fé cristã. Seu fervor e eloqüência não apenas os convenceu, como arrancou lágrimas de muitos daqueles soldados rudes e ignorantes. Quando ele acabou de pregar, o general Félix anunciou em alta voz: — Não comerei enquanto não for batizado!

O bispo, depois de lhe dar mais algumas instruções, batizou-o, bem como a alguns dos soldados, antes de deixarem as margens do rio.

Quando chegaram a Roma, o imperador ordenou que trouxessem Eleutério perante ele. O bispo foi conduzido a uma das salas do palácio do Palatino, onde ficava o trono de Adriano. Ao ver o mártir diante de si, o imperador foi tocado por sua beleza e modéstia; a peculiar doçura de sua fisionomia, combinada com a nobreza e a majestade, forçou o perseguidor pagão a olhar o servo de Cristo com um sentimento que beirava ao temor reverente. O imperador bem sabia que o pai de Eleutério três vezes envergara a dignidade consular em seu próprio reinado, e ele via na jovem vítima diante de si todo o induzimento à misericórdia e à compaixão que a riqueza, a linhagem e o talento podem oferecer. A princípio, dirigiu-se suavemente ao moço, pretendendo cativá-lo e seduzi-lo com sua amizade e uma posição no palácio imperial. Mas percebendo que o nobre mancebo era imutável em sua profissão ao cristianismo, deu expansão a toda a cólera que o orgulho e o diabo podiam despertar-lhe na alma. Os *Atos* desse mártir oferecem uma porção da conversa de ambos; é tão bela e emocionante, que vamos traduzi-la:

"O imperador indagou: 'Como é possível que tu, um homem tão ilustre, te entregues à tola superstição de acreditar num Deus que foi crucificado pelos homens?'

"Eleutério permaneceu em silêncio. Novamente o imperador falou-lhe: 'Responde a pergunta que te fiz. Por que te entregaste à escravidão da superstição, e serves a um homem morto, que sofreu a miserável morte de um criminoso?'

"Levantando os olhos ao céu, Eleutério respondeu: 'A verdadeira liberdade somente é encontrada no serviço do Criador do céu e da terra'.

"Num tom mais compassivo, Adriano prometeu: 'Obedece minhas ordens, e dar-te-ei um posto de honra em meu palácio'.

"'Tuas palavras', tornou Eleutério, 'estão envenenadas com engano e amargura'" (Bolandistas, 18 de abril).

Adriano enfureceu-se com esta resposta, e ordenou que a *cama de cobre* fosse preparada para o servo de Deus. Tratava-se de um instrumento de tortura largamente usado nessa época de perseguição. Será melhor compreendido se o chamarmos de grande grelha. Consistia de diversas barras de cobre ou latão cruzadas, sustentadas por pés de vinte e três centímetros de altura; sob a grelha ateava-se o fogo para consumir os mártires. De qualquer modo, é estranho o fato de Deus haver permitido que bem poucos mártires encontrassem a morte nesse medonho instrumento.[1] Eleutério não seria vítima dele.

Fora estabelecido pelas leis de Augusto que a execução de criminosos e malfeitores fosse pública, e que um pregoeiro anunciasse ao povo os crimes que levaram o ofensor ao seu fim miserável. Esta lei, que era sabiamente destinada a coibir outros de cometerem o mesmo crime, estava em vigor no tempo de Adriano. Embora a sua aplicação se houvesse tornado arbitrária no governo de alguns tiranos que desgraçaram o trono de Augusto, no caso dos cristãos ela era cumprida além dos limites de suas exigências. O cristianismo era o maior crime contra o Estado; um homem poderia ser acusado de assassinato, conspiração, ou roubo, e ainda assim escapar com uma leve punição, ou ser condenado a lutar por sua vida com os gladiadores do Coliseu; contra os cristãos, porém, dirigiam-se todos os horrores da crueldade pagã.

Em cumprimento desta lei, um pregoeiro foi trazido à cidade para anunciar a sentença pronunciada pelo imperador sobre o bispo Eleutério. Ajuntou-se imensa multidão; os *Atos* dizem que todo os moradores de Roma acorreram para testemunhar a execução.[2] O grande Deus, a quem eles não conheciam, os estava convidando a reconhecer o seu poder, e a servi-lo, em vez de aos ídolos.

Quando o fogo foi ateado, e as chamas lambiam a grade de cobre, o mártir foi despido, levantado pelas mãos rudes dos soldados para a cama de tortura. Nenhum peregrino de pés feridos estendeu seus membros cansados num leito de musgo com tanto alívio e refrigério como fez o bispo Eleutério em sua cama de fogo. Os elementos da natureza são criação de Deus: obedecem ao seu comando. Depois de uma hora, durante a qual permaneceu acorrentado à grade, sem se queimar, e sem que um único fio de seu cabelo fosse chamuscado, o jovem foi solto.

Agarrando o momento oportuno, ergueu a voz e pregou um eloqüente sermão aos romanos trazidos ali pela curiosidade:

"Romanos", bradou o mártir, "ouvi-me! Grande e verdadeiro é o Deus Onipotente. Não há outro Deus além deste que vos foi pregado pelos apóstolos Pedro e Paulo, através de quem, muitas curas e outros milagres foram realizados entre vós, e por meio de quem o impiedoso mago Simão foi derrotado, e os ídolos surdos e mudos, como os que o vosso imperador adora, foram feitos em pedaços".

Adriano, que a tudo ouvia, espumou de raiva, e ordenou fosse preparado outro instrumento de tortura ainda mais terrível. Uma imensa frigideira, cheia de óleo e piche, posta sobre uma grande fogueira. Quando a composição da caldeira estava fervendo e espumando, o imperador advertiu uma vez mais a Eleutério: — Ao menos tenha pena de tua juventude e nobreza, e não mais incorras na ira dos deuses, ou logo estarás como esse óleo fervente.

Eleutério sorriu à ameaça do imperador.

— Admira-me — proferiu ele — que tu, que sabes tanta coisa, nunca hajas ouvido falar dos três jovens lançados na fornalha ardente da Babilônia. As chamas subiram a mais de vinte metros, e no meio desse fogo, eles cantaram e regozijaram-se, porque estavam passeando com o Filho do Deus a quem eu adoro – indigno sacerdote seu que sou – e que nunca me abandonou, desde a minha infância.[3]

Havendo declarado isto, saltou para a panela em ebulição. No momento em que a tocou, o fogo extinguiu-se, e a massa espumante de óleo e piche esfriou e endureceu. O santo mártir, voltando-se ao imperador indagou: — Agora, quais são tuas ameaças? O teu fogo, a tua grelha, e a tua frigideira tornaram-se para mim cama de rosas, e não puderam me ferir. Oh, Adriano! Teus olhos acham-se escurecidos pela incredulidade, por isso não enxergas as coisas de Deus. Reconhece tua insensatez, arrependa-te de tuas más ações, e chora sobre tua infelicidade de não teres, até agora, conhecido o único e verdadeiro Soberano do céu e da terra.

Adriano não se converteu mediante este milagre; contudo, relaxou o rigor da perseguição aos cristãos, após a morte de Eleutério. Ele deve ter ficado atônito diante do que viu. Os milagres acontecidos à maioria dos cristãos trazida diante dele, a ineficácia dos mais terríveis tormentos que ele podia imaginar, a candura e a retidão externadas na conduta dos cristãos devem ter-lhe aberto os olhos e suscitado dúvidas no coração com respeito à verdade do paganismo, pois, conforme afirmam alguns historiadores, poucos antes de sua morte, ele resolveu erigir um templo ao Deus dos cristãos.

Quando se deu com Eleutério o milagre acima mencionado, e ele dirigiu-se a Adriano na sublime e destemida linguagem de reprovação à sua insensatez, o soberano, confuso, não foi capaz de replicar, e mordeu os lábios com raiva. Encontrava-se ali um dos bajuladores do palácio, o prefeito da cidade, que vendo a perplexidade e derrota do imperador, declarou:

— Grande Imperador! O mundo inteiro, de leste a oeste, está sob o vosso controle, e todos tremem sob vossas palavras, exceto este jovem insolente. Deixai vossa majestade ordenar que seja levado à prisão, e eu prepararei um instrumento no qual ele não mais vos insultará. Amanhã, vereis o vosso triunfo em meu anfiteatro, perante todo o povo romano.[4]

Estas palavras trouxeram alívio ao frustrado imperador, que imediatamente ordenou fosse Eleutério entregue a Corribono, o prefeito, que o trataria conforme achasse melhor. Entretanto, o servo de Deus ouvira o que fora dito e, cheio de inspiração divina, bradou aos ouvidos do imperador, bem como dos soldados que o estavam levando embora:

— Sim, Corribono, amanhã verás o meu triunfo, que será o triunfo de meu Senhor Jesus Cristo!

Corribono empreendera derrotar o poder do Altíssimo. Ele nada sabia do grande Ser contra quem estava contendendo. Em poucas horas, ele veria que, no Deus dos cristãos, a misericórdia é ainda maior que o poder. Esta misericórdia lançaria sobre ele o seu manto, e em resposta às orações de sua vítima, ele passaria de perseguidor a vaso escolhido. Ele não sabia que as últimas palavras do jovem bispo eram uma profecia da qual ele tomaria parte, e que antes de o sol se pôr no dia seguinte, ele estaria cantando os louvores eternais ao grande e misericordioso Deus dos cristãos, no reino do triunfo real e da felicidade verdadeira.

As cenas que se seguem são extremamente interessantes; chegamos a um dos mais extraordinários acontecimentos já testemunhados pelas velhas paredes do Coliseu.

2

Corribono fez tudo o que estava ao seu alcance para assegurar o sucesso de seu empreendimento. Como não houvesse jogos públicos marcados para o dia seguinte, pregoeiros saíram pela cidade anunciando um entretenimento especial. A fama do cristão invulnerável espalhara-se para longe. A mágoa do imperador desconcertado, e a promessa de Corribono de preparar uma nova e terrível máquina que asseguraria a destruição do cristão, despertaram o interesse do povo, que acorreu aos milhares na manhã seguinte, ao Coliseu. Isso fora arranjado pela providência de Deus, para que não apenas os romanos, mas o mundo, e as gerações futuras, reconhecessem-lhe o poder e glorificassem-lhe o nome.

Corribono passou algum tempo imaginando um instrumento de tortura. O imperador e o povo esperavam por algo terrível, que levasse à morte de um modo jamais visto no anfiteatro. Contudo, o resultado de seu labor foi um instrumento que revelava brutalidade e ignorância, mas não inovação e arte. Somos tentados a rir quando lemos que o seu invento nada mais era que uma enorme caldeira com tampa, onde despejariam óleo, piche, resina, e alguns ingredientes venenosos nauseabundos. Então, quando o fogo houvesse aquecido a mistura à uma temperatura escaldante, o mártir seria jogado nela, e consumido, segundo calculara Corrobone, num instante.

O sol já vai alto no céu, e os gritos ensurdecedores vindos do Coliseu revelam-nos que as bancadas estão lotadas com a plebe impaciente. A imensa caldeira acha-se no centro da arena, e a lenha, ardendo sob ela. O ar está impregnado com os vapores do composto heterogêneo, e a fumaça espessa e negra sobe ao céu sem nuvens. Dois ou três homens seminus, e de aparência tenebrosa, alimentam as chamas com as achas, e mexem o conteúdo fervente e crepitante da caldeira. O quadro lembra as visões que alguns já tiveram do Inferno. Pode-se sentir os demônios à roda, clamando pela morte do cristão; há fogo, tormenta, e ódio contra Deus. O que mais haverá no Inferno, senão a sua maldição eterna?

O imperador e o prefeito chegaram, e alguns jogos entre os gladiadores e as bestas feras são assistidos com o deleite e a exaltação habituais. No entanto, a grande atração desse dia é a caldeira fumegante no centro da arena.

Após cada competição entre gladiadores e animais, as vozes agudas ecoam pelas arquibancadas, exigindo o cristão. O imperador e o prefeito submetem-se alegremente à importunação da ralé. E "na terceira hora", descrevem os *Atos*, Eleutério é trazido à arena. Ele parece jovem, belo e animado, enquanto caminha, com pesadas correntes nos pés e nas mãos, em direção ao tribunal do imperador e do prefeito. Quando ele chega sob o trono do imperador, Corribono pede silêncio com a mão, e fala em voz alta:

— Todas as nações obedecem ao poder de nosso grande imperador. Somente tu, jovem, desprezas seus desejos. Porque não lhe obedeces às ordens, e não adoras aos deuses e deusas a quem ele adora, por Júpiter, serás lançado na caldeira fervente.

As últimas palavras, ele as pronunciou apontando à caldeira em ebulição. Ele conjeturara uma vitória sobre o mártir, e achara que bastaria empregar as ameaças com que costumava aterrorizar seus escravos covardes. Eleutério, sem demonstrar qualquer sinal de medo ou preocupação, respondeu sossegadamente ao prefeito:

— Corribono, ouve-me. Tu tens o teu rei, que te fez prefeito. Eu tenho o meu Rei, que me fez bispo. Agora, um dos dois há de vencer, e o vencedor há de ser adorado por ti e por mim. Se a tua caldeira suplantar-me a fé, servirei ao teu rei; mas se ela for vencida por meu Rei, tu deverás adorar ao Senhor Jesus Cristo.

Então os lictores o agarraram, e rasgaram-lhe as vestes. Enquanto o conduziam à caldeira, ele orou em voz alta: — Senhor Jesus, tu és a alegria e a luz de todas as almas que em ti crêem! Tu sabes que todos os sofrimentos, por causa do teu nome, são para mim prazeres. Mas para mostrar que todo elemento resiste àqueles que se te opõem, não permite que teu servo seja consumido nesta caldeira.

Ele foi arremessado dentro da massa borbulhante, e a grande tampa, posta em cima.

No anfiteatro, o silêncio era de morte. As pessoas inclinavam-se à frente, com a respiração suspensa; esperavam algo extraordinário. Outro minuto passou-se em silêncio. O fogo ainda crepitava, e a caldeira não se fizera em pedaços; o mártir devia estar morto. O imperador sorriu, e Corribono esfregou as mãos, antecipando a alegria de seu triunfo imaginário. Após alguns minutos de suspense, o imperador ordenou que a tampa fosse removida, para ver se restara alguma coisa do mártir...

Toda honra e glória ao Deus eterno! Ele ri de seus inimigos, e reduz a nada as suas maquinações. Eleutério estava ileso; nenhum fio de seu cabelo fora tocado, nenhuma fibra em seu corpo estava encolhida, movimento algum de suas feições demonstrava dor. Calmo, belo e recolhido, ele mais parecia ter estado em suas devoções diárias na capela episcopal, que mergulhado numa caldeira de óleo em ebulição, perante milhares de espectadores romanos. Quando ele empertigou-se na arena, um murmúrio de surpresa percorreu o anfiteatro. Estupefato, o imperador Adriano parecia fixo ao chão; ele olhou para Corribono com os olhos faiscando de raiva.

Naquele instante, porém, a graça de Deus alcançara o coração do prefeito. Correndo para o imperador, ele apelou com veemência:

— Oh, grande imperador! Creiamos neste Deus que protegeu seu servo desta maneira. Este jovem é de fato um sacerdote do Deus verdadeiro. Se um dos nossos sacerdotes de Júpiter, de Juno, ou Hércules, fosse jogado nesta caldeira, iriam os seus deuses salvá-los assim?

As palavras de Corribono caíram como estampido de trovão nos ouvidos de Adriano. Inconversível em sua superstição, e endurecido em sua impiedade, a repentina mudança operada pela graça no coração de Corribono elevou-lhe a indignação ao mais alto grau.

— O que?! — Bradou ele, após uma pausa momentânea. — És tu mesmo, Corribono, que ousas falar assim? Teria a mãe deste miserável te subornado para trair-me? Eu te fiz prefeito, dei-te ouro e prata, e agora tu te voltas contra mim para ficares do lado deste cristão odiado! Agarrai-no, lictores, e deixai o sangue deste velhaco misturar-se ao óleo fervente da caldeira!

— Ouve-me por um instante, grande Imperador! — clamou Corribono. — As honras e favores que me tens conferido são efêmeras e temporais. Enquanto estive no erro, não pude ver a verdade que agora resplandece diante de mim. Se desejas escarnecer do Deus dos cristãos, e permanecer vítima de tuas tolices e impiedade, faze-o. Quanto a mim, a partir deste momento, creio que Cristo é o verdadeiro Deus. Nego que teus ídolos sejam deuses, e creio nEle, no único Deus grande e poderoso, a quem Eleutério prega.

Adriano bateu o pé no chão, enfurecido, e fez um sinal para que os lictores levassem de uma vez o prefeito à arena, para ser executado.

Ao chegar ao centro da arena, levado pelos lictores, Corribono lançou-se de joelhos e pediu a Eleutério:

— Homem de Deus, ora por mim, imploro-te, para que este Deus, a quem hoje confesso ser o único, me dê daquela proteção dada ao general Félix, para que eu possa desafiar os tormentos do imperador.

Eleutério vertia lágrimas de alegria. Agradeceu a Deus de todo coração pela conversão de Corribono, e pediu que o Todo-Poderoso o fortalecesse para suportar os tormentos que estava para sofrer.

O prefeito foi jogado dentro do caldeirão que ele mesmo preparara com a intenção de destruir Eleutério. A tampa foi fechada, e ele permaneceu no horripilante instrumento por vários minutos. Quando a caldeira foi destapada, ele ainda estava vivo, ileso, e sem dor; estava cantando louvores ao Deus verdadeiro, de cujo poder e divindade ele não mais duvidava. E, embora não se passara ainda dez minutos desde que deixara de ser um pagão, a sua fé já era inabalável como uma montanha.

O imperador, vendo que Corribono também escapara ao poder destrutível da caldeira, ordenou que os gladiadores os despachassem à vista da multidão.[5]

O nobre prefeito caiu na arena do Coliseu, sob o olhar e a bênção de Eleutério. A sua pronta e generosa resposta ao chamado da graça o fez merecer a coroa inigualável do martírio. A riqueza, os amigos, a família, tudo fora abandonado sem um murmúrio ou adeus, e os tormentos e a morte, aceitos com animação. Que fé, que confiança, que amor expressados na confissão de um novo convertido! Que troca feliz ele fez!

Possamos nós, nascidos na fé, e nela criados, conhecê-lo nas mansões brilhantes da alegria eterna.

3

Quando contemplamos as maravilhosas obras de Deus, como se nos expande a mente, e como se nos aquece e eleva o coração! Alguém afirmou que a nossa razão pode, sozinha, compreender todas as coisas dentro dos confins da vasta criação, e calcular tudo o que não está além do céu. Mas tolo e absurdo é o homem que não reconhece a influência sempre presente de Deus. Existem mistérios e maravilhas na natureza, e graça em cada momento que nos cerca, que não podem ser percebidos e explicados pelo intelecto humano.

É estranho que o homem se ache disposto a reconhecer o poder e as maravilhas de Deus na criação material, mas lhe negue a glória que Ele exige para obras similares na ordem espiritual. Há muitos, em todas as posições, entre os cristãos e os incrédulos, entre os instruídos, os ricos e os pobres, que são, inconscientemente, preconceituosos contra Deus na manifestação de seu poder através do homem. Ele pode suscitar portentos nas órbitas rotativas do firmamento; os animais brutos, e até as pedras da natureza inanimada, podem tornar-se instrumentos dos mais maravilhosos efeitos; mas no momento em que as leis ordinárias da natureza são suspensas a favor de nossos semelhantes – a favor de um ser racional, obra-prima de Deus – surgem dúvidas, receios, e uma inexplicável relutância em acreditar. A maioria das intervenções manifestas do poder divino é explicada como acaso, alucinação, ou destreza; e onde não há testemunha ocular, o fato é imediatamente negado. É isto o que ocorre com todas as coisas estranhas registradas na história do passado. Quando lemos sobre algum milagre na vida de um homem de Deus, predispomo-nos logo a duvidar; pensamos que, talvez, o registro surpreendente seja invenção para entreter-nos. Assim, alguns dos mais consoladores e maravilhosos traços da providência paternal de Deus por seus filhos sofredores são lançados ao vento, tão inacreditáveis quanto os mitos do paganismo. Não existirá alguma nódoa do espírito corrompido do mundo e do Diabo no sentimento de orgulho, desdém e incredulidade com que tratamos as obras de Deus?

Nem tudo o que a história conta é verdadeiro; nem tudo, porém, é falso. Há relatos sagrados e tocantes das provações e dos triunfos dos mártires, preservados nos arquivos da Igreja, e a nós transmitidos com seu selo e autoridade; são, de fato, prodigiosos, mas não impossíveis nem estranhos, se considerarmos os apertos dos terríveis dias de perseguição. Seria precipitado, desrespeitoso, e não condizente com os sentimentos filiais, se os filhos da Igreja jogassem fora os *Atos* de seus mártires, como se fossem histórias inúteis, simplesmente por serem estranhos. Por que pôr limites ao poder e a bondade de Deus?

Retornemos, então, com amor e respeito aos *Atos* de Eleutério. Temos milagres ainda mais maravilhosos e palpitantes para relatar. O Coliseu está para ser, novamente, testemunha de eventos surpreendentes na carreira desse mártir. É difícil dizer se somos mais afetados pela crueldade do imperador cego, ou pela impaciência incansável de Deus, em operar milagres após milagres através da juventude e santidade de Eleutério.

Após a morte de Corribono, o bispo foi levado à prisão. Enfurecido, Adriano rasgou seu manto purpúreo, e retirou-se para o salão imperial para dar vazão a sua raiva impotente. Convocou os cortesãos, e ofereceu uma grande recompensa a quem sugerisse um modo de acabar com o incômodo cristão. Os planos sugeridos foram numerosos e cruéis, mas Adriano selecionou um que causaria menos excitamento no povo, mas parecia levar inevitavelmente à morte.

O bispo foi confinado numa prisão repugnante, sem comida e sem iluminação, até que seu corpo exausto não mais pudesse realizar as funções vitais. O imperador ordenou que as portas do cárcere fossem trancadas, e as chaves trazidas ao palácio, para garantir que nenhum suborno ou traição lhe roubasse a vítima. Todavia, paredes de pedra e barras de ferro não podem impedir a entrada do Espírito de Deus.

A cela escura e subterrânea ficava abaixo do nível da cidade. A única luz ou ar que podia entrar ali vinha através de um pequeno buraco, mais ou menos do tamanho de um tijolo, num dos cantos do teto. O acúmulo de sujeira, o ar fétido, e a escuridão faziam a imaginação recuar diante da sorte terrível de ser condenado a passar dias e noites e semanas naquela prisão, para satisfazer à crueldade e à justiça do governo pagão. A história é repleta de cenas angustiantes, de demência, desespero e morte, que punham fim à carreira das vítimas desses lúgubres calabouços.

Alguns, esfomeados, comiam a carne dos próprios braços; outros, desesperados, batiam o crânio contra as paredes rochosas do cárcere, ou estrangulavam-se. Seus corpos insepultos eram deixados a deteriorar-se na masmorra, intensificando os horrores daquele lugar para as próximas vítimas do desagrado imperial. Não obstante, estas mesmas celas eram lar de luz e paz para os servos de Deus. A solidão, o escuro, e o confinamento eram fontes de alegria sobrenatural, que arrebatavam-lhes a alma no antegozo da felicidade celeste.

Quando as pesadas portas de ferro se fecharam sobre Eleutério, ele foi cheio da alegria celestial. Deus não apenas o acompanhou para dentro da cova, como proveu-lhe alimento todos os dias. A cada manhã, uma bela pomba entrava pela estreita abertura no teto, e deixava alguma delicada iguaria aos pés do mártir.[6]

Ao final de quinze dias – dias de felicidade e animação para o servo de Cristo – o imperador enviou as chaves do cárcere com uma ordem para que verificassem se a morte havia levado Eleutério. Ao ser informado de que ele ainda vivia, e até parecia feliz e contente com a sua vil prisão, Adriano foi uma vez mais possuído pela raiva. Mandou que lhe trouxessem Eleutério. Ele esperava encontrar o jovem reduzido a um esqueleto, e humilde e aterrorizado, como alguns prisioneiros pagãos que ali ficaram por poucas horas. Qual não foi sua surpresa, ao vê-lo mais belo e saudável que nunca – "*in flore primae juventutis velut ângelus fulgens*"[7] – e mais firme em sua resolução de adorar somente a Cristo, confrontando destemidamente ao tirano, e reprovando-o por sua impiedade.

Adriano mandou então que o bispo fosse amarrado a um cavalo selvagem, e arrastado pelos pavimentos maciços das estradas romanas, e assim, esfolado e feito em pedaços. A sentença foi executada. Mas no momento em que o cavalo foi solto, um anjo desatou os nós que prendiam Eleutério, e levantando-o, colocou-o no lombo do animal.[8] Sem demora, o cavalo lançou-se através dos campos, carregando sua preciosa carga, e só parou ao chegar ao topo da montanha mais alta e deserta da cordilheira Sabina, dos Apeninos. A liberdade da montanha, a brisa fresca que espalhava à sua volta o aroma de milhares de flores, e a extravagante visão dos vales verdes, formavam um enorme contraste com os horrores do calabouço, de onde ele viera.

Enquanto o bispo extravasava sua gratidão ao único e verdadeiro Deus, os animais selvagens reuniram-se à sua volta, como que para dar as boas-vindas ao homem piedoso, enviado para viver entre eles. Eleutério passou algumas semanas em feliz solidão, alimentando-se de raízes e frutas, e entoando louvores a Deus. Ele almejou chegar aos jardins eternos do céu, que via palidamente refletidos na beleza terrena ao seu redor. Deus, porém, tinha outras provações e triunfos ainda maiores para o seu servo fiel.

Certo dia, alguns caçadores romanos estavam passando pela cordilheira Sabina, quando viram, à distância, um homem ajoelhado no meio dos animais selvagens. Voltaram correndo a Roma, e relataram a estranha visão. Pela descrição, o povo percebeu tratar-se de Eleutério, que mais uma vez escapara ao terrível destino que lhe preparara o imperador. Se um raio houvesse fendido a terra ao meio, e posto Adriano à beira do abismo, ele não teria ficado mais surpreso que ao ouvir esta notícia. Ordenou que um comandante do exército marchasse imediatamente para as montanhas, com mil homens, e agarrasse Eleutério.

Quando os soldados chegaram ao ponto indicado pelos caçadores, encontraram o santo homem cercado por um imenso grupo de feras, como guarda-costas, que os desafiavam a aproximar-se. Os soldados romanos eram corajosos, e lutavam desesperadamente contra inimigos da mesma espécie, mas havia algo sobrenatural naquela cena, que os enervava e acovardava.

Após muita exortação e intimidação por parte do general, alguns deles avançaram para agarrar Eleutério, mas teriam sido rapidamente despedaçados pelos lobos, se o bispo não lhes houvesse ordenado, em voz alta, que se aquietassem. Os animais obedeceram-no imediatamente, e acomodaram-se aos seus pés, como se temessem uma punição. Eleutério ordenou-lhes que se retirassem para suas tocas nas montanhas, e agradeceu-os, em nome de Deus, pelos serviços que lhe prestaram. O bando de feras foi embora, deixando Eleutério a sós com os soldados.[9]

Reunindo aqueles homens à sua volta, Eleutério falou-lhes em linguagem bela e poderosa, convidando-os a reconhecer o poder do Deus verdadeiro, a quem até as bestas feras obedecem. Fê-los ver a insensatez de adorar um pedaço de mármore esculpido, ou de madeira pintada, e explicou-lhes que somente Aquele que reina dos céus pode dar a vida e a felicidade eternas. Antes que o sol se pusesse nesse dia auspicioso, seiscentos e oito soldados robustos da guarnição romana foram regenerados, e passaram pelas águas batismais. Entre os convertidos havia alguns capitães de famílias nobres, favoritos do imperador. Eles propuseram deixar livre Eleutério, e voltarem a Roma sem ele. O santo bispo sabia, porém, que apenas atrairiam sobre si a indignação de Adriano, e suas famílias sofreriam uma perseguição que a sua fé iniciante ainda não seria capaz de suportar. Ademais, ele ansiava receber a coroa do martírio, que ele sabia, por inspiração, haveria de receber no final. Acompanhou animadamente os soldados, a fim de apresentar-se uma vez mais perante o imperador de coração duro e cruel.

A agitação na cidade, quando viram que Eleutério retornara, foi além da descrição. Não faltou nenhuma das cenas já dantes mencionadas; elas tiveram lugar diante de milhares de espectadores, e foram discutidas em todos os círculos. Os ociosos do Fórum permaneceram em demoradas conversas sobre o cristão milagroso. A causa do imperador tornara-se a causa deles. Havia muitos entre eles mais malvados e cruéis que o próprio Adriano, e que rivalizavam com ele no ódio aos cristãos. Não foi a simpatia, mas antes a curiosidade e a indignação que os reuniram à volta do mártir de Jesus Cristo.

Adriano bem sabia quais eram os sentimentos da turba, e desejava satisfazer-lhe as paixões; por isso, sentia-se obrigado a condenar Eleutério uma vez mais à execução pública. Contudo, sentia-se subjugado; sua mente fora mudada em relação aos cristãos. Embora sofresse tanto nas mãos de Adriano, o jovem bispo de Aquiléia seria a sua última vítima. A ordem foi emitida. O povo reuniu-se novamente no Coliseu para testemunhar a execução de Eleutério. Os eventos ocorridos no anfiteatro nessa ocasião foram tão terríveis quanto estranhos, e formaram um trágico final para esta maravilhosa história.

4

A manhã de dezoito de abril de 138 d.C. deve ser memorável nos anais da grande cidade, não apenas pela paixão de um dos maiores mártires, mas pela morte de milhares de pessoas, que tiveram um fim intempestivo, nesse dia, dentro dos muros do Coliseu. Os demônios foram soltos por uma hora no anfiteatro, e deixaram a mancha indelével de sua presença nos registros de blasfêmias, crueldade e carnificina.

Sem dúvida, os espíritos do mal estavam mais irritados que o imperador pagão diante da constância de Eleutério. Seus milagres e orações diárias estavam aumentando as fileiras do cristianismo; milhares de pessoas começavam a temer o nome do Deus verdadeiro. As execuções públicas, que objetivavam intimidar o povo, tornaram-se fontes de conversão. Elas eram evidências oculares do poder do Deus vivo, e do poder e da sublimidade da fé cristã, que elevava os homens acima da paixão e do medo, e os capacitava a sorrir, com a liberdade dos mártires, diante daquilo que constituía para os pagãos a maior das catástrofes: a separação da alma e do corpo. O sangue dos mártires fertilizava o solo da Igreja, e a cada um que caía, milhares eram ganhos.

No dia em que Eleutério caiu vítima da espada do executor na arena do Coliseu, diferentes emoções animaram a multidão que presenciou o assassinato. Alguns estavam agitados pela curiosidade diante dos milagres operados em favor do jovem bispo, enquanto outros se encolerizavam como as fúrias do inferno pelo sangue dos cristãos.

Havia também cristãos entre eles, alegres e orgulhosos de seu campeão, que conferia tanta honra à Igreja, e tanta glória ao nome de Deus. Sem dúvida, estavam misturados à multidão alguns dos soldados batizados por Eleutério, poucos dias antes, ao pé das montanhas Sabinas. Como as lágrimas de gratidão e condolência devem ter rolado pelas faces bronzeadas daqueles guerreiros endurecidos, quando viram o jovem bispo maltratado pelos lacaios do imperador! A fé cristã amolece o coração no momento em que o penetra; transforma em brandura, simplicidade, e amor as tendências brutais da natureza mais feroz: o pagão que ontem encurvava-se deliciado sobre as cenas de carnificina e crueldade, vira hoje a face, cheio de horror e desgosto.

O sol está alto no céu, e derrama seus raios meridianos em ardente esplendor sobre a cidade. De todas as partes, o povo acorre aos magotes para o seu anfiteatro favorito. A maioria esteve presente quando Eleutério foi jogado na caldeira de Corribono, e espera ver, agora, algo igualmente milagroso. Eles não serão desapontados.

O imperador chega com toda a sua corte. Ele parece triste e ansioso. A idade avançada e as muitas viagens revelam-se em sua avantajada compleição. Ele senta-se pesadamente no divã carmesim, no estrado real. Adriano teme a repetição de suas derrotas ao contender com o anjo da Igreja, a quem seu coração cruel e a voz da turba trouxeram uma vez mais à arena. Levado pelo orgulho a idéias absurdas de poder, e demasiadamente fraco de espírito para sofrer desapontamentos, teria dado metade do Império para ver-se livre de Eleutério.

As trombetas soaram. Os jogos tiveram início. Alguns gladiadores desfilaram à roda da arena, e saudaram o imperador com as palavras usuais: — Salve, César! Aqueles que vão morrer te saúdam![10]

Alguns leões e tigres foram exibidos, dando cambalhotas por alguns momentos. Os pobres animais cativos apreciaram a luz e o ar puro, ao saírem das escuras e fétidas covas do Coliseu. Então as trombetas soaram novamente, e os gladiadores puseram-se a lutar. Algum sangue é derramado – um cativo de Trácia cai ferido.

> *"E de seu lado, as últimas gotas, vazando lentamente*
> *do talho vermelho, caem pesadamente, uma a uma,*
> *como as primeiras de uma chuvarada; e agora*
> *a arena flutua à sua volta. Ele se vai*
> *antes que cessem os gritos inumanos que aclamam o vil vencedor."*

Um brado agudo levantou-se da multidão, pedindo a execução de Eleutério. A ordem foi dada, e o jovem, trazido em cadeias. Seu semblante agradável e angelical brilha mais belamente que nunca. Ele olha animadamente para as bancadas repletas de gente. Os gritos terríveis foram substituídos por um silêncio aflito, enquanto ele se movia com passos firmes ao centro da arena. Um pregoeiro ia adiante dele, anunciando am alta voz: — Eis aqui Eleutério, o cristão!

Um mensageiro foi enviado pelo imperador para indagar se ele sacrificaria ao deus Júpiter. Uma resposta severa e cortante sobre os demônios representados por Júpiter provou que o mártir achava-se mais destemido e invencível que nunca. Adriano ordenou que algumas bestas feras fossem soltas para devorá-lo.

Uma das passagens subterrâneas foi aberta, e uma hiena entrou na arena. O animal parecia assustado, e pôs-se a correr de um lado para o outro; depois, encaminhou-se gentilmente para o local onde Eleutério estava ajoelhado, e deitou-se como se temesse aproximar-se do servo de Deus.

O guardador, percebendo a indignação e o desapontamento do imperador, soltou um leão faminto, cujo rugido aterrorizou a multidão. O rei da selva correu em direção a Eleutério, não para dilacerar-lhe as carnes, mas para afagá-lo. O nobre animal abaixou-se diante do mártir, e chorou como um ser humano. "Quando o leão foi solto", contam os *Atos*, "ele correu para o abençoado Eleutério, e chorou diante do povo como um pai que não via o filho após longa separação, e lambeu-lhe as mãos e os pés".[11]

Seguiu-se uma cena emocionante. Algumas pessoas gritaram que Eleutério era um mágico, mas um raio do céu atingiu-as, e elas foram mortas em seus assentos. Outros bradaram pela liberdade do bispo, enquanto muitos, no entusiasmo do momento, gritaram: — Grande é o Deus dos cristãos!

O espírito do mal entrou nos piores dentre os pagãos, e em louco frenesi, eles caíram sobre os que haviam aclamado ao Deus dos cristãos, e os mataram. Foram atacados, em desforra, pelos amigos de suas vítimas, e o que sucedeu foi um horrendo derramamento de sangue. O anfiteatro inteiro estava em comoção, e nada se ouvia além dos berros do populacho enfurecido, que se rasgava em pedaços, e dos gritos aterrorizados das mulheres, misturados aos gemidos dos que morriam.

Adriano mandou que as trombetas soassem altas e claras, exigindo atenção. Não surtiu efeito; a carnificina continuou, e o sangue já escorria de uma bancada para outra. Finalmente o imperador ordenou que os soldados esvaziassem as bancadas superiores; com muita dificuldade, e com a perda de alguns homens, eles conseguiram acalmar a disputa fatal.

Eleutério continuou, o tempo todo, ajoelhado no mesmo lugar. Muita gente saltou a barreira de proteção da arena, e agrupou-se à sua volta, buscando ser protegida. Os animais selvagens não ousavam tocá-las.

O mártir orou a Deus, pedindo que o removesse desse cenário tão revoltoso e temível. Sua oração foi ouvida. O Todo-Poderoso revelou-lhe, por uma voz interior, que permitiria ao seu servo ser martirizado pela espada. Num arrebatamento de alegria, ele disse às pessoas ao seu redor que, se o imperador o mandasse matar a espada, seria bem-sucedido. A mensagem foi imediatamente levada a Adriano que, num acesso de ira, bradou: — Então, que ele morra pela espada! Ele é a causa de todo este tumulto!

As trombetas soam uma vez mais. A confusão e o terror logo se transformam em um silêncio sepulcral. Os espectadores inclinaram-se à frente, com a respiração suspensa, ansiosos por ver se o lictor teria êxito. Ele brande o aço poderoso, e o arremete... Eleutério já não vive. Seu sangue jorra na arena. A terra treme, e ouve-se um trovão no céu sem nuvem. Uma voz potente soa das abóbadas do céu, chamando Eleutério à bem-aventurança eterna.

Não obstante, Eleutério não foi a última vítima daquele dia. Havia outra mãe de Macabeu na multidão de espectadores: a mãe de Eleutério. Ela assistira, com a alegria de uma mãe cristã, tudo o que sofrera o seu bravo filho. E quando ela o viu finalmente conquistar sua coroa, seu coração ardeu com os sentimentos naturais da compaixão materna, e com piedosa alegria. Quase se esquecendo de que estava no Coliseu, e cercada por uma multidão de pagãos, ela correu freneticamente à arena, e lançou-se sobre o corpo exangue de seu filho.

Um murmúrio de surpresa e dó chamou a atenção do imperador, que ainda não deixara o Coliseu. Ele mandou perguntar quem era ela, e por que abraçava o corpo do mártir. Quando lhe informaram tratar-se da mãe de Eleutério, e que ela também era cristã, e desejava morrer com o filho, o cruel imperador ordenou que fosse executada. A mesma espada que trouxe ao filho a coroa do martírio embebeu-se no sangue da mãe. Ela morreu abraçada ao corpo do rapaz, e suas almas virtuosas foram unidas no mundo da felicidade plena, onde a separação não mais existe.

Durante a noite, os corpos de ambos foram levados por alguns cristãos, e sepultados num vinhedo particular, fora da Porta Salara. Foram mantidos ali durante algum tempo, e depois transportados à cidade de Rieti, onde, no império de Constantino, uma suntuosa igreja foi erigida em sua memória.

A maravilhosa história desses fieis foi escrita por dois irmãos, testemunhas oculares da maioria desses fatos extraordinários. Eles concluem sua narrativa com as seguintes palavras: "Estas coisas que nós, os irmãos Eulogio e Teodoro, ordenados para este propósito, escrevemos, foram vistas por nossos olhos e ouvidas por nossos ouvidos. Nós, que éramos sempre assistidos por sua santa admoestação, e com ele perseverávamos".[12]

Estes *Atos*, que citamos dos Bolandistas, acham-se preservados nos arquivos de sua igreja, em Rieti. Também foram escritos em grego, por outra testemunha ocular, com leves alterações, e por Metafrastes, cuja versão é dada por Sírio, em 18 de abril. Barônio, em seu martirológio, menciona os principais fatos da história, e refere-se a vários autores que são as nossas melhores autoridades para os registros da Igreja Primitiva.

Não poderíamos concluir sem dizer uma palavra sobre o imperador Adriano. Ele deixou o Coliseu, naquela manhã nefanda, silencioso e indisposto. Até a sua alma empedernida fora amaciada, mas não convertida. Ele recebera uma lição que o desencorajara de se opor novamente aos cristãos. Mas, como todos os perseguidores, ele teve, finalmente, o seu momento de retribuição. Enquanto ele estava no teatro, procurando destruir os servos de Cristo, seu organismo contraiu uma doença repugnante, da qual nunca se recuperou; tão miserável e desgraçado se tornou, que acabou morrendo voluntariamente de inanição.

Ele agonizou durante um ano, em horrível sofrimento; entregou-se à maior de todas as suas superstições, na cega esperança de que os seus ídolos o curariam. As harpias do embuste reuniram-se à sua volta, e extorquiram-lhe imensas somas de dinheiro, alegando possuir habilidade ou magia para restaurá-lo. Contudo, a enfermidade só fez piorar, e o seu espírito ímpio foi tomado pelos horrores do desespero e do remorso.

A mão que escrevera o temível julgamento na parede de Belsazar já pesara o perseguidor da igreja, e a terrível sentença fora escrita perante ele, tão formidável em sua antecipação, que ele pensou evitá-la por meio da morte. Adriano tentou induzir alguém a assassiná-lo, mas não obteve resultado. Finalmente, cheio de remorsos e desespero, recusou tomar qualquer alimento, e morreu no dia 6 de julho, de 140 d.C. (segundo relata Barônio). Sua morte ocorreu em Baja, e seu corpo foi posteriormente removido por Antonio Pio, para o imenso mausoléu edificado às margens do Tibre. Este mausoléu ainda resiste em seu esplendor, como uma ruína indestrutível, recordando aos peregrinos cristãos da Cidade Eterna o triunfo dos mártires, e a cegueira do perseguidor da Igreja. É fácil contrastar o feliz destino de Plácido, Eleutério, e das demais almas nobres que com eles foram coroadas, com a medonha ruína e morte eterna de seus perseguidores.

Que Deus nos capacite a resistir às paixões tiranas que nos perseguem, a fim de que, se não tivermos o privilégio de derramar nosso sangue por Cristo, possamos ao menos sacrificar nosso amor próprio, e juntarmo-nos a esses mártires, um dia, em louvores ao mesmo Deus a quem amamos e servimos.

[1] O mártir mais ilustre, que ganhou sua coroa desse modo, foi Lourenço, morto em 261, sob o reinado de Valeriano. A grelha sobre a qual ele sofreu, feita de ferro em vez de cobre, ainda encontra-se preservada na Igreja de São Lourenço, em Lucina, Roma.

[2] *"Omnis populus Romanus cucurrit ad hoc spestaculum certaminis"*, Bolandistas, 18 de Abril.

[3] *"Cum sis curiosus amnium, minor quomodo non potuisti ad haec pertingere, quol tres pueri Helraei missi in carminum flammae ardentis, cujus altitudo cubitis quadraginta novem elata"*. – Atos Bolandistas, 18 de abril.

[4] "O prefeito da cidade era especialmente encarregado do Coliseu e dos jogos".

[5] *"Videns autem imperator quod etiam Corribon vinceret, jussit eum in conspectu omnium decollari"*. – Atos.

[6] *"Cum que esset B. Eleutherius in custodia multis diebus cibum non accipiens, columba ei cibum portabat ad satietatem"*. – Atos, par. 13.

[7] Na flor da juventude, brilhando como um anjo.

[8] *"Eadem autum hora ângelus Domini Suscipiens B. Eleutherius solvit eum et fecit eum sedere super equum"*. – Atos, par. 13.

[9] *"Adjuro vos per nomen Christi Domini ut nullum ex his contigatis sed unaquaeque vestrum ascendat ad locum suum; ad cujus vocem omnes ferae cum omni mausuetudine abscesserunt"*. – Par. 14, &.

[10] *"Ave Caesar morituri te salutant"*.

[11] *"Dimissus autem leo cucurrit ad B. Eleutherium et, tanquam pater filium post multum tempus videns, ita coram omnibus flebat In conspectu ejus, et manus ejus et pedes ejus lingebat"*. – Nº 16.

[12] *"Haec nos duo fratres, Eulogius et Theodulus, scripsimus qui ab eo ordinati sumus et hortationibus ejus adjuti semper cum ipso perseveravimus: et ea quae viderant oculi nostri et audierunt áurea nostrae nota fecimus"*. – &.

O Jovem Sardo

Capítulo 9

1

Adriano fora declarado deus. Não obstante as paixões que o fizeram desprezível, e a crueldade que o tornou odiado, ele foi deificado. Os soldados, o povo, e as províncias, que haviam sido beneficiados por suas visitas e generosidade, clamaram por sua elevação às honras divinas. O senado, que ainda era a corporação mais inteligente do Império, estremecia sob a tirania de Adriano. Em seu leito de morte, ele condenou quatro deles à execução. Contudo, o fraco e degradado senado consentiu, e em sua honra, um templo foi erigido, e sacrifícios oferecidos. O absurdo desses gestos nos faria rir, se não envolvessem uma blasfêmia contra Deus, e faz-nos corar de constrangimento pela degradação da raça humana.

Era moda, naqueles dias, fazer dos imperadores deuses. Enquanto a carcaça era consumida na pira funerária, a família do morto pagava algum pobre coitado para jurar que vira o espírito divino subindo ao céu. "Por que motivo", indaga Justino em sua *Apologia em defesa dos cristãos*, "vós condescendeis em consagrar à imortalidade os imperadores que morrem entre vós, fazendo alguém asseverar que viu o César queimado subindo da pira funerária ao céu?"[1]

Alguns anos após a morte de Adriano, uma das concubinas de Antônio foi declarada deusa; e o próprio Antônio, depois de morrer, foi adorado na forma de uma estátua de bronze erguida num magnífico templo no Fórum. Uma das ruínas mais imponentes do antigo Fórum é o esplêndido pórtico de mármore desse templo, que ainda ostenta em seu entablamento danificado a marca de grandes letras: "*Divo Antinino et Divae Faustinae*". Não é de admirar, pois, que o imperador Cômodo, poucos anos mais tarde, impaciente pelas honras reservadas a ele para depois de sua morte, declarou-se deus enquanto vivia, e fez com que lhe oferecessem sacrifícios, dizendo-se filho de Júpiter, na assembléia do senado. Como a nuvem tempestuosa envolve a montanha, o pecado da idolatria pairou por séculos sobre a Roma pagã, e pareceu envolver a infortunada cidade num manto de trevas impenetráveis: ela é a mulher vestida de escarlate, assentada sobre os sete montes; a Babilônia do Apocalipse.[2]

Historiadores pagãos, e mesmo alguns cristãos, contam que um dos melhores feitos de Adriano foi eleger Antônio como seu sucessor. Suas virtudes, para um pagão, eram notáveis, e o seu fanatismo cego em adorar os deuses angariou-lhe o título de Pio. Marco Aurélio, seu filho adotivo, que o sucedeu no comando do império, deu-lhe o mais elevado caráter possível de se expressar em palavras.[3]

Mas apesar dos excessivos louvores prodigalizados a Antônio, ele permanece para nós um perseguidor da Igreja de Cristo. Há manchas de crueldade e injustiça em seu caráter, que não poder ser apagadas por suas virtudes naturais. Quando lemos a respeito do sofrimento dos cristãos torturados com crueza inumana, do seu sangue derramado no Coliseu, e em Petra Scelerata, não podemos reconciliar os horrores de uma perseguição violenta com o caráter de brandura e justiça outorgado a ele por seu sucessor pagão. Registros encontrados nas lajes de mármore das catacumbas formam um triste contraste com os encômios a ele conferidos. Leia a tocante inscrição gravada rudemente na tumba de uma criança martirizada: "Alexander não está morto; vive além das estrelas! Pois quando estava se ajoelhando para oferecer o sacrifício (de oração) ao Deus verdadeiro, foi levado à morte. Oh, dias infelizes, quando mesmo em nossas orações e cultos, não estamos seguros. Mais miserável que a vida, e ainda mais miserável que a morte, é que não podemos ser sepultados por nossos parentes e amigos. Mas Alexander agora brilha no céu. Pouco tempo viveu, quem viveu quatro anos e dez meses".[4]

Se Antônio relaxou o rigor da perseguição nos últimos anos de seu reinado, foi por causa da eloqüência de Justino. Com coragem e zelo apostólico, ele reprovava o imperador, o senado e o povo por sua injustiça e derramamento do sangue de cristãos indefesos. Ele contrastava a inocência, a virtude e a santidade da vida cristã com os excessos do paganismo, o absurdo e a insensatez da idolatria e da pluralidade de deuses. Proclamava as evidências divinas da fé cristã, mais brilhante que o sol que resplandecia sobre ele, e os advertia da temível prestação de contas que um dia lhes seria exigida pelo grande e necessariamente supremo Ser, a quem eles fingiam ignorar, ou desprezavam, abertamente, na perseguição aos seus servos. Antônio não era livre de ser influenciado por sentimentos nobres, e a eloqüência e o hábil raciocínio de Justino produziam-lhe na mente um efeito favorável. A espada da perseguição foi posta de volta na bainha, para aguardar o próximo tirano que manejaria o cetro dos césares.

Muitos cristãos caíram vítimas da perseguição de Antonio. Os *Atos de Felícia* relatam um emocionante episódio, que mostra a virulência da perseguição. Duas outras cenas são acuradamente descritas nos *Atos dos mártires*. Uma é sobre Potito, um jovem da Sardenha; a outra é sobre um bispo chamado Alexander, cuja igreja não é conhecida. A história de Potito é repleta de milagres; contém todo o romantismo das vidas que já relatamos, e baseia-se, como as demais, na certeza da verdade histórica, a partir do caráter inquestionável de seus registros. O belo, o simples e o natural, entrelaçados aqui e ali com o maravilhoso, fazem desta história uma das mais interessantes tradições que circulam pelas veneráveis paredes do Coliseu.

2

Os *Atos* não mencionam a época em que Potito foi arrastado ao tribunal para glorificar a Deus na profissão de sua fé. Das palavras empregadas, inferimos que ele era bem jovem. Em um lugar, ele é chamado de infante; noutro, de menininho, e mais freqüentemente, de rapaz. Conforme o costume daqueles tempos, um jovem era chamado de rapaz quando beirava os vinte anos, e de infante, aos dez ou doze. Assim, aventuramo-nos a dizer que Potito não tinha mais de doze ou treze anos quando se iniciaram as cenas de sua carreira extraordinária.[5]

Seu pai era um pagão chamado Hilas. Ele era contrário ao cristianismo, e perseguia o filho por causa de seus princípios religiosos. Como o rapaz veio a conhecer a fé cristã não é mencionado. Os *Atos*, porém, conforme citamos dos Bolandistas, iniciam o seu registro com uma cena emocionante entre o pai pagão e o filho cristão.

Hilas costumava implorar e ameaçar na tentativa de demover o jovem Potito de permanecer cristão. Tudo em vão. A mente do menino estava iluminada por uma luz celestial, e o seu conhecimento e percepção da verdade sagrada elevavam-se muito acima da estupidez do paganismo. O pai, sentindo-o inexorável, enfureceu-se e trancou-o num quarto, avisando que não lhe daria comida nem água, enquanto ele não consentisse em abandonar o cristianismo.

— Vamos ver se o teu Deus te ajudará agora — resmungou o pai irado, enquanto retirava da fechadura a chave.

Ele deixou Potito trancado a noite inteira. De manhã, porém, sua agitação acalmara, e o seu amor de pai, que subsistia a qualquer paixão, levou-o de volta ao quarto onde o filho estava confinado. Encontrou Potito alegre e bem disposto; amor, surpresa e curiosidade assomaram-lhe à mente, e suscitaram mil indagações. Assumindo um tom de reconciliação e afeto, ele começou a seguinte conversa:[6]

— Oh, meu filho! Eu te imploro, sacrifica aos deuses. O imperador Antônio emitiu ordens para que qualquer um que não sacrifique seja torturado e exposto às feras. Como eu lastimo que sejas meu único filho, e sejas tão insensato!

— Mas, pai, para que deuses devo sacrificar? Quais são os seus nomes?

— Meu filho, não conheces Júpiter, Arfa,[7] e Minerva?

— Bem, de fato, nunca ouvi dizer que Deus fosse chamado de Júpiter, ou Arfa, ou Minerva. Como Ele pode ter todos estes nomes? Oh, pai, se tu ao menos soubesses o quão poderoso é o Deus dos cristãos, que se entregou a si mesmo por nós e nos salvou, tu também crerias nele. Não sabes, pai, que um grande profeta disse: "Todos os deuses dos gentios são demônios!"? Foi Deus quem fez os céus, não Júpiter, Arfa, ou Minerva.

— Onde aprendestes estas coisas? — interrompeu rapidamente Hilas.

— Ah, pai! — replicou Potito, suavemente. — O Deus a quem eu sirvo fala através de mim. Ele mesmo disse em seu evangelho: "Não penses como ou o que falarás; ser-te-á dado na hora o que hás de dizer".

— Mas, meu filho, não temes a punição que o imperador ameaçou infligir aos cristãos? Se fores levado perante Antônio, o que será de ti? Estas tuas doutrinas estranhas levarão teu corpo a ser rasgado pelos ganchos, e serás comido pelos leões!

Potito sorriu. Um reflexo da alegria celeste iluminou-lhe o belo semblante. Aproximando-se do pai, pôs-lhe nos ombros as mãos, e olhando-o afetuosamente, declarou com ternura e fervor:

— Pai, nunca me assustarás com estas coisas. Tu deves saber que eu posso todas as coisas naquele que me fortalece. Já ouviste contar que Davi matou o gigante Golias com uma pedra, e cortou-lhe a cabeça com a espada do próprio gigante, mostrando-a depois a todo o povo de Israel? Sua armadura e força eram o nome do Senhor. Sim, pai — continuou ele após uma pausa momentânea —, em nome do Pai, e do Filho, e do Espírito Santo, estou preparado para sofrer qualquer coisa por Jesus Cristo.

Potito fechou os olhos, uniu as mãos, e pôs-se a orar. O pai olhou para ele num silêncio aflito. Enquanto ouvira o filho falar, experimentara um terror que não poderia descrever. A coragem, a piedade e a eloqüência do garoto já lhe tinham vencido o coração, e a influência da graça que Potito parecia receber do céu completou nele a obra de conversão.

O menino, levantando a cabeça, fez mais um apelo; suas palavras foram acompanhadas pela eloqüência poderosa das lágrimas. Com todo o sentimento de seu coração amoroso, pediu ao pai:

— Oh, pai! Crê no Senhor Jesus Cristo, e serás salvo. Aqueles deuses a quem serves não possuem vida; não podem salvar-te. Eu te direi o que eles são, pai. São espíritos que queimarão na fogueira que nunca se extinguirá. Como podes ser tão louco de adorar um pedaço de madeira colorida, ou uma estátua de mármore que não pode se mexer? Se ela cai, se quebra, e não pode se levantar. Eles são tão sem vida quanto o pó que pisamos, tão silenciosos quanto as pedras no leito do rio. Os répteis venenosos que rastejam na face da terra são mais poderosos que os teus ídolos, pois podem tirar-te a vida. Meu pai, como podem estas coisas inconscientes ter poder contra o grande Deus que criou todas as coisas, que estendeu o céu em toda a sua glória, vestiu a terra com toda a sua beleza, que é o único poderoso, e que calca sob o pé a cabeça do dragão e do leão?

No momento seguinte, Potito estava fechado nos braços do pai convertido, cujas lágrimas pingavam no chão – lágrimas de arrependimento.

Após a conversão do pai, Potito foi avisado por uma voz interior, que deveria retirar-se à solidão, a fim de preparar-se para as provações que Deus lhe tinha reservado. Ele obedeceu imediatamente. Deixou em segredo a casa paterna, e retirou-se para as montanhas de Epiro. Ali foi favorecido por muitas visões, e também tentado pelo Diabo. Deus enviou um anjo para avisá-lo que sofreria o martírio pela fé, e informá-lo de como e onde haveria de sofrer. O anjo instruiu-o a preservar-se da contaminação de qualquer vício, e ensinou-lhe como deveria lutar com o Diabo e escapar de suas ciladas e ilusões. Por último, avisou-o de que muito em breve teria de pôr em prática aquelas instruções. E de fato, antes que Potito deixasse a montanha, sofreu duras tentações e ilusões dos espíritos maus.

Numa ocasião, o Diabo apareceu-lhe tentando fazer-se passar por Jesus Cristo. Ele parecia tão belo e venerável, que o recém-convertido pensou por um momento ser mesmo o Senhor. Mas a sua humildade veio auxiliá-lo; logo ocorreu-lhe que não seria certo o Senhor Todo-Poderoso apresentar-se a um menino indigno, como ele se considerava.

— Meu querido Potito — começou o espírito mentiroso. — Por que te preocupas tanto com estas austeridades? Podes voltar agora mesmo a casa de teu pai, e comer e beber. Fui grandemente movido por tuas lágrimas, e vim consolar-te.

Curioso, duvidoso, e surpreso, o rapaz só pôde dizer: — Sou um servo de Jesus Cristo.

Então o Diabo, com toda a impudência que o distingue, declarou: —Mas eu sou Cristo.

— Então vamos orar juntos. — sugeriu Potito.

No mesmo instante, o Diabo mudou de aparência, revelando quem era de fato. Potito tomou coragem e ordenou:

— Vá embora, Satanás, pois está escrito: "Ao Senhor teu Deus adorarás, e somente a Ele servirás".

— Eu vou — consentiu o Diabo. — Vou mostrar a minha força entre os pagãos. Tomei posse da filha de Antônio, e agora vou entrar no coração do imperador, e de Gelásio, o governador, e eles ordenarão que tu sejas morto com os mais formidáveis tormentos. Perseguir-te-ei até que morras.

— Vá embora, impostor malvado! — ordenou Potito. — Tu só podes fazer o que o meu Senhor permitir. Não temo tuas maquinações. Vencer-te-ei em nome do Senhor Jesus.

E o Diabo se foi, blasfemando contra Deus.

Depois de passar algum tempo na solidão da montanha, preparando-se em oração e abnegação para a tarefa que lhe fora destinada por Deus, o rapazinho deixou seu retiro, e dirigiu-se à cidade de Valéria, a principal da Sardenha, naquele tempo.

Potito não conhecia ninguém na grande cidade, e cansado e com fome, sentou-se à sombra do Fórum. As pessoas passavam por ele sem prestar-lhe atenção, envolvidas que estavam com as ocupações da vida. Os olhos do menino foram atraídos pelas imponentes construções à sua volta. Eram colunas, templos e pórticos de mármore maciço e de excelente qualidade. Do cenário variado, ele tirava belas reflexões. Cada beleza ou perfeição artística que ele contemplava era uma fonte adicional de gratidão ao Criador, que dera ao homem poder sobre a natureza bruta.

Entrementes, o jovem via uma nuvem ameaçadora pairar sobre aquele cenário de magnificência e arte. Ele procurou em vão pela cruz, símbolo de nossa redenção, que deveria brilhar à luz do sol, no pináculo dos templos. Em vez disso, a fumaça dos sacrifícios impuros, a abominação da desolação, subia em espirais na atmosfera sombria, como se os demônios dançassem em seus círculos. O vício e a imoralidade espalhavam-se por toda parte, e o jovem sentiu um estremecimento ao pensar que era o único servo do Deus vivo naquela vasta cidade.

Como o diamante que cintila com mais luminosidade junto a uma pedra bruta, a sua alma inigualável era a mais brilhante em meio à impiedade que o cercava, e as suas orações, mais poderosas perante Deus. A multidão que passava não sabia que o pobre menino descansando no gelado banco de pedra tornar-se-ia, em poucas horas, apóstolo do Altíssimo, para trazê-los ao conhecimento da salvação eterna. Os instrumentos dos maiores desígnios de Deus são as coisas humildes e pequenas deste mundo.

Enquanto o garoto meditava na melhor maneira de destruir o poder das trevas que pairavam como um nevoeiro sobre o povo ignorante, dois velhos, envolvidos numa conversa séria, vieram sentar-se no mesmo banco ocupado por ele. Potito ouviu a conversa. Fora plano de Deus que ele a ouvisse.

— Triste incidente para o nosso governador! — exclamou o mais alto e mais venerável dos dois, puxando a larga túnica sobre o ombro.

— O que houve? — indagou o outro. — Os deuses não teriam sido propícios ao nosso nobre Agatone?

— Só tu não ouviste ainda que um mau vento varreu-lhe a casa, e afetou Quiriaca, sua esposa, com uma doença asquerosa? Olha lá a fumaça subindo do templo de Júpiter! É a fumaça do sacrifício de três bois que Agatone ofereceu para aplacar a ira dos deuses. Mas a enfermidade da esposa está piorando, e frustrando a perícia de nossos melhores médicos. Quando passei por lá, ontem à tarde, as vozes de luto ecoavam pelas paredes de mármore do palácio, e os escravos preparavam no pátio uma pira funerária.

— Vamos à casa de nosso chefe aflito — convidou o outro, levantando-se. — E vejamos se o sacrifício que saudou o sol nascente não aplacou a severidade da morte.

Assim conversando, os dois senadores dirigiram-se à casa de Agatone.

Potito ouviu no diálogo dos dois anciãos a chamada de Deus para proclamar-lhe a glória. O poderoso nome de Jesus haveria de curar a mulher enferma, e muitos creriam nEle. O jovem teve um breve momento de hesitação em determinar como agiria, mas levantou-se imediatamente, e seguiu à distância os dois homens. Depois de passar por uma ou duas ruas principais, eles chegaram a uma mansão principesca. Uma escada de mármore, adornada com estátuas de ouro e pedras preciosas, conduzia a um pórtico majestoso, circundado por uma cornija branca, esculpida em forma de laço; flores frescas, arranjadas em vasos etruscos de valor inestimável, exalavam no ar um doce perfume.

Os senadores entraram na casa com a liberdade própria dos amigos. Potito, que os seguia logo atrás, não se atreveu a sujar o assoalho de mármore polido com o seu calçado plebeu; os pobres não eram admitidos nos palácios dos grandes. Ele sentou-se nos degraus, e escondendo o rosto nas mãos, orou para que Deus lhe manifestasse a sua vontade, e enviasse sua misericórdia sobre aquela gente sem esperança.

Ele achava-se absorto em oração e santos pensamentos, quando uma voz aguda e penetrante, vinda do topo da escada, arrancou-o de sua meditação:

— Hei, rapaz! O que estás fazendo aí? Não é permitido aos mendigos sentar-se nestes degraus.

Potito olhou para o alto, e viu um eunuco vestido numa libré. Era um jovem arrogante, altivo, de talhe esbelto e efeminado.

— Dar-me-ias um copo d'água? — pediu o jovem Potito, humildemente.

O que há de mais sem valor que algumas gotas d'água? Contudo, quando oferecidas em nome do Senhor, que aprecia a caridade acima das demais virtudes, elas têm um preço incalculável.

— É estranho — ponderou o eunuco — que venhas aqui pedir água, quando há bicas das fontes mais puras da montanha espalhadas por toda parte... Acho que vieste aqui com outras intenções, mas estou de olho em ti.

— Sim — interrompeu Potito —, tu estás certo! Eu desejo água, mas não apenas água. Desejo também a tua fé no Senhor Jesus Cristo, para que haja paz e bênçãos de Deus sobre esta casa.

O eunuco, espicaçado com as palavras de Potito, perguntou: — Quem és tu? Não me lembro de ter-te visto na cidade antes. Qual o teu nome?

— Sou um servo do Senhor Jesus Cristo, o Redentor da humanidade, que pode curar o leproso e o paralítico, dar vista aos cegos, e ressuscitar mortos.

O eunuco ouviu com atenção; sabia que sua ama achava-se acometida por uma lepra mortal, e sem perda de tempo, perguntou a Potito se ele curava lepra.

— Sim! — assegurou o menino. — O meu Senhor a curará através de mim. Ele mesmo prometeu em seu evangelho: "Em verdade vos digo que, se tiverdes fé como um grão de mostarda, direis a este monte: Passa daqui para acolá, e ele há de passar; e nada vos será impossível" (Mt 17.20).

— Então, tu podes mesmo curar minha senhora? — indagou o eunuco, impaciente.

— Sim, se ela crer, o Senhor Jesus a curará.

— Ela te fará senhor de toda a sua riqueza.

— Ah, amigo! Não desejo prata nem ouro, nem riqueza de qualquer espécie. Anelo tão somente unir-lhe a alma a Jesus, na luz e no conhecimento da fé.

Estas últimas palavras não foram ouvidas pelo eunuco. Ele desaparecera mansão adentro, e correra ao quarto da ama com a liberdade desfrutada pelos eunucos. Com a respiração entrecortada, ele contou à matrona enferma que, sentado nos degraus de sua casa, havia um menino capaz de curar lepra. Ela ordenou-lhe que o garoto fosse trazido imediatamente à sua presença.

Potito foi conduzido por corredores esplêndidos, ornamentados com estátuas nuas e figuras que o faziam fechar os olhos em santo pudor. Ao entrar no aposento onde Quiriaca jazia em sua moléstia repugnante, Potito saudou: — Que a paz do Senhor Jesus Cristo esteja com todos.

A mulher enferma, deitada num divã carmesim, era atendida por duas ou três escravas, que seguravam flores frescas e abanavam grandes leques para refrescar o ambiente. O quarto era revestido por ricas tapeçarias, representando cenas mitológicas. No meio do aposento, havia uma linda lâmpada sobre um pedestal de mármore de primorosa escultura. Na mesa de cedro odorífero junto ao divã, via-se uma coleção de objetos que costumavam está sempre ao alcance das damas patrícias do primeiro século: um porta-jóias, um espelho, e um objeto com a forma de um estilete, usado para punir os escravos.

Quiriaca parecia avançada em idade, e horrivelmente desfigurada pela doença; as extremidades de seus pés e mãos já haviam caído, e ela tornara-se motivo de aversão a todos os que eram forçados a servi-la. A agonia de seu espírito era-lhe ainda pior que o sofrimento físico. Seu orgulho e vaidade achavam-se extremamente feridos; sentia-se evitada pelas outras matronas da cidade, banida das altas rodas, e condenada a arrastar-se em sua existência miserável, na solidão involuntária e na vergonha. Ao ouvir que um rapazinho estranho poderia curá-la, levantou-se com intensa alegria. A esperança, que havia muito tempo abandonara seu coração partido, retornou para consolá-la. No momento em que a porta se abriu para deixar entrar Potito, ela exclamou com animação:

— Oh, jovem! Cura-me, cura-me!

Ela sentiu-se tocada pela beleza e modéstia do rapaz, cuja fisionomia irradiava doçura celestial, enquanto seus olhos fixavam o assoalho. Erguendo educadamente a cabeça, e fitando a matrona, ele asseverou:

— Tu deves primeiramente crer, então tu e tua casa verão a boa obra.

— Oh! Eu creio, eu creio! — confessou a mulher, freneticamente. — Não há outro Deus, além do teu, que possa curar-me.

Potito ajoelhou-se. O silêncio era total. Diversos escravos e criados achavam-se agora reunidos no quarto, uma vez que o eunuco correra contar-lhes que a ama seria curada. Após uma pausa, Potito ergueu os braços, voltou os olhos ao céu, e orou em voz alta:

— Oh, Senhor Jesus Cristo, Rei e Redentor nosso! Tu mesmo disseste aos teus discípulos: "Limpai os leprosos, ressuscitai os mortos". Conceda-me, a mim teu servo, que a tua graça desça sobre esta mulher, a fim de que este povo possa ver que Tu és Deus, e que não há outro além de Ti.

Ele mal terminara a oração, quando uma luz brilhou sobre o corpo de Quiriaca. Ela estava curada. Toda a sua deformidade desaparecera. Ela saltou do divã e agarrou o espelho: sua pele estava mais limpa que o mais puro mármore de Carrara, tingida com o rubor das rosas. Os criados acercaram-se admirados; suas exclamações de alegria e surpresa enchendo o aposento de sons e confusão.

Quiriaca não pôde conter-se. Mensageiros foram despachados por toda a cidade para procurar seu esposo, chamar seus amigos, e anunciar as novas de alegria. Em poucos minutos, a casa, o pórtico, e a rua ficaram cheios de gente; o milagre era contado e recontado por milhares de línguas. Os *Atos* contam que o resultado deste milagre foi a conversão de metade da cidade (*media civitatis*).

Potito permaneceu por algum tempo para completar a grande obra iniciada por Deus. Entretanto, percebendo que lhe estavam prodigalizando honras e elogios, fugiu uma vez mais para o seu retiro favorito nas montanhas. Deus desejava que ele se preparasse para outros prodígios ainda maiores. Antes de deixar a cidade, mandou a Roma alguns de seus recém-convertidos mais confiáveis, para que comunicassem ao líder da igreja as bênçãos que Deus derramara sobre a cidade de Valéria. Um bispo e alguns pastores zelosos foram enviados a cuidar do rebanho. Através do esforço desses homens de Deus, toda a região ao redor abraçou a fé, e nunca a perdeu. A cidade de Valéria, há muito, deixou de existir; a bela, porém mal conservada, cidade de Cagliari fica próxima a suas ruínas.

3

Enquanto na Sardenha se passavam os eventos acima relatados, no palácio dos césares, em Roma, tinha lugar uma cena de confusão e pesar. A filha única do imperador Antônio, uma linda menina com o doce nome de Agnes, achava-se possuída por um demônio. Não ousei investigar as leis que regem estes terríveis julgamentos de Deus; para mim, estão envoltos num impenetrável mistério. Agnes era jovem demais para ser envolvida em culpa moral; seu maior crime pode ter sido o amor aos vestidos, ou uma desobediência momentânea. À sua volta, havia parricidas, assassinos, adúlteros, e canalhas capazes da mais profunda depravação que pode pesar na consciência humana; contudo, o raio tempestuoso que destrói o lírio pode deixar ileso o blasfemo. Não se pode dizer que é obra do acaso; com Deus, não há acaso. É antes o misterioso abraço da misericórdia, da justiça e do julgamento! O Espírito divino golpeia com uma das mãos, e salva com a outra. Estas visitações horrendas, tão medonhas em si mesmas, têm sido, invariavelmente, o início de ricas bênçãos espirituais. Tal foi o caso com a filha de Antônio.

O espírito mau torturava-a tanto, que ela tornou-se objeto de terror para todos os que a cercavam. Ela fazia as paredes de mármores ressoar com os guinchos mais horripilantes. À mesa, ela era levantada como que por mão invisível, e deixada cair com tal violência, que todos se admiravam por não se quebrarem os seus ossos frágeis. Num momento, estava calma e tranqüila; no outro, lançava-se sobre as criadas como uma louca, com fúria e violência, ou fazia em pedaços qualquer ornamento ao seu alcance.

O palácio imperial achava-se imerso em aflição; os médicos reais estavam aturdidos; não conheciam a doença nem o remédio. Em vão, o *piedoso* imperador oferecia o sacrifício diário no templo. Em vão, conduzia ao altar de Júpiter vítima após vítima: bois com chifres dourados, e guirlandas de flores. O Diabo ria através dos lábios de Agnes, e gloriava-se nos sacrifícios a ele oferecidos.

Finalmente, o Todo-Poderoso obrigou o demônio a dizer ao imperador que não sairia do corpo de sua filha enquanto o jovem Potito não chegasse, dando-lhe instruções de onde encontrá-lo. Antônio, acreditando que fosse uma resposta de seus deuses, ordenou a Gelásio, o prefeito da cidade, que fosse com cinqüenta homens buscar Potito, e o trouxessem a Roma.

Algumas semanas se passaram, e Potito compareceu diante do imperador. A curiosidade do soberano deixara-o ansioso para ver o único homem que poderia expulsar de sua filha o espírito mau; ele esperara ver algum mágico venerável do deserto egípcio, ou um cigano fatídico das margens do Nilo, ou então um sacerdote de alguma província mais favorecida pelos deuses. Qual não foi sua surpresa ao ver diante de si um rapazinho de treze ou quatorze anos, pobre e malvestido. Não obstante, brilhavam-lhe no semblante uma beleza e uma doçura que fizeram o imperador e todos os demais olhar para ele com admiração e deleite. Após um instante de silêncio, o imperador indagou:

— Quem e o que és tu?

— Sou um cristão.

— O que?! Um cristão?! — espantou-se o imperador, como se ouvira algo inacreditável. — Não conheces as ordens do soberano? Não sabes que todos os que pertencem a esta seita odiada devem morrer?

— Eu desejo morrer. — foi a branda resposta de Potito.

Antônio teria expressado sua animosidade contra os cristãos; pensou, porém, no sofrimento da filha, e ocultou e adiou a sua resolução, já tomada, de fazer o jovem sacrificar aos deuses, ou morrer. Dissimulou o tom de seu discurso, e insinuando adulações e recompensas, pensava obter do jovem cristão, primeiramente a cura da filha, e então, a gratificação de seu espírito cruel e fanático, sarcasticamente chamado de piedoso para com os deuses.

— Já ouvi falar de teu grande nome — mentiu o fraudulento imperador. — Podes mesmo curar minha filha? Se puderes, enriquecer-te-ei com muitos bens.

— Por que teus deuses não a curam? — perguntou Potito.

— Como ousas falar-me de modo tão desdenhoso?

Uma pergunta importuna a um imperador romano, lembrando-o de suas fraquezas, superstições e orgulho, era manifestação de desprezo.

— Bem — tornou Potito —, se a tua filha for curada, crerás tu no Deus em que creio?

Após alguns segundos de hesitação, Antônio respondeu: — Crerei.

Era uma falsa promessa; ele não tencionava cumpri-la. Mas Deus, que lê os segredos do coração, fez com que Potito enxergasse a hipocrisia do imperador e o julgamento já preparado para ele. Encarando firmemente Antônio, o nobre menino falou com majestade e força:

— Imperador falso! Foste pesado na balança e achado em falta. Teu coração é empedernido e impenitente. Mas para que estas pessoas aqui presentes creiam em Deus, libertarei, em nome de Jesus Cristo, a tua filha do espírito que a atormenta. Que ela seja trazida.

A menina entrou na sala, carregada por alguns criados. Achava-se reduzida a um esqueleto; os olhos eram injetados e desvairados. Estava tão enfraquecida, que não poderia manter-se em pé; no entanto, os criados mal a podiam conter, forçando-a a permanecer diante do jovem servo de Deus. Ela tremia da cabeça aos pés, e ao avistá-lo, gritou aterrorizada: — É Potito!

Ele ordenou que ela silenciasse. Orou por um momento, e então falou em voz alta: — Espírito ímpio, ordeno-te, em nome de Jesus Cristo: deixa esta menina, que é uma criatura de Deus.

O Diabo atreveu-se: — Se me expulsares daqui, perseguir-te-ei até a morte.

Mas Potito, parecendo não notá-lo, aproximou-se de Agnes e a tocou. Imediatamente a menina foi arremessada ao chão com um grande impacto; o palácio tremeu, e o imperador e todos os presentes viram um vulto sair pela janela, deixando na sala um insuportável odor de enxofre.

Agnes jazia no assoalho, como morta. Potito curvou-se, tomou-lhe a mão magra e fria, e levantou-a. Ela recobrou imediatamente os sentidos, e a sua aparência mudou, como se estivesse apenas usando uma máscara. Sus faces encovadas adquiriram cor; os olhos azuis brilharam novamente com inocência; até seus cabelos, antes emaranhados e sem vida, pareciam agora mais lustrosos. O toque de Cristo mudou a emaciada e atormentada Agnes em uma criança tão vivaz e alegre quanto Eva ao caminhar, pela primeira vez, entre as flores do Éden. Os demônios nunca mais teriam poder sobre essa criança. Ela, agora, pertencia ao céu. O próprio Potito a batizaria diante de milhares de romanos, na arena do Coliseu. Antes, porém, estranhos acontecimentos teriam lugar.

Antônio não se converteu a Cristo. Depois de abraçar Agnes, e convencer-se de que a viçosa menina diante dele era mesmo a sua filha, bradou:

— Este menino é um mágico! Agradeço aos deuses por haverem curado a minha filha!

Potito, que tremera ante aquela blasfêmia, atalhou: — Ai de ti, louco imperador! Presenciaste o milagre de Deus, e nem assim crês. Não foram os deuses que curaram a tua filha, mas o meu Senhor Jesus Cristo.

— Ainda persistes nesta linguagem tola e orgulhosa? Não sabes que sou o imperador, e que posso forçar-te a sacrificar aos deuses, ou mandar cortar-te em pedaços, em lenta tortura, ou ordenar que sejas devorado pelas bestas feras no anfiteatro?

— Não tenho medo de ti, nem de tuas ameaças. Meu Deus pode preservar-me.

— Aflige-me ver tua loucura. Tu me levas a punir-te.

— Ah, Antônio! Aflige-te por ti mesmo, pois te estás preparando para um terrível inferno, onde arderás com o teu pai, o Diabo, que te tem endurecido o coração.

Isto bastou para despertar a mal-disfarçada indignação do imperador. Levantando-se num assomo de cólera, ordenou que dois lictores agarrassem o rapaz e o açoitassem. Não obstante o murmúrio de piedade ouvido em cada canto da sala, e as lágrimas suplicantes de Agnes, o jovem Potito foi despido e açoitado com varas, até quase morrer. A única expressão que lhe escapou dos lábios foi: — Louvado seja Deus.

Apesar de sua carne haver sido lanhada, o Todo-Poderoso aliviou-lhe a dor, e as pesadas varas desceram como palha sobre seus ombros e costas.[10] Após haverem-no fustigado desse modo, o imperador mandou que parassem, a fim de pedir ao jovem que sacrificasse aos deuses.

— A que deuses? — indagou Potito.

— Então não conheces Júpiter, Minerva e Apolo?

— Vejamos que espécie de deuses são eles, para que lhes sacrifiquemos — sugeriu Potito.

O imperador muito se alegrou com esta fala. Ordenou imediatamente que o jovem fosse vestido e levado ao templo de Apolo. Supunha ele haver conquistado a fé do menino, e o levado a apostatar.

Uma grande multidão seguiu-os ao templo; a notícia da cura da filha do imperador através de um menino desconhecido já se espalhara pela cidade. Alguns tinham vindo para ver a garota curada; outros, pela curiosidade a respeito de Potito. Em meio à multidão, que os *Atos* afirmam chegar a dez mil,[11] havia muitos cristãos orando para que Deus desse forças ao seu servo, e ele pudesse glorificar-lhe o nome.

Quando chegaram ao suntuoso templo de Apolo, no Palatino, a multidão abriu alas para deixar passar o imperador e seu séqüito. Atrás deles vinha Potito ladeado pelos dois lictores. Seus olhos iam postos no chão; não olhava para ninguém. Seguia absorto em pensamentos de oração. Chegando ao pé da estátua, ele ajoelhou-se e cruzou as mãos no peito.

O silêncio na multidão era palpável. De repente, eles viram a estátua mover-se, e cair com um formidável estrondo, esfacelando-se em mil pedaços, tão pequenos, que mais pareciam poeira que fragmentos de um deus colossal.

Potito, que destruíra a imagem sem mover um dedo, apenas com a oração que sua alma fizera a Deus, pôs-se animadamente em pé, e virando-se ao imperador, indagou diante do povo:

— São estes os teus deuses, Antônio?

— Menino, tu me enganaste! — gritou o enfurecido imperador. — Com a tua mágica, destruíste o deus.

— Mas se ele era deus – ironizou Potito —, não podia defender-se a si mesmo?

Confuso, derrotado, e ainda endurecido, o imperador ordenou que o levassem à prisão, até que um terrível instrumento de morte lhe fosse especialmente preparado. Para evitar-lhe a fuga, mandou que um ferro de cinqüenta quilos fosse posto ao redor de seu pescoço. Mas o Deus a quem Potito servia enviou um anjo para consolá-lo no cárcere; o anjo tocou o ferro, e ele derreteu-se como cera. Os guardas viram a cela iluminada, e ouviram uma doce música que soou até o romper do dia.

Antônio determinara que o jovem Potito fosse exposto às feras do Coliseu, mas primeiro, para satisfazer-lhe os desejos de vingança, o menino seria torturado. Enviou pregoeiros através da cidade, convocando o povo a reunir-se no anfiteatro, no dia seguinte. Parecia que Deus fortalecera a voz dos arautos, para que a população inteira pudesse testemunhar o seu poder, através do humilde rapazinho que ele escolhera para representá-lo. No dia seguinte, o anfiteatro lotou com gente de todas as classes, desde os senadores à ralé.[12] O imperador compareceu com toda a corte. Ao seu lado via-se uma graciosa menina vestida de branco. Todos os olhos estavam fixos nela. Quando entrou, foi saudada por um retumbante grito de congratulação. Ela agradeceu a simpatia do público, acenando com a mão. A menina era Agnes. Ela não tinha consciência do papel que representaria no espetáculo a seguir...

Desde o momento em que fora liberta, Agnes desejou ser cristã. Ela sentia tanta gratidão para com o jovem que fora o instrumento de Deus em sua libertação, que faria qualquer coisa que ele lhe pedisse. Seu coração palpitava de amor por ele; sua riqueza, seu afeto, ela própria, tudo seria para ele, se ele consentisse em aceitar. Ademais, estava convencida da verdade do cristianismo. Além do milagre realizado em seu benefício, ela estivera presente quando a estátua de Apolo esmigalhou-se em resposta à oração de Potito, e imediatamente pedira ao pai que lhe permitisse adorar ao Deus dos cristãos.

Ele repreendera-a severamente, e ameaçara queimá-la viva, caso ela se atrevesse a invocar o nome do Deus verdadeiro. A corajosa criança já resolvera deixar o palácio do pai, e ir viver com os cristãos nas cavernas. Todavia, isto não lhe seria exigido. Deus a tomara em suas mãos. Mais alguns minutos, e Agnes seria uma cristã.

A cena passada no Coliseu é uma das mais estranhas que tivemos de registrar. O anfiteatro estava repleto. Nem todos aplaudiam a cruel política do imperador. Alguns milhares ali presentes não aprovavam a crueldade e o fanatismo que condenara o menino inocente a ser devorado pelas feras. Os lamentos, os gritos, e assovios,[13] que se erguiam de cada bancada, diziam ao imperador hipócrita que a sua falsa piedade aos deuses o levara longe demais.

Ouve-se o toque da trombeta, e Potito é introduzido na arena. Seminu, acorrentado, e rodeado pelos lictores, ele é trazido perante o imperador. Ele anda com os braços cruzados sobre o peito, absorto em oração. Parece mais belo que nunca. O que significa o profundo murmúrio que rola pelo anfiteatro como uma vaga do oceano? O que significam as expressões de empatia e piedade no templo das Fúrias – o teatro de imolação e derramamento de sangue? Antônio compreende-o bem, mas a devoção aos deuses incita-o, e endurece-lhe o coração contra a misericórdia. Potito deve morrer.

Quando o silêncio foi restaurado, Antônio provocou: — Bem, jovem, vês onde estás?

— Sim — respondeu Potito —, estou na terra de Deus.

— Hah! Estás em minhas mãos, agora, e eu quero ver o Deus que vai tirar-te delas!

Potito deu um sorriso sarcástico, e depois falou calmamente: — Como tu és simplório, Antônio! Um cão é melhor que tu, porque tem mais conhecimento.[14]

Antônio ordenou que o menino fosse estirado na roda, com tochas encostadas às laterais do corpo.

O jovenzinho fiel foi esticado sobre uma armação de madeira, e seus pés e mãos atados por cordas a um molinete. Tratava-se da roda de tortura, um antigo instrumento de suplício. A cada vez que esta roda girava, o corpo da pessoa era esticado algumas polegadas além de sua extensão natural, e quando o estiramento tornava-se demasiado, os ossos saiam de sua cavidade, e a carne partia-se no mais excruciante tormento, que às vezes levava à morte. Para acrescentar sofrimento, tochas acesas eram aplicadas aos lados do corpo, para que a fina camada que recobre as costelas fosse consumida em pouco tempo.

Enquanto Potito era submetido a esta tortura, dava a impressão de estar cheio de alegria. O povo não podia entender. Em todo o anfiteatro ouviam-se expressões de admiração. "Como ele suporta isto?" "Que coragem! Que resistência! Ele sequer reclama!" "Certamente, o Deus dos cristãos está com este menino!"

O imperador achou que tivesse, finalmente, subjugado Potito. Mandou que o tirassem da roda, e perguntou-lhe o que preferia: sacrificar aos deuses ou morrer? A impressão que se tinha era que Potito estivera deitado num leito de rosas. O Todo-Poderoso anulara a dor, e preservara-lhe os membros de qualquer deformação. Uma vez mais Potito zombou das ameaças do imperador, e desafiou-lhe os esforços para torturá-lo ou tirar-lhe a vida. Antônio ordenou então que se soltassem algumas feras. Elas entraram saltando na arena, mas esquecendo sua ferocidade nativa, puseram-se a lamber os pés do garoto.[15] Reuniram-se à sua volta, e deitaram-se na areia, em diferentes posturas, formando um círculo ao seu redor.

A cena era ao mesmo tempo singular e bela; Potito ajoelhado no meio das bestas selvagens, com as mãos e os olhos levantados ao céu, em oração. Até parecia que os animais temiam fazer barulho, para não perturbá-lo em sua comunicação com Aquele que era o Criador e Senhor tanto do menino quanto deles. A surpresa do imperador foi além do que se pode contar, e a pequena Agnes derramava lágrimas de alegria. Durante alguns minutos, a multidão fitou a cena com a respiração suspensa. Então, como que de comum acordo, rompeu em gritos e aplausos, que ressoavam como trovão pelas arcadas do anfiteatro.

Quando o silêncio foi restaurado, Potito levantou-se e dirigiu-se ao imperador; os animais o seguiram, e conservaram-se junto dele, como se lhe apreciassem a companhia. Dando palmadinhas na cabeça monstruosa de um leão, ele sorriu para o imperador:

— E agora, quais são tuas ameaças? Não vistes que tenho um Deus que pode livrar-me de ti? Este Deus é Jesus Cristo, a quem eu sirvo.

Antônio estava humilhado, envergonhado, exasperado. Não deu atenção à pergunta de Potito; mandou que alguns gladiadores entrassem na arena e o assassinassem. O instante que se seguiu foi ainda mais extraordinário que o que terminamos de relatar...

Os gladiadores entraram para matar Potito. Quatro brutamontes o cercaram. Desembainharam as espadas, mas... Ora vejam! Não puderam tocá-lo! Um anjo estava lá para desviar-lhes os golpes, que foram desferidos inofensivamente no ar. Tentaram com todas as forças atingir Potito, mas sem efeito. O menino permanecia sorrindo no meio deles, mais parecendo um espectro que um ser humano.[16] Quando os gladiadores ficaram tão cansados, que não mais podiam manejar a espada, desistiram da tarefa infrutífera, e saíram da arena sob os assovios e vaias do populacho.

Todavia, as maravilhas ainda não haviam terminado. O empedernido coração do imperador achava-se mais tenebroso que nunca. Os milagres que falharam em convencê-lo despertaram nele uma raiva ainda maior. Como se um demônio estivesse sentado em seu lugar, ele determinou atacar mais uma vez a vida do santo menino. Os convites da graça, tantas vezes rejeitados, aprofundam a culpa e a cegueira do pecador endurecido. Cada milagre divino operado através de Potito fazia Antônio gritar mais e mais que era por meio de mágica e bruxaria que o menino produzia aqueles efeitos.

O mesmo espírito caracteriza a incredulidade dos dias atuais. Milagres tão claros quanto a luz do sol, incontestáveis como a própria existência, são atribuídos a artifícios sacerdotais, alucinações, e fraudes.

Houve grande comoção entre o povo. Gritos de toda parte injuriavam o imperador. Estavam todos abismados diante de sua derrota, e as censuras que lhe gritavam aos ouvidos levaram-no ao desespero. Ordenou que trouxessem outro instrumento de tortura, que pudesse vencer Potito. Agora, porém, as coisas estavam totalmente viradas contra o imperador, e por isto ainda temos de registrar neste capítulo um dos mais extraordinários episódios já passados no Coliseu.

O instrumento preparado era uma espécie de torquês com dois grandes cravos, projetados para atravessar a cabeça e encontrar-se no cérebro, de modo que não havia possibilidades de vida após a aplicação desta tortura. Quando a turba viu os executores entrando na arena com o aparelho, silenciou e debruçou-se à frente, ansiosa para ver o resultado.

Potito ofereceu voluntariamente a cabeça aos executores. Quando os cravos encostaram-lhe no crânio, ele orou em alta voz para que Deus removesse o instrumento de sua cabeça e o pusesse na de Antônio. Mal terminou de orar, a torquês foi levantada de sua cabeça, e carregada, como que por mão invisível, à cabeça do imperador.[17] O espanto e as risadas encheram o anfiteatro.

A desordem durou um bom tempo. Quando voltaram a silenciar, ouviram o imperador gemendo de dor. Os atendentes, reunidos em torno dele, tentavam inutilmente remover os cravos. Ele contorcia-se e debatia-se em agonia de morte. Os senadores e cortesãos sentiam-se consternados por não saberem o que fazer. Finalmente, já agonizando, Antônio bradou:

— Oh, salva-me servo de Deus! Salva-me. Sei que teu Deus é poderoso. Oh, livra-me desta dor terrível!

— Por que teus deuses não te livram, como o meu Jesus me livrou? — espicaçou Potito.

— Clemência, jovem, clemência! — suplicou o imperador. — Estou morrendo!

Aterrorizados, os senadores e cortesãos imploraram a Potito que salvasse o homem. Agnes também, num impulso de amor filial, torcia as alvas mãozinhas, suplicando pelo pai. Na multidão, o silêncio era sepulcral. Finalmente, movido de compaixão pelo vil imperador, Potito gritou:

— Está bem, eu o ajudarei, se ele permitir que Agnes seja cristã.

O imperador assentiu. Antes que a permissão fosse formulada, Agnes correu como se voasse pelas arquibancadas, e chegou ao centro da arena, onde ajoelhou-se junto a Potito, sem fôlego, e incapaz de falar, tão grande era a sua alegria. Com os braços para o ar, e lágrimas descendo-lhe pela face, pediu:

— Eu quero ser batizada! Por favor, batiza-me!

Potito pediu que trouxessem uma boa quantidade de água. Enquanto esperava, dirigiu à amável criança algumas palavras, e certificando-se que ela tinha fé e conhecimento do que estava fazendo, batizou-a diante dos milhares de espectadores. No momento em que a menina passava pelas águas batismais, os cravos que furavam o crânio de Antônio foram-lhe retirados da cabeça pela mesma mão invisível que lá os pusera, e arremessados com violência à arena, ainda manchados de sangue. A única coisa que se ouvia eram as aclamações: "Grande é o Deus de Potito!"

O imperador sentia-se atônito. Parecia-lhe haver acordado de um pesadelo; o anfiteatro girava à sua volta, e o seu coração batia com medo e raiva. Mal se recobrara do choque, quando viu Potito trazendo Agnes em sua direção. O demônio que lhe regia o espírito pervertido instigou-o a desafogar sua raiva impotente sobre o rapazinho. Todavia, refreado por um poder invisível, foi forçado a ouvir Potito falar. Foram suas últimas palavras ao impiedoso Antônio. Foram poucas palavras, mas poderosas e proféticas.

— Antônio, imperador do grande povo romano! Ouve as palavras de um servo de Jesus Cristo. Frustrei-te em tudo quanto preparaste para mim. Agora, tudo terminou. Embora perseveres em tua impiedade, não perderei minha coroa. Esta coroa só será minha através da espada, e no lugar que eu indicar. A graça de Deus alcançou hoje esta criança, trazendo-a à luz e ao conhecimento da verdade. Ai de ti se interferir na sua fé. No momento em que o fizeres, ela será tirada de ti. Chame teus lictores, e que eles não demorem. Almejo unir-me ao meu Senhor Jesus Cristo.

E então, voltando-se para Agnes, ele concluiu: — Adeus, minha criança! Sê fiel à graça que hoje recebeste.

O imperador, ainda enlouquecido pela derrota e vergonha que sofrera, deleitou-se com a esperança de acabar com o jovem importuno, e ordenou que Gelásio, o prefeito, cuidasse para que a sentença fosse executada conforme Potito desejava. Ele foi levado do anfiteatro sob o murmúrio da multidão, encerrando assim um dos mais extraordinários episódios do Coliseu.

Os *Atos* dizem que cerca de duas mil pessoas foram convertidas. Todos voltaram ao lar emocionados com o milagre presenciado, e sentindo compaixão pelos poderosos, porém perseguidos, cristãos. Muitas semanas depois, aquele surpreendente acontecimento no Coliseu ainda era tópico das conversas nos banhos públicos e nos bancos do Fórum. Os pagãos empenhavam-se em explicar aqueles mistérios pela mágica; os cristãos cantavam hinos de gratidão a Deus pela manifestação de sua glória.

Poucos dias depois, Gelásio retornou com seu grupo de soldados, trazendo a notícia da morte de Potito, que fora decapitado.

O lugar exato de seu martírio é desconhecido. Os *Atos* mencionam um lugar chamado Miliano, em Apulia, mas qualquer vestígio deste nome perdeu-se faz tempo. Mesmo o rio Banus, cujas margens são citadas como o lugar do martírio, é desconhecido.

Embora alguma dúvida possa ser lançada sobre o local onde Potito sofreu o martírio, não se questiona a autenticidade dos *Atos*. Eles são apresentados em epítome em quase todos os martirológios; também em Ferrari Micaeli Mônaco, César Eugênio Carraciolo, e De Vipera (S.J.).

Os Bolandistas apresentam duas edições de sua vida nos *Atos*, citadas dos manuscritos preservados no monastério de São Martin das Tours, e do manuscrito preservado no convento erigido em sua memória, em Nápoles, pelo bispo Severo. No último manuscrito há alguns versos em latim, de data muito antiga, referindo-se a Potito. Seguem-se algumas estrofes:

"O Stella Christi fulgida,
Potite, martyr inclyte,
Obscura culpae nubila
A mente nostra discute.

"Tu, clarus inter martyres,
Fulges ut inter sidera
Sol, ac ut inter candida
Ligustra candent lilia.

"Luces ut ardent lampada,
Humana lustrans pectora,
Ut sol per orbem spargens,
Humana siccans vulnera.

"Non sic, Potite, cynnama
Attrita sperant moribus,
Ut tu modestus florida
Aetate fragras saeculo.

"Post clara mortis funera,
Illustris inter angelos,
Tanto refulges lumine
Quanto per orbem nomine".

No século XI, os restos mortais deste mártir foram descobertos, junto com outros, sob uma antiga igreja da Sardenha. Apesar de não haver nome no sarcófago, não há dúvida quanto à identidade: junto a Potito estava o instrumento aplicado à sua cabeça no Coliseu, e milagrosamente transferido à de Antônio; não houve na Sardenha outro mártir punido dessa forma. Ademais, já existia uma tradição de que Potito fora enterrado sob aquela igreja. Foi na procura de seu corpo que se deu esta descoberta. Jacobus Pintus, que fez um relato desta descoberta em seu quinto livro *De Christo Crucifixo*, afirma: "Noutros lugares, outros corpos de mártires foram descobertos, também com as marcas do martírio. Dentre os instrumentos de tortura especialmente notáveis e interessantes, encontrados em muitos sarcófagos, estão os cravos que furavam da cabeça ao pescoço. E embora não haja epitáfio para recordar o nome do mártir, é sabido que, além de Potito, não houve na Sardenha outro mártir que sofresse desse modo. Seus restos mortais, como visto em todos os martirológios, foram trazidos da Itália para a Sardenha". — *Bolandistas,* 13 de janeiro.

O leitor, certamente, estará ansioso para saber da história posterior de Agnes. Ela não foi destinada a receber a coroa do martírio. Seus poucos anos de vida foram passados em paz, no palácio imperial.

Antônio receava interferir em sua fé; ele via na filha algo sobrenatural, que o fazia olhar para ela com temor e veneração. Toda vez que ela lhe atravessava o caminho, ele pensava na última e terrível advertência de Potito. A menina vivia no palácio, e por sua virtude e exemplo heróico, provava a natureza de sua fé tão perfeitamente como se estivesse brincando com leões na arena do Coliseu.

Agnes passou seus dias sem se deixar macular pela luxúria e a vaidade da corte pagã. Como um lírio recentemente colhido, flutuando nas águas turvas do Tibre, ela foi carregada para o grande oceano da eternidade, sem uma mancha de sangue ou vício em sua vida restaurada através do jovem sardo.

[1] *"Porro cur morientes apud vos imperatores semper immortalitati consecrare dignamini, producentes quempiam qui jurejurando confirmet vidisse se e rogo ascendere in coeium srdentem Caesarem?"*

[2] *"C'est une tradition constante de tous lês siecles que lê Babylone de Saint Jean c'est l'ancienne Rome."* Bossuet, Pref. Sur l'Apocal, VII.

[3] Estas reflexões de Marco Aurélio são classificadas entre as obras filosóficas do passado. São belamente escritas, e possuem grande mérito. Podem ser encontradas em quase todas as grande bibliotecas.

[4] *"ALEXANDER MORTUS NON EST SED VIVIT SUPER ASSTRA ET CORPUS IN HOC TUMULO QUIESCIT VITAM EXPLEVIT, CUM ANTONINO".*

[5] Encontramos num manuscrito, em Nápoles, que a sua idade era treze anos.

[6] Apresentamos a conversa a partir de sua língua original, com algumas leves alterações, adequando-a às nossas expressões idiomáticas.

[7] Arfa é um nome raramente encontrado na mitologia pagã. Devemos nos lembrar que havia deuses particulares, bem como deuses públicos. Na casa de cada patrício havia uma câmara chamado larário, onde eram postos os ídolos da família, que recebiam o nome de penates. Consistiam de estátuas de todos os tamanhos e formas, e chegavam a várias centenas.

[8] *"Et nullum dolorem caedentium sentio".* - Atos.

[9] *"Erat enim turba hominum quase decem millia".* - Atos.

[10] *"Et impletum est amphitheatrum populo".* - Atos.

[11] É estranho o fato de os assovios serem empregados no Coliseu como um sinal de descontentamento. Não é o que ocorre, geralmente, nos teatros italianos da atualidade.

[12] *"Melhor cst canis quam tu co quia plis sapit".* - Atos.

[13] *Ad cujus vestigia itidem ferae venientes deposita omni ferius rabie et occurrentes humiles capite osculabanter pedes ejus, etc.* - Atos.

[14] *Nam sicut tentabant quodeumque ex membris ejus abscindere ita Domini virtus opitulabatur ut non ad exiguum attingere eum valebant.* - Atos.

[15] *"Et fixit eum in caput Antonini imperatoris".* - Atos.

[16] *O Martirológio Romano* diz que foi na Sardenha; o mesmo afirma Barônio, ano 154. Somos inclinados a seguir esta opinião como a mais provável, especialmente por haverem os seus restos sido encontrados sob uma igreja que lhe leva o nome, próximo à Cagliari.

Alexander, Bispo e Mártir

Capítulo 10

1

Alexandre é o terceiro bispo que descobrimos haver sido exposto às feras, no Coliseu. Ele parece ter sido inflamado pelo mesmo zelo e amor de Inácio, e alçado ao sobrenatural como Eleutério. Seus *Atos* presenteiam-nos com outra demonstração de tirania frustrada e graça triunfante. Talvez achemos repetida a mesma história de milagre e misericórdia, mas assim como no retorno anual da primavera, as flores têm sempre um novo fascínio, e a natureza novas belezas, cada merecida coroa de que tomamos conhecimento deleita-nos com sua fragrância e beleza imarcescíveis. Cada martírio é como um jardim enfeitado com todas as flores, e exalando todos os aromas de santidade e virtude.

Embora estes fatos horrendos tenham atravessado o lapso dos séculos para chegar até nós, a imaginação consegue captá-los como rochedos escarpados numa miragem, e adorná-los com os tons atrativos da poesia e do romance. Imaginamos até que a mesma pena que escreveu a biografia da Bíblia foi emprestada, em sua simplicidade, para os *Atos dos mártires*. Muitos heróis dos tempos remotos da Bíblia tiveram suas longas vidas, de oitocentos ou novecentos anos, resumida nas simples palavras: "Viveu e morreu". De igual modo, nos *Atos dos Mártires*, encontramos frases curtas e expressões o mais resumidas possível; meses, e às vezes até anos, passaram-se entre eventos registrados na mesma linha, e que, aos olhos do leitor casual, pareceriam ter acontecido no mesmo momento.

(Os *Atos de Alexander*, com uma data muito antiga, são simples e belos. Eles não mencionam em que parte do reino de Antônio o bispo sofreu. Esse imperador reinou por vinte e três anos, e é possível que vinte desses anos tenham-se passado entre o martírio de Potito e o de Alexander. Somos inclinados a pensar que Alexander sofreu primeiro, embora tenhamos relatado primeiramente a história de Potito. Ambas são autênticas, e os dois mártires sofreram sob o domínio de Antônio; sua posição cronológica não interfere nestes registros interessantes.)

A nossa presente narrativa começa com um episódio numa pequena cidade da Itália. Os *Atos* apresentam Alexander imediatamente como bispo, no meio do seu povo, combatendo o poder das trevas e espalhando as boas novas do evangelho. Sua santidade e zelo, somados ao dom de operar maravilhas, iam quebrando rapidamente as barreiras do pecado e da infidelidade, e levantando a cruz, símbolo do cristianismo, acima dos templos dos falsos deuses.

Alexander era um desses homens santos enviados por Deus para o estabelecimento de sua Igreja. Suas pregações eram confirmadas por milagres divinos; nele cumpria-se a promessa do Senhor: de que seus discípulos poderiam realizar milagres ainda maiores que os dele.

Certa manhã, quando Alexander achava-se em oração, foi interrompido por uma mulher pagã, que chegou em prantos, porque seu filho único havia morrido. A pobre mãe ouvira falar dos milagres operados por Deus através do bispo. Ela ainda era uma pagã inconversa, mas na profunda tristeza de seu coração, agarrou-se loucamente à última esperança que lhe ocorrera, ao lembrar-se do nome daquele cristão. Lançando-se de joelhos diante do bispo, implorando-lhe que lhe trouxesse o filho de volta à vida. Alexander ouviu a voz de Deus convocando-o a promover-Lhe à glória e a salvar muitas almas. Ele consolou a mãe chorosa, e convenceu-a a voltar para casa, prometendo segui-la imediatamente. Depois de passar alguns momentos em oração, dirigiu-se à casa da mulher.

Várias horas haviam-se passado desde que o menino morrera. Era uma criança saudável, colhida em plena infância por um acidente. Ele deixara a casa paterna pela manhã, cheio de vida e saúde, para brincar com os coleguinhas; pouco depois, foi trazido morto. Uma multidão de amigos e simpatizantes já se reunira à volta do divã onde ele jazia. Alguns olhavam tristemente as feições calmas do garoto; outros repetiam-lhe o nome, lenta e solenemente, de acordo com um costume dos antigos, enquanto outros punham flores frescas em seu leito. Seus pequenos amigos choravam vigorosamente; amavam-no muito. Junto à cabeceira, havia um particularmente vencido pela dor, que exclamava de tempos em tempos:

— Pobre Lúcio, tu dizias que se tornaria cristão quando crescesses.

Quem assim falava era um menino cristão, que costumava freqüentar o culto dirigido pelo bispo, e mais tarde viria a tornar-se pastor.

Quando Alexander chegou, todos silenciaram e deram-lhe passagem. Os cristãos presentes viram no bispo um representante daquEle que dera alegria à viúva enlutada, fora dos portões da cidade de Naim. Ele acercou-se do leito, permaneceu alguns segundos em oração, e depois, tomando as mãos do menino, chamou em voz alta:

— Lúcio, levanta-te em nome de Jesus.

Imediatamente os olhos do garoto se moveram. Seus braços e pernas agitaram-se. A vida, que lhe entrara no coração, enviava o fluxo vital através de cada fibra e veia. E Lúcio ergueu-se diante do bispo. Sua fisionomia mudara da tranqüilidade marmórea da morte para uma expressão de medo; parecia ter despertado de um pesadelo. Então, percebendo que se achava novamente na terra dos viventes, e sentindo os cálidos beijos da mãe, um sorriso de alegria iluminou-lhe o semblante. Enquanto saudava os companheiros, e recebia os cumprimentos dos adultos, voltou, repentinamente, a ser acometido pelos sentimentos de terror. Levando a mão à testa, e usando expressões incoerentes de medo, falava consigo próprio: — É mesmo verdade? Estou sonhando? Onde estou?

As pessoas acharam que ele ainda delirava sob os efeitos da queda que lhe fraturara o crânio e levara-lhe a vida. O bispo Alexander, porém, achegando-se novamente ao leito, pediu-lhe calmamente que contasse o que via. O menino logo gritou num tom urgente e agitado:

— Ouvi-me, queridos pais e amigos! Eu fui levado por dois homens de aparência assustadora, que me conduziram por uma região escura, até a beira de uma cova tenebrosa. Foi quando apareceu um homem bonito, com o semblante brilhando, e fez tremer todo o lugar, como se agitado por um terremoto. Ele ordenou em alta voz: "Soltai o menino! Ele está sendo chamado pelo servo de Deus!" E vejam só, eu fui trazido de volta ao meu corpo!

Ajoelhando-se junto a Alexander, e unindo as mãos, o menino pediu com veemência: — Oh, bispo de Deus, batiza-me em nome do Senhor, porque eu nunca mais quero ver o que vi nesta manhã!

Poucos dias depois, Lúcio e mais quatorze mil novos convertidos passaram pelas águas do batismo.

Os rumores dos feitos milagrosos logo chegaram a Roma. O imperador Antônio, que era mais fanático que tirano, enviou um oficial chamado Corneliano, com cento e cinqüenta homens, para trazerem a Roma o bispo Alexander. Encontraram o ministro de Deus pregando a uma multidão. Um púlpito temporário fora armado numa planície ao ar livre, e ele estava cercado por seu fiel rebanho.

Vendo a grande multidão à roda do bispo, Corneliano temeu prendê-lo. Permaneceu com os soldados nas cercanias, até que Alexander terminasse o culto. Finalizando a adoração, o pastor anunciou ao rebanho ser da vontade de Deus que ele fosse levado a Roma, para sofrer pela fé e pela Igreja de seu Mestre divino. Nenhuma outra notícia lhes poderia haver sido mais triste e surpreendente. Em todos os olhos havia lágrimas; alguns choraram em voz alta, enquanto o bispo ainda falava. Sua última admoestação aos fiéis foi sublime e eloqüente. Ele despejou toda a unção de seu coração ardente, falando minuciosamente das alegrias do céu, e da glória de sofrer por Jesus Cristo. Após impetrar-lhes pela última vez a bênção apostólica, fez uma pausa, e então, mudando o tom da voz, falou lenta e majestosamente:

— Os servos do imperador já estão prontos a transformar-me em prisioneiro de Cristo. Peço-vos que me deixeis passar por isto sem resistência. Qualquer um que molestar um destes soldados será inimigo do Mestre, que mandou-nos orar por nossos inimigos. Permanecei em oração diante do Senhor, o nosso grande modelo de paciência, enquanto vou receber minha coroa.

Desceu calmamente do púlpito, e passou no meio do rebanho, que estava com as faces banhadas em lágrimas. Havia na assembléia centenas de homens fortes, que poderiam ter oferecido sólida oposição a Corneliano e seus soldados, mas sua fé e obediência ataram-lhes as mãos, e lhes ensinaram a sublime virtude da paciência. Não existe nos anais da história sagrada cena mais tocante. O lamento, a indignação, e todo o sentimento fervente da alma foram constringidos pela nobre qualidade da paciência. Sentiam o coração partir-se ao ver seu pastor e pai ser levado rudemente, como se fora um malfeitor público, ou um infame conspirador contra o trono. O autocontrole e a bravura do pastor refletiam-se na sublime perseverança do rebanho. Os anjos do céu devem ter olhado com alegria para aquela cena, que era, na terra, a coisa mais próxima da perfeição celeste.

Alexander, já um mártir no coração, tão firme quanto uma rocha, e tão zeloso quanto um apóstolo, pensava mais em seu povo desamparado que nas rodas de estiramento, nas caldeiras de óleo fervente, ou no rugido dos leões, que ele sabia estarem-lhe à espera em Roma. Dando um último olhar longo e amoroso aos seus filhos chorosos, levantou ao céu os olhos cheios de lágrimas de afeição, e sussurrou sobre a multidão consternada a sua oração breve, porém amorosa:

— Oh, Deus, eu os deixo contigo.

Alexander foi acompanhado a Roma por um de seus co-pastores, chamado Crescente, que o seguiu através de todas as etapas de seu martírio. A ele devemos os *Atos* que agora estamos citando. Estranhamente, Crescente não mencionou de que cidade Alexander era bispo; tampouco possuímos qualquer documento que o indique. Presume-se, geralmente, que não ficava longe de Roma; todavia, por causa de algumas expressões dos *Atos*, sou inclinado a pensar que a sua igreja ficasse na costa oriental da Itália.

Chegando a Roma, Alexander foi imediatamente apresentado ao imperador. O bispo estava cercado por soldados, e com as mãos atadas às costas. Sentado no trono, silencioso e pensativo, Antônio mostrava sinais evidentes de inquietação. Quem sabe, as reminiscências de derrotas passadas o dissuadissem de arriscar-se a uma vergonha adicional. Ele bem se lembrava do espírito invencível dos cristãos, e do extraordinário poder que os fazia tão terríveis. Sentiu-se tomado de um pavor sobrenatural, quando o bispo apareceu; um pavor que diminuía o seu fanatismo e a sua cega devoção aos deuses.

Na verdade Antônio tremeu sob o firme olhar de sua vítima, e teria dado metade do seu Império para que o bispo apostatasse, salvando-se assim do opróbrio antecipado de outra humilhação e derrota. Seus biógrafos, e mesmo os autores contemporâneos, contam-nos que ele não era um homem sanguinário, ou dado a crueldades. Ele estremecia diante dos horrores dos reinados de Nero e Domiciano; sentia, porém, um poder invisível pressionando-o a perseguir os cristãos. O sangue dos cristãos era o único a manchar-lhe as mãos; eles eram o terror de seus sonhos à noite, o remorso de sua consciência durante o dia, e o mistério de toda a sua vida. Seu interrogatório ao bispo Alexander é um emaranhado de orgulho, hipocrisia e covardia.

— És tu, Alexander – começou ele num tom arrogante —, que estás trazendo ruína ao leste, iludindo homens, e persuadindo-os a crer num desesperado, que foi assassinado por seus conterrâneos? Se ele fosse Deus, teria sofrido como homem?

— Sim! Ele teria sofrido como um homem — declarou Alexander, vendo na última frase do discurso do imperador um ataque ao mistério da encarnação. — Foi para este propósito que Ele veio do céu, e assumiu uma natureza humana: para que pudesse sofrer e redimir a criatura por Ele criada.

Antônio silenciou por um momento; inutilmente tentou penetrar o mistério contido nas palavras do bispo; o mais brilhante intelecto, sem a iluminação do Espírito, não pode compreender a verdade divina. A fé é a única chave capaz de destrancar seus tesouros para a mente do homem caído. O imperador era um filósofo, e pensava saber muita coisa, mas vendo que o prisioneiro cristão era tão familiarizado com coisas que ele sequer ouvira mencionar, esforçou-se para ocultar o rubor que lhe cobria a testa, e de modo apressado e confuso, resumiu seu discurso:

— Não quero falar muito contigo, jovem, mas vamos, nega teu Deus, e oferece sacrifício às nossas divindades, e recompensar-te-ei dando-te um cargo de honra em meu palácio. Mas se recusares, submeter-te-ei à tortura, e teu Deus não te poderá livrar de minhas mãos.

— Foi para fazer-me adorar uma daquelas pedras mudas que me trouxeste aqui? — indignou-se o mártir. — Pois Antônio, se estás resolvido a torturar-me, faze-o logo, porque eu sempre porei a minha confiança no Senhor que reina acima de tudo. Nunca queimarei incenso a um ídolo inconsciente.

— Que este insolente seja açoitado por varas! — enfureceu-se Antônio. — Ele não sabe com quem está falando. Insultaste a mim, o governador do mundo!

Alexander sorriu: — Não te ufanes de teu poder. Mais alguns dias, e irás aonde não desejas; terás menos poder que o verme que esmagamos sob os pés.

Enquanto ele assim falava, os lictores já estavam desamarrando os feixes de varas, e escolhendo as mais fortes. Um soldado aproximou-se para arrancar as vestes do bispo, quando Antônio, parecendo indeciso, bradou:

— Parai! Deixai-me resolver! Levai-o para a prisão, e concedei-lhe quatro dias para pensar sobre sua tolice, a fim de que ele desista de adorar sua inutilidade, e venha, por sua própria vontade, adorar nossos deuses.

— Faze de conta que os quatro dias já se passaram — exclamou o bispo —, e faze logo o que pretendes.

Alexander foi conduzido à prisão. Seguia paciente e animado. Os horrores do calabouço romano não lhe eram desconhecidos; contudo, não havia em sua fisionomia expressão de relutância; nem escapou de seus lábios palavras que indicassem medo. Falava livremente com os guardas, surpreendendo-os com a sua indiferença. Dava a impressão de considerar-se um hóspede, e proseava tranqüilamente, como se o estivessem acompanhando a uma deliciosa vila de subúrbio, onde passaria alguns dias em retiro.

Quando chegaram à prisão, empurraram-no rudemente para dentro, e puxaram o pesado ferrolho sobre a porta de ferro. Então, sorriram sarcasticamente um para o outro, como se houvessem apanhado o leão mais selvagem dos ermos africanos. Não cogitavam que o poder do Deus dos cristãos pudesse transpor grades de ferro. Foram dormir com a chave do cárcere sob o travesseiro, sem imaginar que, mais tarde, encontrá-lo-iam vazio.

Pobre Crescente, o fiel pastor, acompanhara o bispo até onde fora prudente. Ao ver que o lançavam na masmorra escura, e ouvindo o ranger da porta sendo trancada, enquanto os ferrolhos eram encaixados nos orifícios do mármore, sentiu-se aflito, e afastou-se do lúgubre cenário com o coração carregado de tristeza. Vagueou pelo Fórum e pelas praças, desatento de tudo, e envolto em melancólico silêncio. O barulho da cidade era enfadonho; ele ansiava encontrar uma sombra num lugar retirado, onde pudesse entregar-se ao consolo das lágrimas em solidão e silêncio. Sempre perambulando, passou pelos portões, e sentiu a fresca brisa das montanhas Sabinas. Jogou-se à sombra de uma grande árvore, e logo pegou no sono.

Uma estranha visão foi mostrada a Crescente. Parecia-lhe ver Alexander ajoelhado num canto da cela asquerosa; ao seu lado havia um anjo de luz, que se unia a ele cantando, alternadamente, os versos de um hino muito entoado pelos cristãos daquela época. Depois disso, viu o anjo abrir as algemas de Alexander, e guiá-lo à porta da prisão. A pesada porta abriu-se, e eles passaram sem ser notados pelos guardas, que estavam todos dormindo. O anjo guiou o bispo através do Fórum e das ruas que conduziam à Porta Capena.[1] Crescente, ainda adormecido, pensou que estivesse passando sobre cada polegada do solo que acabara de percorrer. O anjo e Alexander estavam engajados na mais animada conversa; a luz que resplandecia na fisionomia do anjo fazia tudo à sua volta brilhar mais que a liminosidade do dia. As pessoas passavam por eles, mas pareciam não notá-los. Finalmente, atravessaram o portão, e cada passo trazia-os cada vez mais perto de onde ele estava. Pareceu-lhe então que podia ouvi-los, mas o anjo parou repentinamente, apontou para onde ele estava dormindo e, cantando aleluias do modo mais primoroso, começou a subir lentamente ao céu.

Pregado ao chão, Alexander fitou por alguns momentos a direção onde o ser angélico desaparecera. Depois, ainda sonhando, Crescente viu-o encaminhar-se para ele. Seu coração batia aceleradamente. Agora Alexander estava cada vez mais perto. Mais um instante, e ele viu o vulto do bispo inclinar-se sobre ele. Despertando do sonho, Crescente levantou-se de um salto, gritando: — Alexander!

Não era sonho. Alexander estava realmente ali. E eles estavam nos braços um do outro.

Alexander contou ao pastor como o anjo viera a ele na prisão, libertara-o de lá, e guiara-o até ali. E o pastor, com lágrimas nos olhos, reconheceu que a sua visão não fora um sonho desapontador, mas uma realidade consoladora. Eles caminharam juntos ao longo da Via Ápia, discorrendo sobre as misericórdias de Deus. Alexander falou com muito fervor sobre o que o anjo lhe contara: que ele seria novamente entregue às mãos de seus perseguidores, para sofrer o martírio pela fé; que fora libertado da prisão por alguns dias, a fim de confundir os pagãos, e para trazer alívio espiritual a alguns pobres cristãos, moradores de uma pequena cidade adjacente a Roma, que estavam oscilando na fé. Assim, o amor e a alegria de seus corações não lhes permitiram sentir a fadiga da viagem; os dois não pararam até chegar à cidade indicada pelo anjo.

Na manhã seguinte, o diretor da prisão foi, apavorado e tremendo, anunciar ao imperador que, por algum meio desconhecido, o prisioneiro Alexander havia escapado. O infeliz não sabia que pagaria a pena com a própria cabeça. Antônio estava mais aborrecido que surpreso. Os cristãos eram para ele um enigma; ele os temia, enquanto os perseguia com ódio satânico. Sua resposta ao diretor foi que Alexander deveria ser trazido de volta em quatro dias, senão, a sua cabeça seria o desagravo para os deuses ofendidos.

O diretor recebeu o comunicado com terror, e ao mesmo tempo com um certo alívio: embora a espada do executor lhe pendesse sobre a cabeça, agarrava-se à esperança da prorrogação de alguns dias. No caminho de volta para casa, ia planejando os arranjos para revistar a cidade, à busca de sua vítima. Alexander, porém, era como uma cidade edificada sobre o monte, ou uma lâmpada na parte mais visível da casa; o diretor não teria dificuldade em descobrir o domicílio do grande servo de Deus.

Uns dois dias haviam se passado, e Alexander e o pastor Crescente tinham convertido a pequena cidade que o anjo lhes indicara. Milagres de todas as espécies haviam-lhes confirmado a pregação: a luz do céu fora derramada naqueles olhos cegos, e os coxos saltaram como os gamos; até mortos foram chamados de volta à vida, deixando atônitos os conhecidos. As notícias voaram a Roma com asas incansáveis, alcançando todos os círculos da cidade – do Fórum aos banhos, e dos banhos ao Palatino.

Imediatamente, outro grupo de soldados foi enviado a buscar o bispo. Na manhã do quarto dia, ele foi trazido a Roma, seguro em pesadas correntes, e cercado por uma turba cruel e demoníaca. O diretor da prisão salvara a própria cabeça, mas o céu ganhara um mártir.

Na manhã em que Alexander foi trazido a Roma, aconteceu de o imperador estar reunido com um grande grupo, fora da cidade, num campo junto a Via Cláudia, para assistir a uma exibição de animais selvagens e de atletismo. Os animais haviam acabado de chegar do leste, e estavam reservados para os jogos do Coliseu. Enquanto os viveiros estavam sendo preparados, eles eram exibidos ali, para diversão e deleite do povo.

O diretor da prisão, tremendo de medo de que alguma "mágica cristã" o privasse mais uma vez de sua vítima, esfregou as mãos de contentamento, quando avistou Alexander acorrentado, e fortemente guardado por cinqüenta soldados armados. Ele ordenou que o bispo fosse imediatamente trazido à Via Cláudia, enquanto seguia em sua biga, sentindo a alegria de alguém que acabara de sair do calabouço, após ter escapado à sentença de morte.

Eles percorreram cerca de três quilômetros fora do portão Flaminiano, cruzaram a Ponte Milvia, e entraram no campo onde o imperador achava-se reunido com o povo – o mesmo campo, talvez, que mais tarde viria a ser o local de exercício das tropas pontificais.

Em meio aos esportes, um rumor percorreu a multidão. O imperador havia sido chamado. Algo estava acontecendo. Alguns achavam que animais novos haviam chegado, e o imperador desejava vê-los imediatamente; outros eram da opinião que notícias importantes haviam chegado da cidade, e ele estava retornando para constatá-las. Viam-no encaminhar-se com a sua comitiva a uma plataforma temporária, erigida na extremidade do campo, onde ele podia descansar e fazer uma refeição ligeira.

O que é isto? Foi a indagação de milhares de vozes, quando o povo viu um grupo de soldados chegando das bandas do Tibre. Na linha de frente seguia um jovem vestido de modo estranho e pobre, e amarrado como um criminoso. Todos os olhos estavam postos nele. O que ele teria feito? Eram soldados demais! E lá estava o diretor da Tuliana! Suas indagações não foram respondidas, mas a sua curiosidade aumentou quando alguém disse tratar-se do cristão que escapara da prisão poucos dias atrás. Correram todos ao balcão do imperador, para testemunhar o resultado de seu exame.

Alexander estava tranqüilo e animado. Achava-se amarrado e bem guardado; sabia que todos os olhos estavam sobre ele. Nada havia daquela falsa confiança e da aparente indiferença com a sorte, que animam os prisioneiros políticos conduzidos ao tribunal do estado, em meio a uma turba agitada e barulhenta. O bispo fechara os olhos e os ouvidos aos sons terrenos; seu coração estava longe, no trono de Deus, implorando forças para a luta que enfrentaria; nobreza, majestade, e doçura angélica era o que se via em seu semblante. Os olhos que se voltavam para ele em curiosidade permaneciam fixos nele em reverente admiração. Em meio a multidão, estava o fiel Crescente, que desconhecia o medo e desafiava a morte; e ele registraria para a posteridade o que via e ouvia naquele momento. "Escutando ansiosamente", conta ele, "ouvi Antônio dizer: — Bem, Alexander, consentiste em tornar-te nosso amigo?

"Alexander, após um instante, replicou: — Não tente o Senhor Jesus Cristo. Teu pai, o Diabo, uma vez o tentou, sugerindo: 'Se tu és o Cristo, transforma estas pedras em pão'. E o Senhor respondeu: 'Vá embora, Satanás! Ao Senhor teu Deus adorarás, e somente a Ele servirás'. E eu digo a ti: não deves tentar o servo de Cristo."

Naquele instante, o clarão de um relâmpago assustou a multidão. Uma nuvem escura e pesada havia passado sobre eles, e como que indignada diante dos insultos lançados ao servo de Deus, despejou sobre a multidão a chuva torrencial. O povo correu à procura de abrigo. Repetidos e longos relâmpagos bifurcados iluminavam o monte Mário e a Saxa Rubra, com um resplendor lívido. Um terrível trovão fez a terra tremer. O terror adicionava confusão à cena; o povo corria de um lado para outro, misturando seus gritos aos guinchos dos animais, enquanto alguns perdiam o sentido, de tanto medo. Muitos foram mortalmente atingidos pelos raios; outros, pisoteados pela multidão, enquanto corriam em direção à cidade.

Antônio, que um momento antes estiveram pensando em atirar imediatamente Alexander aos animais famintos, sentia-se agora aterrorizado demais para levar a cabo o seu projeto. Ao ordenar, então, que o prisioneiro fosse transferido ao tribunal da cidade, não sabia ele que estava servindo à invisível providência de Deus, que desejava confundir ainda mais a loucura da idolatria, e manifestar sua onipotência e divindade.

A assembléia desfez-se. No momento em que Alexander deixou o lugar, a tempestade cessou; o céu tornou-se límpido e claro, e um brilhante arco-íris apareceu no céu. Para o olho profético do bispo, era a luz da paz e do triunfo que, passada a tempestade da perseguição, logo brilharia sobre a Igreja.

Na manhã seguinte, a cidade estava em grande agitação. O temporal com relâmpagos e trovões, que fora talvez uma contingência natural, passara a ser visto como obra-prima da "feitiçaria e habilidade cristãs".

O temor e o respeito da multidão para com Alexander era proporcional à curiosidade que os arrastara para perto dele. Antônio estava aturdido. Enfurecia-se antecipando uma derrota, pois sabia haver algo extraordinário com os cristãos. Um exame e uma execução privados eram agora impossíveis; muito antes do horário habitual de julgamento e condenação, o Fórum já estava lotado de pessoas curiosas e enraivecidas. Não houve necessidade de pregoeiros para convocá-las a testemunhar o terrível destino dos cristãos; afluíram de todas as partes da cidade, em grupos maciços. O humilde servo de Deus deveria desempenhar um papel semelhante ao dEle, para a salvação de muitos, e para a condenação dos endurecidos e inconversos.

Finalmente, o imperador chegou. Alexander foi trazido perante ele. O bispo ainda conservava aquela branda, porém inflexível, determinação que, desde a primeira vez em que o imperador o vira, parecera-lhe sobre-humano. Depois de tomar seu lugar, e o silêncio ser restabelecido, o imperador começou um longo discurso sobre o grande Apolo e o invencível Júpiter. Concluiu com um tocante apelo aos sentimentos humanos do bispo, oferecendo-lhe liberdade, um posto de honra no palácio, a amizade do César, prosperidade, mansões de mármore, e grandes vinhedos – tudo o que o mundo pagão cobiçava. Mas a condição para tudo isto era a apostasia. Ai, ai! Como muitos, nos dias atuais, são atraídos pelas promessas do mundo, e vendem a fé e a felicidade eterna por alguns dias do favor de césar!

Alexander, contudo, parecia indignado demais para responder. Cochichou ao guarda junto de si algo mais ou menos como: — Dizei ao imperador que ele é um louco para o seu próprio pesar.

A multidão não soube o que ele disse, mas viu alguém cochichando ao ouvido de Antônio. A fisionomia do imperador corou de raiva. Ele bateu os pés, e chamando Corneliano, gritou raivosamente: — Que ele seja posto na roda, e queima-lhe os lombos com tochas!

Naqueles dias de terror, a roda, a caldeira, e o machado estavam sempre à mão; os torturadores e os carrascos – demônios em forma humana –, sempre a postos, quando um cristão era condenado à tortura ou à execução. Poucos minutos depois de dada a ordem, uma máquina desajeitada foi trazida à presença do imperador. Suas cordas, rodas, e alavancas transversais não deixavam dúvidas quanto ao seu nome e eficiência para torturar um corpo humano.

O bispo foi despido; os laços foram passados em torno de suas mãos e pés, e o braço rijo de um lictor empurrou-o de costas sobre a máquina. O silêncio era geral; todos olhavam com a respiração suspensa para as cordas esticadas, os membros se estirando, o corpo em convulsão. De repente, oh, maravilha! As coradas são esticadas ao limite máximo, e o corpo do bispo, estirado com elas. Contudo, não há dor, não há gemido, nem contorção. Um sorriso brinca nos lábios de Alexander, e a alegria irradia em seus olhos. Tochas são encostadas às laterais de seu corpo nu, mas sua carne não é consumida. Após meia hora de esforços inúteis para deslocar-lhe os ossos e queimar-lhe o corpo, o imperador manda que o tirem da roda, e novamente lhe fala:

— Vê como os deuses estão esperando por ti, e tu não te submetes. Agora, juro por Júpiter, o único invencível, e por Apolo, que possui o mundo e governa sobre as eras, se voluntariamente sacrificares a eles, estimar-te-ei como a um irmão, e dar-te-ei imensas riquezas.

Contrariando todas as expectativas, Alexander replicou: — Então, onde estão os teus deuses? Vejamos se eles provam sua divindade, para que eu lhes ofereça sacrifício.

Se o prefeito de uma cidade sitiada, a ponto de render-se por causa da fome, visse o inimigo retirar-se pela promessa de uma recompensa insignificante, não poderia sentir mais alegria do que Antônio, quando o bispo cristão consentiu, segundo acreditou ele, em sacrificar aos ídolos. Ordenou que Alexander fosse imediatamente levado ao templo de Apolo. Um arauto seguia na frente, anunciando a vitória do imperador, e o povo, que os *Atos* afirmam chegar a três mil pessoas, movia-se ruidosamente ao local da esperada apostasia. Mas estavam fadados ao desapontamento. Sigamos a turba, e vejamos uma vez mais quão grande é o Deus dos cristãos.

Já falamos sobre o suposto local do templo de Apolo. A procissão seguiu ao longo Via Sacra, passando pelo arco do triunfo de Tito; virando à direita, prosseguiu pela Via Nuova, cujo pavimento ainda pode ser visto hoje, e chegou finalmente ao templo do deus Apolo, na parte sul da Casa Dourada. Muita gente já correra para ali, a fim de garantir um bom lugar, e quando o imperador chegou com o bispo, ainda guardado pelos soldados, os lictores tiveram de abrir passagem entre a multidão.

Antônio adentrou o templo primeiro, e num discurso estudado, agradeceu a Apolo por seu triunfo sobre o cristão. O fogo, o incenso e o tripé estavam prontos, e uma guirlanda de flores frescas fora posta na fronte da estátua de mármore. O imperador acenou para que Alexander viesse à frente. Ele avançou majestosamente, ajoelhou-se, e orou. O leitor já sabe o que aconteceu. Sim, o ídolo veio abaixo, e com ele, parte do templo. Num instante, tudo era fumaça, confusão e ruína. O murmúrio da multidão era como o estrondo da queda. Alexander levantou-se, sorriu, e apontou para a estátua e para o templo do poderoso Apolo, como se a dizer: — Estes são os deuses que adorais.

Entretanto, assim como os gladiadores no combate tornam-se mais enfurecidos a cada derrota, Antônio tornava-se mais demente a cada vez que era frustrado pelo cristão. Ele retirou-se furtivamente do templo caído, como se cada pedra possuísse uma língua para vaiá-lo. Faltou pouco para que blasfemasse contra o deus que fingia temer. Num acesso de raiva, determinou uma vez mais vingar-se do cristão. Qual seria a morte mais terrível e desgraçada que poderia infligir a Alexander? Ser rasgado em pedaços, como um escravo, pelas bestas feras do Coliseu.

Assim foi. Enquanto Antônio, fervendo de cólera, dirigia-se ao seu palácio de mármore, chamou Corneliano, e ordenou-lhe que guardasse bem o prisioneiro, até a manhã seguinte, e então o fizesse ser devorado pelos leões esfomeados, diante de todo o povo, no anfiteatro.

2

Encontramo-nos uma vez mais no Coliseu. Mais belo em seu esplendor renovado, ele parece ter sido construído ontem, e está pronto a começar uma nova e mais sangrenta etapa. A cena diante de nós é a mesma: arquibancadas lotadas; pessoas gritando. Uma voz, elevando-se acima das outras, num grito agudo que ecoa das bancadas para o toldo, e novamente para a arena, incita: — Os cristãos aos leões!

Chega o imperador. Trombetas, tambores, e choques de armas misturados ao rugido de animais e homens: é a homenagem de Roma ao seu Júpiter terrestre.

Antônio entra com o sobrolho carregado. A adulação e os louvores absurdos vociferados por seus súditos recordam-lhe como é falsa a sua grandeza, quão palpável a sua fraqueza, já que ele não pode subjugar um homem – um cativo fraco, jovem e desarmado! Cego, desamparado, e já julgado, ele não podia ver o que milhares já tinham visto. Contudo, os historiadores afirmam que ele possuía uma alma nobre. Talvez pretendessem apenas mostrar o contraste entre ele e outros imperadores. Aquela alma achava-se envolta numa nuvem tão escura e densa, que não podia ser penetrada pelo sol. Porém, assim como a impiedade dos hebreus foi o instrumento da misericórdia de Deus, a cegueira do imperador romano era um meio de a glória eterna alcançar a muitos.

Alexander é introduzido na arena. Venerável, embora jovem; belo, apesar de austero. A alegria estampa-se-lhe nas feições. Seu passo revela confiança; toda a sua aparência é um desafio à morte. É a bravura da independência inspirada pelo martírio e pela antecipação do triunfo. Ouça! As animais rugem, enquanto suas jaulas são abertas; estão saudando algum vislumbre de luz celeste que atravessa os portões, ou quem sabe, algum guarda favorito, em quem não ousam tocar. Aos mais ferozes é permitido ver a liberdade momentânea de uma gaiola maior, e o banquete de sangue humano, que a multidão deseja lhes dar.

Dois ursos investem na arena, mas um poder invisível embarga-lhes o progresso; eles ficam sem ação, olhando para o mártir, como se uma luz magnífica os deslumbrasse e aterrorizasse. Eles não se movem. Outros dois entram na arena. Estes também juntam-se aos companheiros, e olham assustados para o mártir de Deus. O fato mais estranho na história dos milagres do Coliseu está para acontecer.

Alexander encaminha-se ao trono do César. Vejam! Os ursos o seguem, e lambem-lhe as pegadas! "*Ubi ambulaverat famulus Dei vestigia pedum ejus lingebant*", conta Crescente, uma das testemunhas oculares.

Dois leões foram soltos, e saltaram rugindo em direção a Alexander. Abaixaram-se, porém, diante do servo de Deus, e lamberam-lhe os pés. "*Cunque venissent duo leones, humiliaverunt se ad pedes ejus plantasque lingebant*".

Quem pode descrever o ruído, os gritos, os brados da multidão? Eles chamavam de mágica o poder capaz de operar tais milagres, e que consideravam maior que qualquer deus. Mas os cristãos sabiam que era a onipotência de Deus; seus louvores ao Senhor caíam como música nos ouvidos de Alexander. Ele regozijava-se por haver ao menos alguns dentre a multidão de infiéis, que se uniam a ele em gratidão ao grande Deus.

Corneliano, o responsável pelos prisioneiros, sabia que deveria comprazer o imperador, destruindo Alexander. Prudentemente (conforme ele pensava), antecipara a relutância das feras em tocar o mártir; aqueles animais estúpidos só podiam estar influenciados pelas artes negras da magia. Ele tinha, de prontidão sobre o fogo, uma panela de óleo fervente. Com a permissão do imperador, a parafernália foi transportada sobre rodas para a arena.

O zunzum da multidão elevou-se ainda mais, quando viram o caldeirão tomar o lugar das bestas que, persuadidas por grandes nacos de carne podre, voltaram às jaulas. Mas será preciso demorar-nos a contar de outro triunfo, outra derrota, e outro milagre? Alexander foi posto dentro da fervura. Ela foi imediatamente extinguida. Mais alto e volumoso, o clamor elevou-se das arquibancadas. As blasfêmias dos pagãos não suplantavam o doce "*Deo gratias*" dos poucos fiéis.

Já observamos, nas narrativas anteriores, que esses milagres do Coliseu não eram infrutíferos. Enquanto milhares eram certificados da verdade, uma colheita imediata de almas tinha lugar. Os santos no anfiteatro eram como os apóstolos ao descerem do cenáculo, em Jerusalém; cada palavra que diziam era um argumento que apelava à inteligência, e uma flecha que atravessava o coração, sede da vontade, das afeições, e das paixões, levando cativa a pessoa ao altar da verdade eternal. Quando os apóstolos se foram, o Todo-Poderoso prosseguiu com o ministério em todo o seu esplendor original de milagres e prodígios. O anfiteatro Flávio, em Roma, era um dos pontos escolhidos por Deus para continuar o apostolado de sua Igreja. Como suas paredes devem parecer veneráveis aos olhos dos estudantes da história da Igreja! Registros imperecíveis, elas falam das conversões, dos milagres, das palavras poderosas, e dos exemplos dos mártires de Cristo. Aí, o Espírito de Deus inspirou convicção e amor. Pagãos, perseguidores, e blasfemos, com o coração mais duro que as estátuas de seus deuses, entravam de manhã no Coliseu para exultar sobre as cenas de crueldade e carnificina, e antes do pôr-do-sol eram transferidos, como o ladrão na cruz, de sua infâmia e vergonha às alegrias do paraíso. Alexander não partiria sem uma bela e grande colheita de almas, e assim como seus predecessores que combateram o poder das trevas na arena do Coliseu, ele teria companheiros em sua glória. Continuemos o belo relato dos *Atos*.

Antônio, vendo sua vítima ainda ilesa e indômita, foi tomado por uma fúria cega; sem parar para considerar se seria, ou não, bem sucedido, ordenou que Corneliano fizesse o bispo ser decapitado pelo executor.

Corneliano pediu silêncio. Leu em voz alta, diante dos milhares reunidos, a sentença do imperador: Alexander, o cristão contumaz, seria decapitado no vigésimo marco miliário da Via Cláudia.

Ele mal pronunciara a última palavra da sentença, quando houve uma comoção junto ao assento do imperador: um jovem debatia-se nos braços de um homem. As pessoas silenciaram e observaram a cena. Finalmente, o jovem venceu o antagonista, e correu para o imperador. Era Herculano, um cortesão da comitiva real, e um favorito de Antônio. Quase sem fôlego, ele gritou numa voz bem clara:

— Cruel e insensato tirano! Como é que Deus cegou-te os olhos de um modo que não podes ver, e endureceu-te o coração para que não possas entender a grandeza de seu poder? Olhe para este cristão. Ele tem saído ileso de todas as provações; nem as marcas dos açoites aparecem-lhe no corpo; a roda e as tochas não tiveram o poder de feri-lo; quando rasgado pelos ganchos, ele não soltou uma palavra; os deuses de Roma não puderam permanecer diante dele, e seus templos caíram em pedaços mediante sua oração; os leões curvaram-se aos seus pés, e os ursos lamberam-lhe as pegadas; ele saiu do óleo fervente mais radiante do que entrou nele; e agora que é sentenciado à decapitação, ele vai para a morte com o coração cheio de alegria, e um sorriso na face. Quem ainda pode duvidar de que o Deus em quem Alexander confia é o Deus verdadeiro?

Havendo completado seu discurso, Herculano entrou na arena para abraçar o mártir, diante de toda a assembléia. O jovem havia presenciado cada triunfo do servo de Deus; cada um deles era em si um poderoso argumento, e quando postos juntos, traziam irresistível convicção, mesmo em face do preconceito. Ele havia, desde o início, resolvido tornar-se cristão, e as cenas presenciadas no Coliseu levaram-lhe os sentimentos ao auge do entusiasmo, e ele não mais pôde se conter. Herculano havia falado de sua convicção a um amigo que, conhecendo as terríveis conseqüências que lhe seguiriam a confissão pública, empenhou-se em fazê-lo voltar atrás. Eis porque os dois se engalfinharam.

Antônio achava-se tão estupefato pela repentina mudança de seu jovem súdito, que por um instante foi incapaz de pronunciar uma palavra. Olhou para os dois homens abraçados na arena, e assumindo um ar de indiferença, dirigiu-se ao jovem:

— Como podes nutrir tais sentimentos, Herculano, tu, que até agora tinhas ódio aos cristãos?

— Antônio, nunca odiei os cristãos! — foi a resposta corajosa de Herculano. — Há quatorze anos tenho estado a teu serviço, e acompanhado-te ao templo. Contudo, em meu coração, tenho orado secretamente ao Cristo, o grande Deus dos cristãos.

O imperador murmurou algumas palavras apressadas a Corneliano, e deixou o Coliseu. Sua ordem fora que ambos fossem decapitados.

Eles foram executados em lugares e horas diferentes. Os *Atos* que temos citado registram a morte de Alexander em poucas e curtas sentenças. Elas não são fáceis de entender. Dir-se-ia que Crescente, o amigo e biógrafo do bispo, estava tão vencido pela tristeza, que expressou-se de modo breve e obscuro. Não obstante, com o auxílio do martirológio de Ado, e os registros resumidos de Petrus de Natalibus, podemos dar ao leitor alguns detalhes interessantes, e assim, trazer ao desfecho esta história admirável.

Alexander foi martirizado na Via Cláudia, cerca de oito quilômetros da atual cidade de Bracciano, próximo ao lago do mesmo nome. Ele foi escoltado por soldados ao vigésimo marco miliário. O porquê de haver sido levado tão longe, e para este local em particular, pode ser deduzido dos seguintes fatos:

Na ocasião em que se deram esses eventos, o imperador Antônio estava empenhado em construir uma magnífica casa de campo na Via Cláudia. Essas vilas, ou residências suburbanas dos antigos romanos, eram anexos soberbos dos palácios da nobreza. Por vários quilômetros à volta da cidade, cada local naturalmente bonito era decorado com mansões de mármore e jardins artificiais. Os suaves declives das montanhas albanas, em meio aos olivais das Sabinas e nos despenhadeiros dos Apeninos, as mansões senhoris dos romanos aristocratas erguiam-se em estupenda grandeza, contemplando do alto a beleza dos lugares ermos, e formando um oásis de veraneio para os cidadãos ricos e luxuosos.

Antônio escolheu as verdes ladeiras que cercavam o Lago Bracciano, e edificou uma vila que igualava em magnificência aquela que Adriano erguera junto ao Tibre. Suas ruínas ainda podem ser vistas próximo ao lago. No quadragésimo capítulo de sua obra sobre a Roma subterrânea, Arrenghi alude a essas ruínas: "*Quo potissumum loco spectatissimae quondam villae. Veri imperatoris vestigia ingentis quidem magnitudinis conspiciuntur*".

A este local, Alexander foi conduzido para ser martirizado. Ado relata como uma pobre mulher deu-lhe um guardanapo para cobrir os olhos na hora da execução, como era costume nos casos de decapitação. No momento em que o aço do executor desceu sobre o pescoço de Alexander, a terra foi sacudida por um terremoto; diversas casas da pequena cidade de Bracciano caíram, e a residência e os banhos do imperador quase foram destruídos. Muitos habitantes morreram sob as ruínas.

O fiel Crescente estava a postos para sepultar o corpo do mártir. Ele construiu uma cripta próximo ao local de seu triunfo, e havendo embalsamado o corpo, pôs sobre a laje tumular estas palavras: "*Hic requiescit sanctus et venerabilis Martyr Alexander Episcopus cujus depositio celebratur undécimo Kal. Oct*". ("Aqui descansa o santo e venerável mártir Alexander, bispo, cuja deposição é celebrada no undécimo dia das calendas de outubro").

Os *Atos* registram a maravilhosa conversão de Corneliano, que apresentaremos aqui, em poucas palavras.

Sete dias após o martírio do santo, Corneliano foi ao lugar onde ele se achava sepultado, e vendo na lápide a palavra *mártir*, encheu-se de ira. Apanhou uma ferramenta pesada, e levantou o braço pretendendo quebrar a lápide. Nesse instante, seu braço mirrou, e ele caiu inconsciente. As pessoas ajuntaram-se à sua volta; sua esposa e sua família, vendo-lhe o estado, romperam em lamentações, e o terror apoderou-se de todos os que ali estavam. Falavam com ele, mas não havia resposta; estava desacordado.

Corneliano foi levado à sua residência, e todos os meios empregados para restaurá-lo mostraram-se vãos. Sua enfermidade parecia piorar. Num acesso de dor, ele gritou: — Oh, Alexander, sinto queimar-me!

Ao vê-lo chamar pelo cristão que ele mesmo levara à morte, as pessoas pensaram tratar-se do efeito de sua loucura. Aos poucos, porém, Corneliano voltou a si, e mostrando-se arrependido do que fizera, professou sua fé no Deus vivo. Seu braço foi imediatamente curado.

"No dia seguinte", relatam os *Atos*, "ele mandou procurar Potássio e sua filha. Contou-lhes tudo o que acontecera ao mártir e a ele próprio. E Potássio escreveu as palavras ditadas por ele". Esse documento acha-se preservado nos arquivos imperiais. Crescente, o pastor, afirma tê-lo visto e feito-lhe alguns acréscimos, com base no que testemunhara.

Depois da morte de Antônio, ocorrida logo após o suplício de Alexander, Corneliano cedeu aos cristãos o pedaço de terra que cercava o túmulo do bispo. Seu corpo foi removido por Crescente para o sétimo marco miliário da mesma Via Cláudia, e ali construíram uma igreja e um cemitério. Todos os vestígios dessas construções desapareceram, faz muito tempo, sob as terríveis perseguições que ainda sobrevieram aos cristãos. O santuário foi varrido pelos temporais que desabaram sobre a Igreja, mas a fé foi pregada, e floresceu nos recessos secretos das catacumbas.

[1] O portão que leva à Via Ápia.

Os Senadores

Capítulo II

1

O Senado era a maior instituição da Roma pagã. Excetuando-se a hierarquia da Igreja Católica, nunca houve uma assembléia mais poderosa, unida, e duradoura. Ele passou pelas guerras, tempestades e vicissitudes de vinte e cinco séculos, e ainda existe. Levantando da obscuridade, caminhou imperceptivelmente para o poder, até que governou o mundo. Surgiu de um bando de fugitivos, escravos ociosos, e ladrões de estrada – foi fundado por Rômulo, por volta de 750 a.C. Consistia, a princípio, de cem homens dentre os mais velhos e mais respeitáveis da pequena colônia de exilados e escravos, que se estabelecera entre as Sete Colinas; daí o nome *Senado*, ou assembléia dos idosos e pais. Foi aumentado para duzentos, quando o roubo da Sabina promoveu a união entre as duas tribos. Sob o comando de Tarquin, o número cresceu para trezentos, e sob o cetro dos imperadores, chegou a mil. O poder foi posto em suas mãos. O supremo magistrado, embora ostentasse o título de rei, era antes o comandante do exército, e presidia sobre a religião do Estado. Era o senado quem declarava guerra ou paz, e tratava com os embaixadores de outras nações. Os senadores usavam vestes diferentes das demais pessoas; tinham um lugar especialmente designado para eles, no Coliseu e em todas as funções públicas. Eram proibidos de negociar e se casar com pessoas de origem desprezível. Entre as mulheres proibidas estavam a atrizes, e as filhas e netas de atrizes.

Um escritor antigo fornece uma idéia detalhada dos poderes reservados ao senado. Nos seus dias de glória, era a única fonte e centro de poder e grandeza de Roma. "Nada", escreve Políbio, "podia entrar ou sair da tesouraria sem o seu consentimento. Ele era a mais elevada administração do Estado. Julgava as diferenças surgidas entre os cidadãos, ou entre as províncias submissas ao Império; corrigia-os, ou defendia-os, quando necessário; alistava homens para o exército, e supria-lhes o pagamento; enviava seus cônsules aos campos de batalha, e os chamava de volta, à vontade, ou enviava outros generais para os substituir; declarava o triunfo, e mensurava a glória do conquistador; nenhum monumento era erguido em memória de alguém, sem o seu consentimento. Era, finalmente, a grande corte de apelação para as nações da terra – o único representante do povo romano".

Se adicionarmos ao seu ilimitado poder legal a ascendência que os senadores de Roma devem ter naturalmente obtido de sua riqueza, de seus méritos pessoais, seu patriotismo e sua união, poderemos entender facilmente como eles influenciavam o destino de tantas nações.

Quando lemos os anais desta grande instituição, ficamos perplexos com a gravidade de seus debates, e com a coragem e independência de seus atos, sempre combinados e dirigidos pela prudência e a previsão. Nenhuma autoridade era reconhecida entre eles, senão a razão; em vez de um espírito faccioso, ciumento, e partidário, o que presidia sobre a assembléia, e guiava-lhes as ações, era um nobre sentimento – o do bem público. Este era o segredo de seu triunfo e poder.

2

A história do início do senado acha-se entretecida com a história da própria Roma, e ambas são inseparáveis. Mas enquanto acompanhamos o desenrolar dos eventos naquela era de Roma – era do resplendor do Coliseu – devemos lançar o olhar sobre o papel do senado durante os dias de perseguição.

Após as convulsões políticas que abalaram o Império, levaram Cícero ao exílio, e pôs César no comando dos negócios do Estado, o senado recebeu um golpe do qual nunca se recuperou. A forma do governo romano foi completamente mudada; o povo, que vencera os aristocratas, entregou todos os seus direitos ao seu chefe, e todo o poder romano ficou concentrado num só homem. César assumiu o título de ditador e imperador, e também os direitos do Supremo Pontífice, e a autoridade dos censores e dos pretores. Assim ele controlava o tesouro – tinha o direito de declarar guerra ou paz – comandava a disposição das províncias e a eleição dos magistrados. Sua ambição foi fatal ao poder do senado, e embora os senadores continuassem a reunir-se, e a sustentar o esplendor de seu prestígio anterior, não passavam de uma assembléia política, um grande conselho de Estado, que desfrutava unicamente do poder que o seu ambicioso chefe consentia em dar-lhes.

Entretanto, não suponha o leitor que os senadores submeteram-se a estas mudanças sem murmurar. Um espírito de inveja e indignação revelava-se em suas ações públicas e privadas; e o primeiro imperador era perspicaz demais para não enxergar a vingança lampejando de cem punhais, dentro do próprio senado. Uma política de reconciliação apenas retardou o golpe fatal. O imperador conhecia o poder do senado através das memórias do passado, e embora houvesse triunfado sobre ele como o ídolo da plebe, não podia se dar ao luxo de pisar a nobreza e perder seu apoio.

A sua política consistia em neutralizar a oposição dos herdeiros do antigo poder aristocrata, acrescentando ao senado os seus próprios seguidores mais devotos. Assim fazendo, logo subiu o número dos senadores para novecentos; aumentou em proporção o número dos magistrados, e preencheu alguns dos postos mais importantes com os seus partidários. Foi por este meio que homens das províncias de Etrúria e Lucânia, e venezianos, insubrianos e outros, bárbaros e iletrados, foram introduzidos para deteriorar e corromper a grande instituição patriarcal da Cidade Imperatriz.

Isto suscitou mais que a indignação do partido aristocrata, e até mesmo o grande Cícero resmungou, e a sua pena poderosa acelerou a ruína que se aproximava. Suetônio conta que tudo o que se ouvia eram versos e canções ridicularizando os novos senadores; insinuações de que eram uma raça de bárbaros conquistada, e de que César os fizera trocar as peles pelo laticlavo, a túnica com orla de púrpura, usada pelos senadores. No Pasquim daquele tempo (muito provavelmente a mesma velha estátua desfigurada, que ainda se vê num dos ângulos do Palácio Braschi), eram fixados libelos do seguinte teor: "Não deixe ninguém mostrar aos estranhos o caminho do Fórum".

A indignação dos velhos patrícios continuava a crescer. Embora roubados e humilhados, eram resolutos e cheios de determinação. Seu descontentamento finalmente rompeu em fúria passional, e guiados pelo impetuoso Brutus, decidiram a morte de César. Ele caiu. Seu corpo ficou sangrando na base da estátua de Pompéia, no Fórum, enquanto os quarenta vilões que o haviam assassinado correram pelas ruas, levando nas mãos os punhais ainda sujos com o sangue do ditador, e gritando: "Morte a todos os tiranos!" Não obstante, o seu triunfo foi temporário. Aquele grupo venerável não recuperou seu poder e prestígio pela violência e pela matança; não o recuperará agora; os decreto da Providência são contra ele; ele pode existir, mas jamais governará o mundo outra vez.

A revolução dos *Idos de Março*, como é chamada, privou o mundo de seus maiores homens. Brutus orgulhava-se de haver eliminado um tirano, mas as províncias choraram a morte de César. O choro de luto e o lamento público que se levantou em todo o Império foi a condenação dos assassinos. Ficou evidente para todos que não foi o amor à liberdade, nem o zelo pelo bem-estar do Estado que causou a morte do imperador, mas o ciúme e a ambição de um grupo de cidadãos facciosos. "Eles se autodenominavam matadores de um tirano", escreve Dion Cássio, um senador que viveu cerca de um século após esses acontecimentos, "mas não eram mais que assassinos e homicidas" (Nº XLIV, I).

César era querido nas províncias. Seus magistrados, o exército, e mesmo a maior parte do senado, lamentou-lhe a queda. O mundo exterior não se importava com a supremacia do senado. Que vantagens tirariam das políticas e das agitações do Fórum romano? Enquanto desfrutavam da liberdade, prosperidade, e justiça oferecida por seu chefe reconhecido, porque haveriam de esposar a causa do senado? Ademais, a própria assembléia caíra de sua integridade primitiva. A sua afeminação, sua parcialidade, e o afastamento do rigor e do patriotismo de sua antiga instituição, angariaram-lhe desprezo em vez de submissão e admiração. Bem antes da monarquia dos césares, o grande Cícero proferiu estas palavras notáveis, indicando a sua degeneração moral, bem como a política: "É por causa de nossos vícios, e não por um golpe do destino, que, embora preservemos o nome de uma república, há muito perdemos a realidade". *"Nostris, non casu aliquo, republicam verbo retinemus, reipsa vero jam pridem amisimus"*. — De Repub, v.i.

O sangue de César foi derramado em vão. A facção anárquica do senado nunca segurou as rédeas do governo; os punhais que o assassinaram começaram para o senado o período mais terrível e desastroso de sua carreira. Na guerra civil, e nas convulsões que se seguiram, eles não apenas perderam o último vestígio de seu poder anterior, como se tornaram as vítimas do capricho ou da vingança dos ambiciosos aspirantes ao poder supremo do Império.

Augusto assumiu o cetro de César. A sua reorganização do senado foi um dos mais esplêndidos feitos – porquanto um dos mais difíceis – de seu reinado bem-sucedido. Por influência dele, quase duzentos membros do senado renunciaram ao cargo por não se adequarem, por conta de seu nascimento ou falta de talento, à sua alta posição e honra. Ele aplacou-lhe as suspeitas, e ocultou a própria ambição, assumindo o modesto título de *Príncipe do Senado*. Todavia, durante todo o tempo em que se ocupou destas reformas, nunca apareceu entre eles sem ter junto a si nove ou dez de seus mais fiéis adeptos, secretamente armados; e ele mesmo levava sob a toga um punhal. Prudentemente, ele temia o ressentimento dos senadores. Onze anos depois, no ano 18 a.C., ele completou a organização, e reduziu-lhes o número para seiscentos, começando assim o senado imperial.

É desnecessário seguir a nobre instituição em sua carreira posterior de servilismo e degradação, durante o reinado de sucessivos imperadores.

Após a abdicação de Deoclécio, e o triunfo de Constantino, o senado debateu-se em sua existência hereditária. Seu nome foi arrancado do Capitólio e dos estandartes militares: em seu lugar foi posto o mais formidável e imperecível símbolo de redenção. A estátua e o altar de Vitória, que presidia como uma deidade tutelar sobre suas assembléias, foram removidos por ordem de Constance, postos de volta sob o governo do apóstata Juliano, e finalmente destruídos pelo consentimento unânime do próprio senado. Apesar de muitos entre eles ainda se apegarem aos velhos rituais do paganismo, eram sempre dóceis ao comando dos imperadores; a adoração dos deuses do Capitólio foi proscrita no tempo de Teodósio, e o cristianismo, declarado a religião do *senado e do povo romano*. "Foi então", relata o sublime Prudens, "que vimos aqueles veneráveis pais, aquelas luzes mais brilhantes do mundo, o nobre conselho de Catos, lançar fora a insígnia do antigo sacerdócio, e humildemente vestir-se com o manto branco dos catecúmenos".

"Exultare Patres cideas, pulcherrima mundi
Lumina, conciliumque senum gestire Catonum,
Candidiore toga niveum pietatis amictum
Sumere, et exuvias deponere pontificales."

Todavia, não devemos nos esquecer que, embora o poder e a independência do senado houvessem deixado de existir, ele ainda era o grupo mais elevado e influente do Império. Seus membros eram os nobres da terra, e possuíam imensa riqueza. De acordo com Dion Cássio, a fortuna de um senador chegava a um milhão de sestércios, antiga moeda de cobre romana. E se acreditamos em Suetônio, alguns deles tinham um retorno anual de dois milhões de sestércios, cerca de 105.000 libras, que devem ser multiplicadas por dez para que se tenha uma idéia aproximada do valor do dinheiro daquele tempo. Numa cidade de pelo menos 3.000.000 de pessoas, eles eram os principais. Os usurpadores do trono imperial os perseguia porque lhes conheciam o poder, e o temiam.

No entanto, quando os historiadores fazem vastas asserções concernentes à imoralidade e efeminação da grande assembléia, deve haver entre eles brilhantes exceções. A própria história registra nomes de honra e valor, que florescia no senado em seus piores dias; muitos desses eram cristãos, e mesmo mártires, que derramaram seu sangue no Coliseu em defesa da fé.

3

Nosso próximo martírio ocorreu durante o império de Cômodo. Um tirano mais indigno nunca deve ter se sentado no trono imperial. Sua ambição insana instigou-o a apropriar-se de honras divinas. Não satisfeito com isto, erigiu um trono no meio do senado, e vestido numa pele de leão, e empunhando uma grande clava, exigia que os senadores oferecessem-lhe sacrifício, como se ele fosse Hércules, o filho de Júpiter. Emitiu um decreto convocando uma assembléia geral do senado no Templo da Terra. Um pregoeiro foi enviado às aldeias e cidades vizinhas, anunciando o decreto, a que todos deveriam atender sob pena de morte. Ninguém do povo, nem mesmo dos moradores de Roma, sabia a causa dessa assembléia extraordinária. Imaginavam que uma terrível calamidade ameaçava o império, que estourara uma revolução formidável, e que a guerra chegara aos portões da cidade imperial. Os senadores, acreditando que seu parecer e conselho estivessem sendo requerido para o bem público, apressaram-se para lá; em meio ao forte calor do verão, deixaram suas recreações suburbanas, suas residências, fazendas e famílias, e afluíram às centenas pelas empoeiradas vias Tiburtina, Ápia, e Latina.

Desde a época de Augusto, as atas ordinárias do senado começavam com os sacrifícios a Júpiter ou a Vitória, cujas estátuas encontravam-se em seus salões. Por isto, como afirma Barônio (ano 192), nenhum senador podia continuar membro do senado após tornar-se cristão; ele era obrigado a renunciar o título, ou retirar-se para o exílio voluntário.

Os monstruosos absurdos de Cômodo, e o zelo dos cristãos, levaram muitos dos pagãos ao redil da Igreja. Encontramos nos *Atos de Eusébio* e de seus companheiros, que eles foram pelas ruas atraindo a atenção para o ridículo e a vergonha do povo. A sublime doutrina e a moralidade do cristianismo eram, em todo tempo, mais belas e poderosas que a adoração ridícula e sem sentido do paganismo. Quando foi expedida a ordem para que adorassem a um patife da espécie de Cômodo, muitos abriram os olhos à loucura da idolatria, renderam-se ao convite da graça, e tornaram-se cristãos. Dentre esses, achavam-se alguns senadores. Apolônio e Júlio aparecem na lista dos destemidos que ousaram negar a divindade do imperador. A espada era o único trovão que o deus vingativo podia comandar, e ele a usou para mostrar sua fraqueza.

Apolônio sofreu cerca de três anos antes de Júlio. Seu martírio não se deu no Coliseu, mas traduziremos um parágrafo interessante do Quinto Livro de Eusébio, conforme citado por Barônio no ano 189. Depois de falar da paz desfrutada pela Igreja antes desse período, ele acrescenta:

"Mas esta paz não agradou ao Diabo, que se empenhou em perturbar-nos por meio de muitos estratagemas. E ele logrou trazer a julgamento Apolônio, um homem muito celebrado entre os fiéis por seus estudos de literatura e filosofia. Um de seus servos, um canalha pervertido, foi induzido a traí-lo (pelo que sofreu severamente). Quando o mártir, amado de Deus, foi solicitado pelo juiz a dar aos companheiros do senado, pais da pátria, a razão de haver abraçado o cristianismo, ele leu perante todos uma longa e douta apologia à fé em Cristo. Eles, porém, pronunciaram contra Apolônio uma sentença, e ele perdeu a vida por um golpe de machado. Havia entre eles uma antiga lei que não permitia inocentar qualquer senador acusado de ser cristão, e que não mudasse sua profissão de fé".

Chegara a manhã da grande assembléia do senado. A cidade fervilhava de excitação. Os veneráveis líderes da comunidade enchiam-se da esperança de que dias melhores se aproximavam, e de que eles estavam para recuperar seus direitos. Era a primeira vez, no império de Cômodo, que eles eram solenemente convocados juntos, e essas reuniões haviam-se tornado bem raras. Cada senador, trajando seu melhor laticlavo, levou consigo os filhos ao templo da deusa Terra, que ficava à sombra dos altos arcos do anfiteatro. Ao longo da Via Sacra, e em volta do arco do triunfo de Tito, pequenos grupos de senadores de barba branca discutiam a causa provável que induzira o Imperador a reinstalar o senado.

Alguns diziam que era medo, por causa da morte de Perrênio, chefe do senado, e da advertência que os deuses lhe haviam feito; isto o tornara ansioso para conciliar o senado, restaurando-o ao seu poder no Império.

— Eu estava presente — confidenciou um cidadão idoso a alguns de seus amigos que tinham acabado de chegar de Tiburtio. — Eu vi quando, em meio aos entretenimentos do teatro, entrou de repente um estranho. Ele estava vestido como um filósofo, com o cajado de peregrino na mão, e um saco no ombro. O estranho aproximou-se do trono do imperador, e pedindo silêncio com a mão, disse: "Não é tempo, Cômodo, de entregar-te a espetáculos teatrais e a vãs deleites, pois a espada de Perrênio pende sobre a tua cabeça, e se não tomas cuidado, já estás perdido. Ele já subornou teus inimigos, e corrompeu o exército na Ilíria. Treme, porque o perigo jaz à tua porta!"

— De fato, o imperador tremeu — continuou o velho senador. — E a fim de apaziguá-lo, todos gritamos: "Morte a Perrênio!" Ele foi assassinado, mas o imperador nunca mais foi o mesmo, desde aquele dia. Tornou-se mais cruel, mais desconfiado e insuportável. Suspeito que ele tem um plano terrível para reunir-nos aqui hoje. Vim com meu punhal de confiança! — rematou ele, puxando das dobras da toga um belo punhal dourado, e mostrando-o ao companheiro como um dos tesouros herdados de seus antepassados.

O homem que assim falava era o mesmo que, algum tempo depois, sob um dos arcos do Coliseu, puxaria o punhal, e brandindo-o diante da face de Cômodo, exclamaria: — Veja o que o senado preparou para ti!

Outro achava que a convocação era porque a praga que estourara na Etrúria e na Gália Cisalpina estava se estendendo rapidamente em direção à cidade, e espalhando desolação em seu caminho. Ele ouvira que o supremo pontífice do Capitólio sugerira sacrificar à irada Jove. Quem sabe, imaginava ele, o senado fora convocado para aquele propósito.

— Nada disso — interrompeu um senador alto e magro, vestido como um comandante militar, que parecia homem de grande importância, e falava com um sorriso sarcástico. — Nada disso. Ele pensa mais nas meretrizes dos seus banhos e lupanares que em seus súditos sofredores. O que ele quer é dinheiro. Ouvi de seu fiscal que ele não tem um óbolo para pagar a Caronte a travessia da barca sobre o Estige.[1] Sacrificar?! Para que? Só se for para ele mesmo, como o deus Hércules e filho de Júpiter.

Todos riram como se essa fora uma boa piada. Mas um jovem, que permanecera em silencioso e pensativo durante a conversa, sentiu um estremecimento percorrer-lhe o corpo enquanto Vitélio, o comandante da infantaria, falava aquelas coisas. Ele ocultou sua indignação, e o grupo seguiu junto para o templo da deusa planetária.

Certa vez, num hospício da Inglaterra, uma cena curiosa aconteceu. Um louco disse aos seus companheiros, não tão loucos quanto ele, que ele era Deus. Por sua natureza violenta, amedrontou a todos, e eles consentiram em chamá-lo de Deus. Um dia, quando o número de assistentes na sala era insuficiente, o louco subiu numa cadeira, e ordenou que todos os demais o adorassem. Por medo, ou galhofa, eles reuniram-se à sua volta, e fingiram adorá-lo. Alguns beijaram o chão, outros, os seus pés; um afirmou ser o arcanjo Miguel, e que trazia a homenagem de todos os anjos; outro disse ser o rei da terra, e trazia o reconhecimento de todas as criaturas. A farsa continuou, até que outros assistentes chegaram, e removeram o homem iludido para uma cela escura e solitária.

Foi quase que precisamente esta a cena testemunhada em Roma, no ano 192. Não entre loucos, mas entre os mais educados, ricos, e poderosos membros do grande império. O Templo da Terra achava-se revestido de sempre-vivas e outras flores; nas paredes, viam-se as pinturas representando os fabulosos feitos de Hércules. Uma imensa pilha de madeira preciosa ardia numa fogueira, no centro do templo. Os sacerdotes envergavam mantos amarelos e dourados, e o sumo pontífice segurava na mão direita um tripé de ouro. Tudo estava preparado para o sacrifício. Mas quem era o deus que usurpara o trono do generoso planeta? Era o Hércules vivo, vestido numa pele de leão, e segurando na mão uma clave maciça: Cômodo.

Os senadores entraram um a um. O medo e a surpresa os atingiram. Alguns tiveram um assomo de riso, como se a coisa toda não passasse de uma brincadeira, e posteriormente pagaram por isto um alto preço. Outros empalideceram de consternação, pois havia lictores armados espalhados por todo o templo, e a expressão severa do tirano, tentando assumir a majestade de Hércules, lançava uma sombra fúnebre sobre os procedimentos. Sua figura diminuta, suas feições inchadas e mal-constituídas, e sobretudo a sua vida vergonhosa e infame, faziam um triste contraste com Hércules, o esplêndido e gigantesco herói das fábulas mitológicas.

O orgulhoso patife dirigiu-se aos pais da pátria. Declarou-lhes que os havia convocado para anunciar que, dali em diante, ele seria adorado como o filho de Júpiter. Nenhum historiador nos deixou por escrito as palavras que ele usou. Quem poderia registrar tal impiedade e contra-senso? Mas o senado, o fraco e decaído senado, prosseguiu com a farsa blasfema, oferecendo incenso e adulações, como fariam a um deus. Cenas semelhantes a esta eram freqüentes na grande Babilônia da Roma pagã, e mostravam quão fundo o homem descera na escuridão da idolatria e da infidelidade.

Pode parecer estranho, mas o cristianismo teve um longo e terrível combate com o poder das trevas. Dezoito séculos se passaram, e ele ainda está no campo de batalha – pelas provações, tribulações, e sofrimento de toda espécie, ele vai, devagar, porém seguramente, abrindo caminho sob o estandarte da cruz. O seu triunfo completo será comemorado após o dia final, no céu. Entretanto, no segundo século da Igreja, de quando recordamos estes eventos, o ódio era tão intenso que, não obstante a força da razão que o sustinha, e os incontestáveis milagres que lhe confirmavam a origem divina, o senado, degradado e acovardado, preferiu adorar o orgulhoso e lascivo Cômodo, a expor-se ao perigo. Que infelicidade! Houve, porém, uma exceção: Júlio. Mais de setenta anciãos prestaram-se à tola zombaria. Somente Júlio teve a coragem de expressar seu desprezo, e recusou dobrar os joelhos.

Quando disseram a Cômodo que Júlio não viera oferecer incenso à sua divindade, ele mandou que fosse trazido pelos lictores. Todos os olhares estavam fixos no senador, quando ele, caminhando entre os lictores, dirigiu-se à tribuna do templo, onde estava o trono do imperador. Cessou o zumbido das conversas, e aqueles que, secretamente, ridicularizavam e desprezavam o governador demente, silenciaram avidamente para assistir o destino de Júlio.

— Como te tornaste tão louco a ponto de não sacrificar a Júpiter e a seu filho Hércules? — indagou Cômodo. (Citação dos *Atos* escritos pelos Bolandistas.)

Por um instante, Júlio pareceu demasiadamente indignado para responder, mas olhando desdenhosamente para o orgulhoso tirano, declarou:

— Tu perecerás como eles, porque mentes da mesma forma que eles.

Foi o suficiente. O tirano chamou Vitélio, o comandante da infantaria, e ordenou-lhe, com gritos enraivecidos, que lhe tirasse das vistas o insolente senador: — Confisca-lhe os bens, até o último centavo, e açoita-o até que resolva sacrificar à nossa divindade.

Os julgamentos de Deus são diferentes dos julgamentos dos homens. Se o nosso Pai amoroso e misericordioso fosse capaz de irar-se, e punir imediatamente cada insulto dirigido à sua divina majestade, a raça humana há muito teria deixado de existir. Cômodo não poderia ter pensado em alguém mais cruel e miserável que Vitélio para executar-lhe as ordens. Ele fez Júlio ser levado dali acorrentado, e o lançou na prisão, possivelmente a Marmetina.

Após alguns dias de confinamento – privado de alimentação e de todo conforto físico – Júlio foi trazido perante Vitélio, no mesmo templo. Por ordens dele, veio nu e acorrentado. Quando o mártir de Cristo chegou diante da banca do juiz, sob a estátua que Cômodo erigira, Vitélio perguntou-lhe:

— Ainda persistes em tua loucura? Não obedecerás agora as ordens do imperador, e sacrificarás a Júpiter e a seu filho Hércules?

— Nunca! — respondeu Júlio. — Tu e teu príncipe perecereis igualmente.

— E quem te salvará, e nos fará perecer? — indagou Vitélio, sarcasticamente?

— Jesus Cristo — declarou Júlio, apontando solenemente um dedo ao céu, e acrescentando depois de uma pausa: — Ele, que condena à ruína eterna a ti e ao teu soberano insensato.

Vitélio mandou que o levassem a Petra Scelerata, e o chicoteassem. O corpo do mártir estava exausto, e enquanto os executores o açoitavam brutalmente com pesados azorragues, ele expirou. O vil juiz, querendo desafogar sobre os restos inanimados a ira e a vingança que a morte prematura da vítima deixara insatisfeitas, ordenou que o corpo de Júlio fosse jogado diante da estátua do sol, quase sob os arcos do Coliseu, para que os cães o devorassem, e o povo lhe visse a infâmia.

O que pode esperar a plebe desamparada, quando um julgamento tão terrível cai sobre os próprios senadores?

Guardas foram destacados para vigiar o corpo, a fim de que ninguém o removesse, e uma nota foi fixada na parede do Coliseu, anunciando que ele morrera por não sacrificar ao grande deus que acabara de chegar para viver entre eles. Até parece que anjos velavam sobre o cadáver do servo de Deus: nenhum insulto foi proferido; o povo estremecia, e seguia adiante. Milhares lamentaram a sorte do destemido homem que tivera a coragem de opor-se aos absurdos do cruel imperador. Desprezo e ódio ao deus-tirano, que se gloriava no sangue de vítimas humanas, foi o resultado obtido pela maldade de Vitélio.

Na noite seguinte, enquanto os guardas dormiam, Eusébio e seus companheiros deslizaram furtivamente sob as arcadas do Coliseu, e levando o corpo do mártir, sepultaram-no nas catacumbas de Calepódio, na Via Aurélia. Hoje, parte de seus restos mortais encontram-se na Igreja de Santo Inácio, em Roma.

[1] N. do T.: Caronte era o barqueiro que, na mitologia grega, levava as almas na travessia do Estige, o rio do Inferno.

O Pequeno Marino

Capítulo 12

Ainda temos, na história de Roma, outro caso extraordinário de um pequeno menino, filho de um senador, exposto às bestas feras do Coliseu. Idade, condição, ou sexo não eram salvaguarda contra a crueldade e a tirania. Hoje, nos hipódromos de Londres e Paris, as pessoas divertem-se vendo meninos realizar proezas de agilidade e destreza, saltando e fazendo acrobacias, como se seus corpos fossem de borracha, desafiando a lei da gravidade, e voando no ar. Gritos e aplausos saúdam os jovens ginastas, quando eles se retiram com uma graciosa inclinação.

O Coliseu também tinha seus jovens prodígios. Não que eles fossem treinados para divertir os romanos com surpreendentes façanhas na corda bamba, ou dando cambalhotas no ar; eram, isto sim, lançados na arena a fim de serem devorados pelas feras, para deleite da turba insensível. Sua coragem, habilidade e sucesso vinham de uma ordem superior à capacidade física; vinham do céu. Sua recompensa não era o salário miserável de um empregador, nem as ovações da audiência admirada; era a vida eterna dada por Deus.

Evoquemos um desses emocionantes episódios do Coliseu.

Um estranho acidente pusera os irmãos Carino e Numeriano à frente dos negócios. No ano 283, seu pai, Carus, partira numa expedição contra os persas. Ele era um soldado rude e bem-sucedido com as armas. A guerra civil enfraquecera o leste agitado, e Carus penetrou facilmente o centro do território inimigo. Havendo derrotado a Selêucia, e tomado posse de Ctesiphon, acampou próximo ao rio Tigre. É estranho, mas havia uma ordem dos oráculos dizendo que não era para os exércitos romanos passar tão perto assim do território persa. Não nos deteremos a examinar a origem desta superstição, mas o fato é que desde o primeiro dia do acampamento, eles quase pereceram totalmente numa tempestade.

Uma noite repentina escureceu o céu, e um raio caiu no meio do acampamento, matando a muitos, e ateando fogo em tudo. Entre as vítimas da tempestade estava o imperador Carus. Em meio a confusão do escuro e o ruído dos trovões, a sua tenda foi vista queimando como uma imensa fogueira, e os soldados corriam de um lado para outro, gritando: — O imperador está morto!

Seus dois filhos, Carino e Numeriano, foram declarados imperadores. O primeiro ficou encarregado do oeste, e o segundo tomou o controle do leste.

Carino teve um reinado curto, porém cruel e sanguinolento. Ele nada tinha a ver com o significado de seu nome; a história o estigmatiza com brutalidade e ignorância. Não que ele adotasse um sistema uniforme de perseguição, mas usava a espada contra os cristãos movido pelo capricho e pela moda. Ele tinha amigo entre os cristãos, e talvez preferisse tolerar a crueldade de seus oficiais tirânicos a infligi-la ele próprio. Contudo, era um anjo de misericórdia, se comparado ao demônio que o sucedeu na terrível guerra contra o Crucificado. O evento que livrou o mundo do imperador Carino entregou as rédeas do governo a Deocleciano, o pior e mais brutal perseguidor da Igreja. Sob o comando de Numeriano e Carino, inumeráveis mártires foram enviados ao céu. Entre eles, o bravo jovem Marino – um dos santos mortos no Coliseu.

Marino era uma criança de aproximadamente dez anos. Quando se descobriu que ele era cristão, foi agarrado, trazido perante Marciano, o prefeito, açoitado, e lançado ao cárcere.

Em rápidas frases como estas, os *Atos* dão-nos a preliminar da história do jovem mártir. Mas elas contam o suficiente para preencher volumes. O que não deve ter sido o treinamento desta criança! O que não deve ter sido a inocência pura de sua alma imaculada! A fantasia leva-nos através do lapso dos séculos, e imaginamo-nos sentados no Fórum de mármore da poderosa cidade. A multidão avizinha-se, e alguns soldados conduzem rudemente um belo menino à corte do prefeito. Pesadas cadeias magoam-lhe as mãos, e a larga faixa dourada à volta de seu laticlavo púrpura revela que ele é filho de um senador. Que crime terá ele cometido? Poderia alguém tão jovem e bonito ser um homicida? Um murmúrio percorre a multidão sempre crescente: Ele é um cristão.

Entram no edifício onde o prefeito tinha o seu tribunal (provavelmente o Templo da Terra). Não se ouve uma queixa do jovem prisioneiro – nenhum medo infantil – nenhum soluço. Bravo e destemido, o pequeno seguidor de Cristo mantém-se ereto diante do tirano. De onde essa eloqüência, essa profundidade de erudição e pensamento, o som angelical de sua voz? Notem o auxílio sobrenatural prometido àqueles que são levados diante dos príncipes e tiranos. Observem a "sabedoria perfeita nos lábios do inocente".

O juiz está confuso – silenciado por um garoto. Ele desafoga sua raiva impotente ordenando que Marino seja fustigado. Os lictores brutos e cruéis arrancam-lhe a pequena túnica, e logo seus ombros brancos e lisos tornam-se vermelhos e azulados com as escoriações da chibata. Não há choro nem movimento, exceto o choque convulsivo, que a cada lambada dolorosa, percorre-lhe a frágil estrutura.

— Tu irás sacrificar? — ecoa a pergunta pelo salão, a cada intervalo.

A resposta é um baixo e doce murmúrio do nome de Jesus. Frustrado e enraivecido, ordena que o menino seja lançado à prisão, enquanto prepara algum mecanismo infernal de tortura, capaz de abalar a constância do menino.

Pobre Marino! Sofrendo as dores do açoite, ele passa a noite na prisão escura; nenhum curativo para as suas feridas; não há uma gota d'água para a sua língua febril. Ele estava acostumado a um belo quarto e uma cama de plumas; agora, seus ossos doloridos estendem-se nas pedras úmidas e frias do assoalho. Pensava ele na mãe e nos colegas? Fantasiava como menino os fantasmas do medo? O sofrimento e temor o faziam duvidar de Deus? Não. Sabe que os anjos de Deus estão ao seu redor. Seu coração está iluminado e confiante. A sua alegria interior absorve as sensibilidades da carne, e o faz esquecer-se da dor. Nasce o sol da manhã. Em seu apogeu, ele testemunhará a derrota do poder das trevas e o triunfo do filho do senador.

O juiz já tomou assento, e Marino foi trazido perante ele. A roda, o fogo, e os demais instrumentos de tortura já estão prontos. O pequeno mártir olha aquilo tudo; sabe que foram preparados para ele. No entanto, não está assustado. Apesar de jovem na idade, é maduro nas sublimes lições do evangelho. Está preparado para morrer por Cristo.

Percebendo que o menino ainda está inabalável em sua resolução, o malvado juiz ordena que seja estirado na roda. Mas observem, o Deus Todo-poderoso não permitirá que seu servo puro e inocente seja desconjuntado ou rasgado pela brutalidade dos pagãos. Mal os executores lhe estiraram o corpo na máquina, e começaram a girar as polias para esticar as cordas, o medonho instrumento foi atingido por um raio, e rompeu-se em mil fragmentos. Os lictores e os curiosos que se achavam muito perto caíram. Marino, porém, levantou-se ileso no meio dos cavacos. Com um dedo, ele apontava os destroços do instrumento de tortura, com outro, apontava o céu, indicando que Jesus é o escudo e a força dos oprimidos.

O milagre, em vez de aterrorizar e converter o impiedoso Marciano, deixou-o mais ansioso para tirar a vida do menino. No entanto, uma vez mais ele seria malsucedido em sua crueldade. Mandou que Marino fosse posto num grande caldeirão, com fogo em baixo. Para o menino foi o mesmo que deitar num leio de rosas, e o calor intenso, que avermelhava o ferro, foi para ele uma brisa fresca, cheirando a orvalho.

Vendo que de nada adiantara, o tirano mandou que o pusessem num forno rubro de calor, e ali o mantivessem até o dia seguinte. Mas Deus protegeu e confortou Marino. Na manhã seguinte, ao abrirem o forno esperando vê-lo transformado em carvão e cinzas, encontraram-no de mãos postas em oração, e cantando hinos de louvor a Deus. Quando deram a notícia a

Marciano, ele sapateou de raiva, e ordenou que o menino fosse jogado às feras, no Coliseu. Que os leões famintos dessem cabo daquela criança enfadonha. Novamente, porém, o poder de Deus seria mostrado através da vítima inocente e vulnerável, e Ele, que reina do alto, haveria de rir das maquinações de seus inimigos.

No Coliseu, um leão foi solto primeiro. Ele correu para a criança trêmula, mas deitando-se à sua frente, parecia reverenciá-la. Depois, pondo-se de pé, pousou uma grande pata no ombro do garoto, e começou a lamber-lhe a face. Soltaram um leopardo, e ele também veio lamber-lhe os pés. Então foi a vez da fêmea do leopardo e de um tigre. Os animais pareciam competir entre si, na demonstração de afeto ao mártir. O povo gritava. Os tratadores fizeram de tudo para irritar as feras, mas tiveram de fugir da arena porque elas ameaçaram virar-se contra eles.

Ocasionalmente, o leão e o tigre encaminhavam-se para a ala onde estava Marciano, e olhando em sua direção, rosnavam enraivecidos. Depois voltavam correndo ao centro da arena, e prodigalizavam afagos ao menino cristão. Marino falava com eles e dava-lhes tapinhas, como se fossem animais de estimação criados em sua casa.

O Coliseu ressoava com os gritos de "Libertas", "Maleficium", "Mors", "Ut quid plus?", e expressões semelhantes a estas, familiares à multidão do anfiteatro.

O prefeito, confuso e derrotado, não sabia o que fazer. Enquanto o tumulto aumentava no meio do populacho, ele mandou que os lictores removessem o mártir, mas eles recusaram entrar na arena enquanto as feras lá estivessem. Até os tratadores sabiam que elas os fariam em pedaços, se eles se metessem com o garoto. Finalmente, fizeram sinais para que Marino saísse de lá, e a nobre criança guiou os animais aos seus covis. Assim que os pesados portões se fecharam sobre as bestas, os lictores apressaram-se em algemar as mãos do menino indefeso, e levá-lo embora como se fora um criminoso infame.

A nossa história de milagre, triunfo, e crueldade, ainda não terminou. Outros milagres ainda trariam honras ao nome de Deus. Toda a Roma deveria testemunhá-los, uma vez mais, como prova da verdade divina do cristianismo. Após a preservação milagrosa de Marino no Coliseu, cresceu o interesse público por seu destino.

Marciano, temendo que a simpatia do povo lhe suscitasse também a indignação contra ele, empenhou-se em convencê-los de que era justiça a sua crueldade contra o menino. Ordenou que ele fosse levado à estátua de Serapis, a fim de oferecer-lhe sacrifício. Milhares de pessoas arrojaram-se do Coliseu para lá; todos queriam ver de perto o pequeno herói, e apressaram-se em direção à estátua do deus pagão, erigida na vizinhança do anfiteatro.

Uma imensa multidão cercou o ídolo; todos estavam ansiosos para ver o fim do filho do senador. Suas feições bonitas e amáveis, sua juventude, sua modéstia e dignidade, haviam despertado a admiração geral. Alguns cristãos, misturados à multidão, quase choravam audívelmente de alegria, ao ver a constância do pequeno mártir.

Chegando à estátua, Marino ficou no meio de um círculo formado pelos soldados. Uma grande caçoula de carvão queimava ao pé do ídolo, e o sumo sacerdote do Capitólio, de pé ali perto, segurava numa das mãos o tripé, e na outra, uma vasilha de incenso. O silêncio foi exigido com um grito, e Marciano, num tom alto e áspero, mandou que o menino oferecesse sacrifício.

Vejam! Marino está se ajoelhando! Teria ele consentido em orar ao ídolo inconsciente? Estaria com medo de novas provações? Ou a graça de Deus o teria abandonado?

Um silêncio sem fôlego reina à volta. O prefeito acredita que, finalmente, subjugou o espírito altivo do pequeno cristão. Tolo pensamento! Marino está orando ao Deus verdadeiro. Sua oração já atravessou as nuvens do firmamento; sua resposta é o disparo do relâmpago que atingiu a imagem de Serapis. O povo viu o deus desfazer-se em pedaços aos pés do menino. Alguns fugiram aterrorizados. Outros, de espantados que estavam, não saíram do lugar. E muitos deles bradavam: — Grande é o Deus dos cristãos!

Nesse dia, muita gente conheceu a luz de Cristo, porque Deus usa as coisas fracas deste mundo para confundir as fortes.

Marciano mandou que removessem o mártir ao presídio. O Todo-Poderoso ouviu o pedido do menino para livrá-lo das mãos do inimigo, e preparou para ele uma coroa eterna. O prefeito tentou novamente tirar a vida do pequeno servo de Deus, ordenando que fosse decapitado. Dessa vez, conseguiu seu intento. No dia 26 de dezembro, de 284, a alma pura do corajoso Marino alçou vôo para o reino da bem-aventurança.

O malvado prefeito ordenou que o corpo de Marino fosse jogado com os cadáveres de criminosos, escravos, e gladiadores assassinados no Coliseu. À noite, alguns cristãos zelosos foram buscá-lo, mas toparam com os guardas que vigiavam o local. Por providência divina, uma tempestade com raios e trovoadas assustou os guardas, fazendo-os fugir dali. E os cristãos transportaram para as catacumbas o corpo do pequeno mártir.

Próximo ao Coliseu, sobre as ruínas do Templo de Vênus e Roma, erigido pelo extravagante Adriano, foi construída, na Idade Média, uma bela igreja, hoje conhecida como a igreja de Santa France de Roma. Nesta pequena igreja, estão hoje preservados os restos mortais de Marino, o pequeno mártir de Cristo.[1]

[1] Para os fatos relacionados ao martírio de Marino, veja o *Martirológio Romano*, 26 de dezembro; Ferrari, Cat. Sanct., mesmo dia; Mombritium, tom.II; Petrus de Cat., lib.I. Cap. 6.

A Jovem Martina

Capítulo 13

Não há nada mais delicado, indefeso, e belo, que a jovem cuja castidade nunca foi maculada pela influência corrupta do mundo. A alma inigualável de uma virgem é algo que brilha na terra, e agrada a Deus. Freqüentemente, na história do mundo, Deus tem escolhido a fragilidade e a humildade para as mais extraordinárias manifestações do seu poder e da sua bondade. Em mais de uma ocasião ele usou seres que mais se assemelhavam a anjos em forma humana, para atrair-nos por meio da amabilidade e da pureza, e para mostrar-nos o mistério do amor, pelo qual Ele se une à alma humana.

Deus sempre operou maravilhas através de seus santos. Dava-lhes do seu poder quando lhe pediam, e aquelas extraordinárias suspensões das leis da natureza, a que chamamos milagres, eram para eles ações costumeiras. Mas não havia nada tão reconfortante quanto o poder, a consolação, e a proteção que Ele comunicava às suas filhas indefesas, nos tempos terríveis da perseguição. Quando arrastadas perante os tiranos por causa de sua fé e virtude, Deus as protegia com as próprias mãos. Ele não somente as fazia triunfar sobre a raiva brutal do pagão, como as tornava mensageiras e testemunhas da divindade do cristianismo. Sua castidade virginal era preciosa ao Pai Celeste, e Ele invariavelmente desferia um golpe vingador sobre o malvado que ousasse lançar sobre elas um olhar impuro. Se Ele permitia que fenecessem sob o machado dos lictores, era para que a sua morte fosse o triunfo de sua fé e pureza, e o início de sua recompensa inefável no paraíso celestial.

Nenhuma perseguição, nenhum pesar ou tormento da pior espécie, e nem qualquer agrado ou alegria atraentes, porém falsos, podiam induzir uma cristã do primeiro século a renunciar ao sublime título de cristã e virgem. O triunfo das jovens mártires era o mais perfeito e absoluto. Acaso poderia ser diferente? Era o triunfo dEle, que reina nos altos céus, que se ri da malícia de seus inimigos, e contra quem as nações se enfurecem em vão.

Entretanto, quando olhamos para trás e vemos com admiração as lições emocionantes e sublimes, que nos foram dadas pelos cristãos heróis dos tempos primitivos, experimentamos um secreto sentimento de pesar por já haverem passado os dias de triunfo. As seduções, os agrados, as imoralidades de nossos dias de paz e repouso têm sido mais destrutivos que o fogo, a espada, ou as bestas feras dos pagãos. É raro encontrar, hoje, uma virgem verdadeira – uma que sofreria a morte antes de permitir que o mais leve sopro de corrupção lhe maculasse a castidade. Ai, o que o açoite, a roda ou a brutalidade não podiam tocar no passado, pode hoje ser atingido por um olhar, um aperto de mão, ou uma liberdade brincalhona. A influência corrupta da educação mundana, e até mesmo irreligiosa, permitida pelos pais descuidados e indiferentes de nossos dias, tem varrido a proteção da modéstia, e os nossos filhos têm perdido os seus valores antes mesmo de saber estimá-los. Mas maldito o infeliz que consente em ser instrumento de Satanás para a destruição da inocência! Ele afundará nos tormentos do Inferno como o impiedoso Ulpiano, que tramou a ruína e a morte da virgem Martina. Conheçamos a sua interessante história.

Embora Martina haja sofrido sob o governo de Alexander Severo, não foi ele o culpado de seu sangue. Severo era um menino de treze anos, quando subiu ao trono, mas possuía uma mãe que tem sido exaltada pelos historiadores, tanto os pagãos quanto os cristãos, como a honra e a glória do Império. Giulia Mamea foi uma das poucas mulheres notáveis a figurar na história desse tempo. Ela desfrutava da amizade de Orígenes, e foram a sabedoria e o conhecimento desse grande mestre, somados à sua virtude e ao seu talento natural, que fizeram do reinado de Alexander Severo um dos mais populares e prósperos vistos pelos romanos num período de mais de duzentos anos. Há toda razão para acreditar que ele tenha abraçado o cristianismo, antes de ser assassinado, juntamente com seu filho, pelo infame Maximiniano.

As virtudes desse jovem imperador formam um contraste com os vícios de seus predecessores. Era afeiçoado aos cristãos, e em sua falta de conhecimento das coisas espirituais, tinha uma imagem de Jesus Cristo entre os ídolos de seu palácio. Existem registros de que ele pretendia construir um templo a Cristo, e tornou-o reconhecido no senado como um dos deuses de Roma. Contudo, foi dissuadido de seu propósito por um de seus cortesãos. O que Sejano era no império de Tibério, esse favorito ignóbil era para o imperador Severo. Ele trazia, além disso, o nome de um tirano, cuja crueldade e impiedade parecia imitar. Tratava-se de Domiciano Ulpiano. A clemência da mãe do imperador e a dele próprio, e o medo de perder o favor imperial, faziam-no reprimir seu ódio aos inofensivos cristãos. Contudo, ele empenhava-se por vilipendiá-los e dar sobre eles uma falsa impressão; chegou mesmo a compilar um livro de todas as leis e condenações contra os cristãos, emitidas pelos imperadores que antecederam Severo, e enviou uma cópia a cada governador das províncias, instruindo-os a cumprir aquelas leis do Império, e prometendo defendê-los se o fizessem. Como fosse o mais elevado em estima e erudição, ele foi nomeado prefeito durante a ausência de Giulia Mamea e seu filho, e aproveitou-se de seu curto reinado de poder para desafogar sua ira contra os cristãos. Algumas das virgens mais nobres e ricas do Império foram as primeiras vítimas de sua raiva. A jovem, bela, e virtuosa Martina foi uma dessas vítimas.

Martina era a filha única de um dos cônsules do Império. Ela perdera os pais na infância, e herdara uma imensa fortuna. Sentimentos de virtude e piedade haviam-lhe sido instilado na mente por seus pais cristãos, de modo que aprendera na mais tenra infância as sublimes lições da escola cristã. Conhecendo os perigos da riqueza, e desejando dar-se inteiramente a Deus, um de seus primeiros atos foi distribuir seus bens aos pobres. Sua fortuna e posição eram bem conhecidas por Ulpiano, e tão logo a notícia de sua extraordinária caridade chegou-lhe aos ouvidos, ele suspeitou que ela fosse cristã. A sublime abnegação e a caridade ensinadas pela lei de Cristo eram consideradas loucura pelos pagãos, e como pretendia o Senhor Jesus, os seus discípulos eram conhecidos pela caridade. Ulpiano já havia, por algum tempo, lançado o seu olho mau sobre a virgem órfã; vendo frustrados e rejeitados todos os seus projetos para a riqueza e virtude da moça, a sua paixão culpável transformou-se em raiva e crueldade. Ele ordenou que ela fosse trazida ao templo para oferecer sacrifício aos deuses; caso recusasse, cairia completamente em seu poder.

Dois lictores foram enviados, do palácio imperial, a buscar a virgem cristã e trazê-la ao prefeito. Ela recusou oferecer sacrifício aos ídolos de Roma. Ulpiano determinara, no louco orgulho de seu coração, vencer a resolução da jovem; ordenou, pois, aos lictores que a surrassem até consentir em sacrificar aos deuses. A sua carne delicada e tenra foi lanhada com as chicotadas. Aprouve a Deus favorecer a sua filha tornando-a insensível à tortura excruciante. Percebendo que ela não capitularia, o prefeito mandou que a suspendessem na canga, um instrumento de suplício formado por uma tábua com furos, em que se prendiam a cabeça e as mãos do condenado, e lhe rasgassem a carne com ganchos de ferros e outros objetos de tortura. Diversas horas foram gastas em vão pelos brutais executores, na tentativa de abalar a resolução da moça. Quando eles desistiram de sua missão infrutífera, deixaram a delicada constituição de sua vítima lacerada, sangrando, e exausta.

A hora do triunfo chegara para Martina, bem como a hora da retribuição para os seus executores. Não que as suas orações houvessem evocado raios do céu para castigar os desumanos infelizes que a açoitaram; antes, derramara-se em caridosas orações pela conversão de seus executores.

Por ordem de Ulpiano, ela foi conduzida uma vez mais aos templos de Diana e de Apolo, para oferecer sacrifício, quando, de repente, desceu fogo do céu, e reduziu a cinzas as estátuas desses falsos deuses, atendendo assim o secreto desejo de Martina. O mesmo poder que destruiu os ídolos enviou um raio de luz ao coração dos executores, que reconheceram imediatamente o grande e verdadeiro Deus, e declararam-se cristãos. Ambos sofreram o glorioso martírio na presença de Martina, que foi preservada para um triunfo maior.

O prefeito tirano, endurecido pelo vício e cego pela paixão, pensava unicamente em como infligir novos tormentos à jovem cristã. Sabendo que o corpo da moça achava-se dilacerado, e ainda sangrando, mandou que lhe vertessem em cima piche e óleo fervendo. Mas fazer Martina mudar sua fé era o mesmo que remover as sete colinas de Roma. A punição pretendida pelo tirano tornou-se para ela uma fonte de glória e triunfo ainda maiores. Os algozes viram a moça cercada por um halo de luz, enquanto suas feridas exalavam um agradável aroma, e ela entrava num êxtase de alegria celestial.

Quando estas coisas chegaram ao conhecimento de Ulpiano, ele encheu-se de frustração e raiva, e determinou que ela fosse devorada pelas feras no anfiteatro, diante de todo o populacho romano. Esta era, imaginava ele, a morte mais degradante que lhe podia causar. Martina pertencia a uma das mais nobres linhagens do Império, mas seria submetida a uma morte ignominiosa, reservada somente aos piores escravos e criminosos. Deus, porém, tencionava revelar seu poder através de sua humilde serva.

Martina passou a noite na escura prisão Marmetina. Desfrutou das consolações do amor divino, sabendo que os anjos de Deus lhe faziam companhia. Era perto do meio-dia, em 10 de fevereiro de 228, quando a nobre virgem foi conduzida da prisão ao anfiteatro. Todas as bancadas estavam repletas; o som dos últimos aplausos já se desfizera ao longe, através dos palácios e das sete colinas da cidade; o combate entre os gladiadores terminara, e o "programador" dos jogos anunciou, em meio a um silêncio sem fôlego, que a próxima atração consistiria na exposição, às feras, de uma donzela cristã que recusara sacrificar aos deuses do Império. Um novo romper de aplausos abalou os muros do poderoso edifício. Alguns cristãos pobres, disfarçados, achavam-se presente. Tinham ouvido que a sua amada benfeitora caíra nas mãos do tirano, e estava condenada às bestas. Com as cabeças curvadas, eles pediam a Deus que fortalecesse sua serva, e enxugavam as lágrimas que lhes rolavam pela face.

A ordem é dada. Um soldado introduz na arena a jovem Martina. Ela ainda é quase menina, provavelmente de treze ou quatorze anos. Com os braços cruzados sobre o peito, e um rubor de modéstia tingindo-lhe as faces, ela sabe que a rude multidão tem os olhos fitos nela. A areia branca da arena mal cede sob seus passos delicados; ela pisa numa poça de sangue – a vida fluída do último gladiador tombado em combate –, e um estremecimento percorre-lhe o corpo, mas uma breve oração pedindo forças acalma-lhe o coração palpitante. Seus cabelos, embora longos e bonitos, estão presos; ela está animada, e caminha com um ar de firmeza e confiança. A notícia de que ela é filha de um cônsul percorre os milhares reunidos ali, e o interesse e o deleite da plebe brutal aumenta na proporção em que lhe reconhece a nobreza e a beleza.

Um leão cativo salta na arena. Ele olha à volta como se estivesse surpreso: o elemento humano está próximo demais. Com o troar do poderoso rugido, com que costumava despertar sua floresta nativa, a fera lamenta seu cativeiro, pois constata que ainda é um prisioneiro. Seus olhos faíscam de raiva e desapontamento. De repente, ele vê uma figura em sua esfera de ação: é Martina, que ora ajoelhada. A fome desperta no leão a ferocidade nata. Eriçando a juba, ele prepara-se para saltar sobre ela. Um silêncio mortal reina à volta; todas as cabeças inclinam-se à frente; todos os olhos fixam a arena; um arrepio involuntário percorre a todos, ao imaginarem o leão devorando a vítima.

Mas... o que é que eles vêem? O rei da floresta está cabriolando à volta da menina! Lambe-lhe os pés, e ela lhe dá tapinhas na cabeça e na juba.[1] O leão deita-se ao lado dela, como um cãozinho acariciado por sua dona. Há um grande e invisível Espectador olhando para Martina no Coliseu. Ele é o mesmo que fechou a boca dos leões, quando Daniel foi jogado no covil das feras.

Outro leão é solto, e age da mesma forma. Martina convoca os pagãos a reconhecer o poder do Deus dos cristãos, e milhares de pessoas deixam o Coliseu, naquela manhã, proclamando a santidade da nobre donzela, enquanto outros determinam abandonar imediatamente a adoração aos falsos deuses.

Mas não assim com Ulpiano. Ele contorceu-se de desapontamento e ódio por sua derrota pública. Atribuindo à bruxaria a preservação da jovem, ordenou que fosse queimada viva. As chamas, porém, não tiveram o poder de tocá-la; nem mesmo um fiapo de suas vestes foi queimado. Contudo, era da vontade de Deus que Martina recebesse a coroa do martírio, e quando ela havia dado aos cruéis romanos provas suficientes de sua incapacidade de contender com Deus, Ele atendeu-lhe o pedido, e tomou-a para si. Eis como se deu o seu martírio:

Havia, a curta distância do Coliseu, um edifício que servia de auxiliar do anfiteatro em seu caráter religioso. O anfiteatro pode ser considerado, em certo aspecto, como um grande templo; era dedicado a Júpiter, Baco, e Apolo. Os próprios jogos e espetáculos eram freqüentemente celebrados em honra de algum deus. Um pequeno templo, que ficava cerca de dois quilômetros do anfiteatro, servia aos rituais e sacrifícios ordinários. Este templo era dedicado à deusa da Terra. Os antiquários afirmam que ele ficava onde hoje se vê os restos de uma torre da idade média, chamada "Torre dei Conti", entre a Piazza delle Carette e a Via Alexandria. Esse local, agora negligenciado e quase desconhecido, possui algumas memórias sagradas pairando à sua volta, que devem ser caras aos peregrinos cristãos da Cidade Eterna. Aí, muitos mártires ganharam a sua coroa imarcescível. Conta-se que esse templo servia, de tempos em tempos, às assembléias do senado, e como tribunal de um pretor. Por achar-se no coração da cidade antiga, e próximo ao Coliseu, era para ali que muitas vezes os cristãos eram levados para oferecer sacrifícios.

Em frente ao templo, havia um monumento que testemunhava as mais cruéis e sangrentas cenas desses dias de trevas. O seu nome, *Pedra Maldita*, ou *Criminosa* (Petra Scelerata), fala do horror no qual ele era mantido pelo próprio povo. Tratava-se de uma espécie de estrado elevado, no qual havia uma imensa laje de mármore, onde os malfeitores e criminosos públicos eram geralmente executados. É desnecessário lembrar ao leitor que, nos tempos da perseguição, os cristãos eram postos no mesmo nível que as classes mais baixas de criminosos.

E aí, nesse tablado, o sangue de alguns dos mais nobres crentes da Igreja Primitiva foi derramado em testemunho da sua fé. Aí pereceram os papas Sixto e Cornélio, e os mártires persas Abdon e Sennen. O senador Júlio foi arrastado para aí, nu e acorrentado, e açoitado até que a morte libertasse-lhe da carne o espírito; seu corpo foi exposto à curiosidade pública por vários dias. Desse local, uma grande multidão de mártires cristãos foi enviada ao céu; a não menos notável foi Martina.

Condenada por Ulpiano à decapitação, foi trazida a esse lugar. Um arauto escalou a Petra Scelerata, como era costume, e anunciou ao povo que Martina fora condenada por ser cristã. No momento em que o golpe fatal desceu-lhe sobre o pescoço, ouviu-se uma voz do céu chamando-a para a alegria eterna, e toda a cidade foi abalada por um terremoto; muitos templos ruíram, e um grande número de pessoas converteu-se a Cristo.

Quando a tempestade da perseguição passou, e o lábaro de Constantino foi plantado, com alegria geral, sobre o Capitólio, a memórias e tradições sagradas dos cristãos encontraram expressão em toda a pompa da adoração exterior. Eles haviam observado em zelo silencioso os locais onde os mártires haviam derramado o seu sangue, e quando a hora da liberdade foi proclamada sobre placas de bronze nas paredes do Capitólio, eles reuniram-se em centenas nestes lugares sagrados. Em pouco tempo, soberbos edifícios foram erigidos em comemoração do triunfo dos heróis martirizados. Perto de quase toda grande igreja de Roma, há reminiscências sagradas, que nos levam de volta às cenas dos três primeiros séculos. A igreja de São Pedro, um dos mais nobres e completos edifícios já construídos pelo homem, foi erigida no ponto onde, segundo a tradição, o apóstolo foi martirizado, ou, conforme afirmam alguns, acha-se a cripta onde seu corpo foi depositado. Há registros do primeiro século a respeito de um santuário e de peregrinações, e mesmo de martírios, à volta desse lugar histórico, que os cristãos modernos têm enriquecido com toda a magnificência que a riqueza e a arte podem produzir.

Dentre os santos cuja memória foi preservada pelos antigos cristãos romanos, encontram-se três donzelas que apresentam extraordinária semelhança na idade, na condição social, nos sofrimentos, e nos milagres que vivenciaram: Priscila, Martina, e Agnes. Eram de famílias nobres ou consulares, foram perseguidas por sua fé, quando tinham apenas treze anos, e todas sofreram ataques à sua castidade e à sua crença. O Deus Todo-poderoso fez delas instrumentos de grandes milagres, confundindo e derrotando seus perseguidores, e convertendo inúmeras almas. Três belas igrejas, que agora formam os três pontos de um triângulo, foram edificadas nos locais onde elas foram supliciadas, ou onde se acham os seus restos mortais. Através do longo lapso de dezessete séculos, e de cada maré de guerra e destruição que tem rolado sobre a cidade caída, porém perpétua, os registros, as relíquias, e os testemunhos têm sido preservados. Passaram de geração a geração, e são atualmente a honra e o orgulho dos fiéis cristãos de Roma.

Quase no centro do antigo Fórum foi edificada uma pequena e bela igreja, em homenagem a jovem Martina. Depois de mais de dez séculos, quando as paredes do pequeno templo estavam ruindo, a fé e o testemunho dessa fiel serva de Deus ainda permaneciam vívidos na memória dos cristãos. Ele foi reconstruído no século treze, e novamente no século dezesseis, quando os seus restos mortais, juntamente com o das outras mártires, foram encontrados. A capela subterrânea dessa igreja é uma gema de beleza arquitetônica; é um projeto e uma dádiva do celebrado artista Pietro de Cortona. Muitas vezes, nessa igreja, orei a Deus para que em nós também se veja a firmeza e a virtude que brilharam na vida de Martina.

[1]*Et cursum arripiens ambulavit ad Sanctam et inclinans se osculabatur pedes ejus.* – Atos, Bolandistas.

Os Reis Persas

Capítulo 14

O Coliseu foi molhado até mesmo com o sangue de reis. Escravos, soldados, generais, nobres virgens, senadores, bispos e reis, todos santificaram-lhe a arena com o seu sangue, ou com os milagres operados por Deus através deles. Mas que estranha combinação de circunstâncias fez com que o sangue de cabeças coroadas intensificasse o matiz carmesim daquela nódoa medonha? Quem eram esses nobres arrastados ali pelas turbas vingativas e implacáveis, e furados por mil adagas, ou feito em pedaços por homens enfurecidos como leões? Seriam pagãos e tiranos, que assim sofriam em retribuição à sua crueldade e crime? Não, não eram. Ainda estamos nos dias da tenebrosa perseguição à Igreja Primitiva, e o tema do presente capítulo é o martírio dos cristãos que, por sua fé, sofreram no Coliseu, na primeira metade do terceiro século. Após relatar as circunstâncias de seu suplício, pode ser proveitoso apresentar algumas notas históricas, tiradas dos anais desses tempos.

O poder do Império declina rapidamente. A poderosa onda do tempo rola sensivelmente sobre a cidade de ouro e mármore, e a grande dinastia, que se pretendia imperecível, mostra sinais de decadência. O Deus Todo-poderoso dera seu parecer sobre a impiedosa cidade, e no mais temível dos seus julgamentos, permite que os seus cegos habitantes não apenas acelerem, mas aumentem a sua formidável retribuição.

O quadro de crimes, crueldade e derramamento de sangue, que representa a segunda metade do século que precedeu o triunfo de

Constantino, é o mais escuro e emocionante, não apenas na história de Roma, mas na do próprio mundo. Nessa época de que estamos falando (ano 240), o Império inteiro achava-se abalado por conflitos internos e guerras civis. No escasso intervalo de três anos, quatro imperadores, após sentar-se por um curto período de ansiedade e miséria no trono dos césares, foram arrastados pela violência de seu poder desonestamente adquirido, e tiveram a sua curta carreira de ambição e crime encerrada por uma terrível e bem-merecida morte. Embora todos esses problemas e confusões internos impedissem naturalmente o progresso do cristianismo, aprouve ao Todo-Poderoso dar aos seus apóstolos e servos uma oportunidade de espalhar a santa semente do evangelho. E para que elas pudessem firmar as raízes na alma dos novos convertidos, Ele enviou alguns anos de claridade e sossego. Para usar uma comparação simples, a pequena barca, sacudida por muitas tempestades e ventos contrários, foi trazida ao porto a fim de preparar o cordame e as velas para outro temporal ainda pior. Em breve, vagalhões de sangue correriam à volta dela. A providência protetora de Deus não apenas concedeu paz, como pôs no trono dos césares um imperador cristão. Não nos referimos a Constantino, nem ao imperador que reinou após o triunfo da Igreja; ainda estamos setenta anos antes do alvorecer desse brilhante período, e a Igreja ainda terá de sofrer cinco das mais cruéis e sanguinárias perseguições. Aludimos ao imperador Filipe, que sucedeu Gordiano III. Ele não apenas era favorável e generoso para com os cristãos, como era um deles.

Quando o imperador Gordiano III ascendeu ao trono, era um jovem sob a orientação de Misithes, seu preceptor. Ele teve um próspero reinado de seis anos; a sua docilidade, probidade natural, e disposição amável, unidas à habilidade e prudência de seu virtuoso preceptor, fizeram-no querido em todo o Império. Até os sucessos e triunfos que a fortuna concedeu aos seus empreendimentos militares fizeram de seu reinado um verdadeiro raio de sol naqueles dias de revoltas e transtornos. No ano 243, Misithes, seu bom mentor, faleceu enquanto se achava numa expedição contra os godos e os sempre irrequietos e indômitos persas; Júlio Filipe sucedeu-o no pretório, um dos postos mais importantes do Estado. A ambição entrou no coração de Filipe, e ele determinou obter o comando de todo o Império. Sabendo que Gordiano era amado demais pelos soldados para que o traíssem, resolveu assassiná-lo. Alugou para isto um vilão, e o ato sanguinário foi realizado.

Filipe foi declarado imperador no ano 244. Na véspera da páscoa daquele mesmo ano, Filipe estava em Antioquia com Severa, sua esposa, e eles foram a uma igreja cristã a fim de participar das orações públicas em preparação do grande festival. Nessa ocasião, quem se achava à frente daquela igreja era o bispo Babilas. Ouvindo que o imperador estava se dirigindo à igreja, ele pôs-se no pórtico, e impediu-lhe a entrada. Com a coragem e o zelo de um apóstolo, disse ao imperador que ele deveria arrepender-se, pois o sangue de sua vítima assassinada clamava por vingança desde o céu. O santo bispo repeliu-o com as próprias mãos, e não lhe permitiria entrar, a menos que manifestasse publicamente o seu arrependimento. Filipe humilhou-se diante do ancião; confessou seus crimes, e assim pôde entrar na igreja do Deus verdadeiro, diante de quem, o coroado e o esfarrapado são iguais.

Eusébio, no trigésimo quarto capítulo de seu sexto livro, conta desse estranho evento: "Gordiano governou o Império Romano por seis anos; Filipe, juntamente com seu filho Filipe, sucedeu-o. Ele, sendo um cristão, desejou tomar parte das orações da igreja, na véspera da páscoa; mas o bispo que dirigia a igreja não lhe permitiu entrar até que houvesse confessado os seus crimes se posto entre os penitentes públicos... Diz-se que o imperador submeteu-se alegremente, demonstrando com isto um sincero e religioso temor a Deus".

Não podemos deixar de mencionar a autoridade, muito menos a bela e poderosa eloqüência do grande Crisóstomo, em seu panegírico a Babilas. Falando de sua brava e intrépida reprovação ao pecaminoso imperador, ele o compara ao apóstolo João, e alude ao imperador em palavras que não deixam dúvidas quanto à tradição de seu tempo: "Ele não era o mero tetrarca de algumas cidades", afirma Crisóstomo a respeito de Filipe (*in* Lib. In S. Bab. et Contra Gentilies, n°. 6), "nem o rei de uma única nação, mas o governador de grande parte do mundo – de nações, cidades e incontáveis exércitos, formidável de todos os lados, desde a imensidão sem limites de seu império, e a severidade de seu poder. Contudo, foi expulso da igreja pelo intrépido pastor, como uma ovelha ruim, apartada do rebanho. O súdito torna-se governador, e pronuncia sentença de condenação contra ele, que a tudo comanda. Sozinho e desarmado, a sua alma destemida encheu-se da confiança apostólica. Que zelo fazia arder o velho bispo, para mandar embora os adeptos do imperador! Com que destemor ele falou, e pôs a mão direita sobre aquele peito que ainda ardia e sangrava com o remorso da culpa recente! Como ele tratou o assassino de acordo com os seus méritos!"

Não é a nossa intenção, no momento, discutir a questão levantada pelos historiadores modernos, quanto a Filipe ser ou não cristão. Quase todas as histórias dos tempos antigos da Igreja, escritas em inglês, passam por cima do fato como se ele fosse demasiadamente extraordinário para ser verdade, ou duvidoso demais para ser considerado por um momento. No entanto, todas as fontes autorizadas de peso estão ao seu favor. Não é provável que homens como Eusébio, João Crisóstomo, Orósio, Vicente de Lério, e Cassiodoro se deixassem enganar por uma tradição inútil; e o fato é mencionado por numerosos autores. Entre outros, Barônio escreve o seguinte:

"Pôncio foi criado para o cargo de prefeito, e era amigo íntimo dos Filipes, os imperadores. Na celebração do milésimo aniversário de fundação da cidade, eles lhe disseram: 'Vamos propiciar os grandes deuses que nos trouxeram ao milésimo aniversário da cidade de Roma'. Mas Pôncio, por meio de muitos estratagemas, empenhou-se em escapar, enquanto eles o forçavam, como amigo, a oferecer sacrifício.

"Acreditando que uma oportunidade lhe estava sendo oferecida por Deus, ele disse: 'Grandes e devotos imperadores! Uma vez que Deus vos tem honrado com um poder augusto sobre os homens, porque não sacrificais a Ele, que vos tem demonstrado tão grande favor?' Filipe, o imperador, replicou: 'É precisamente por esta razão que desejo oferecer sacrifício ao grande Júpiter; porque todo o meu poder me foi dado por ele'. Sorrindo, Pôncio admoestou: 'Não seja enganado, oh imperador! Há um Deus onipotente no céu, que fez todas as coisas por sua Palavra santa, e deu vida por seu Espírito'. Movido por esta e outras exortações similares de Pôncio, o imperador creu, e foi batizado por Fabiano, o líder da igreja. Então, Fabiano e Pôncio fizeram em pedaços os ídolos do templo de Júpiter, e o demoliram. Muitas pessoas converteram-se a Cristo, e foram batizadas". (Veja Barônio, ano 246, nº 9; e os Bolandistas, 14 de maio.)

Quer ele tenha sido ou não cristão, o certo é que a Igreja desfrutou de uma profunda paz. Por quase trinta anos, ela viera reunindo forças, uma vez que as perseguições do tempo de Severo haviam sido apenas parciais, e se abateram mais sobre indivíduos que sobre o povo como um todo.

Escolas e grandes centros de erudição surgiram por toda parte, e a Igreja parecia estar levantando a cabeça com honra e triunfo. O leste foi especialmente dotado com homens que brilhavam como estrelas do conhecimento e da eloqüência. Alguns dos maiores nomes da história da Igreja floresceram nesse período. Fabiano estava na liderança. Havia Babilas, em Antioquia; Dionísio, de Alexandria; o eloqüente Cipriano, em Cartago; o taumaturgo, ou operador de milagres, Gregório, de Neo-Cesarea; e Firmiliano, da Capadócia. Então vieram Orígenes, Piônio, e muitos outros que adornaram com zelo e erudição os diferentes degraus da hierarquia.

As igrejas espalharam-se a toda parte, e as assembléias eram realizadas em público; os principais emolumentos do Império eram conferidos aos cristãos. Gregório de Nissa, falando sobre Gregório, o taumaturgo, afirmou: "Pela pregação e pelo zelo deste grande bispo, não apenas a sua cidade, mas toda a região ao redor abraçou a fé verdadeira. Os altares e templos dos falsos deuses foram demolidos, e em seu lugar foram erigidas igrejas; e o povo foi purificado da contaminação dos sacrifícios impuros". (Em *Oratione*, de Gregório, o taumaturgo, rumo ao fim.)

Assim, a fé espalhou-se através do leste. A Capadócia, a Panonia e a Síria foram quase inteiramente convertidas. A Pérsia, nos confins desse território, também apresentava os frutos da pregação do apóstolo Tomé, e assim como suas províncias irmãs, foi, nessa época, a porção mais florescente do jardim da Igreja. Reis e nobres abraçaram a fé, e quando irrompeu a perseguição, a Pérsia enviou ao céu muitos mártires nobres. Dentre esses, destacaram-se pela retidão e a constância dois reis, ou governadores subordinados, que são o assunto deste capítulo. Eles foram apanhados pela perseguição do ano 250, trazidos a Roma, e martirizados no Coliseu.

O período de luz e paz está chegando ao fim, e o ano 250 abre, logo em seus primeiros dias, uma das mais terríveis perseguições já sofridas pela Igreja.

As bênçãos e o repouso de paz levaram os cristãos a relaxar a moral, e aprouve ao Todo-Poderoso purificá-los uma vez mais com o fogo da perseguição. O grande bispo de Cartago, segregado no exílio durante os poucos meses em que a tormenta assolou, descreve as tristes causas que fizeram desembainhar uma vez mais a espada sobre a comunidade cristã:

"O Todo-Poderoso desejou provar sua família, pois as bênçãos de uma paz prolongada haviam corrompido a divina disciplina que nos fora dada. A nossa fé adormecida e prostrada despertou, se posso falar assim, a ira celestial. E conquanto merecêssemos mais por nossos pecados, o clemente e misericordioso Senhor fez com que os acontecimentos fossem mais uma provação que uma perseguição. O mundo inteiro achava-se absorto em interesses temporais, e os cristãos esqueceram-se das coisas gloriosas que eram feitas nos dias dos apóstolos. Em vez de fazer brilhar o seu exemplo, ardiam com o desejo da vã opulência deste mundo, e envidavam todos os esforços para aumentar sua riqueza. A piedade e a religião foram banidas da vida dos sacerdotes, e a fidelidade e a integridade não mais eram encontradas nos ministros do altar. A caridade e a disciplina da moral já não era visíveis em seus rebanhos. Os homens penteavam a barba, e as mulheres pintavam a face; até seus olhos eram tingidos, e seus cabelos, falsos. Para enganar os simples, usavam fraudes e sutilezas; e até os cristãos enganavam-se uns aos outros, havendo-se com desonestidade e astúcia. Casavam-se com incrédulos, e prostituíam os membros de Jesus Cristo, unindo-se aos pagãos. Em seu orgulho, zombavam dos pastores, feriam-se mutuamente com suas línguas envenenadas, e pareciam destruir-se com um ódio mortal. Menosprezavam a simplicidade e a humildade requeridas pela fé, e permitiam-se serem guiados pelos impulsos da vaidade. Desprezavam o mundo apenas de palavras. Não merecemos, então, os horrores da perseguição que rompeu sobre nós?"

O instrumento da ira divina foi Décio. Ele permitiu que este usurpador detivesse por um ano o poder dos césares, para a purificação e a glória de sua Igreja. O Senhor Jesus dissera, no jardim do Getsêmani, que todo aquele que usa da espada deve perecer por meio dela (Mt 26. 52). Em seus decretos eternos, Ele preparara o seu julgamento para Filipe, que injustamente desembainhara a espada contra Gordiano: ele também morreria pela mão de um usurpador. Perto do final de 249, informações trazidas do leste a Roma diziam que Iotapiano e Prisco haviam sido declarados imperadores por uma parte do exército. A revolta foi logo suprimida, e os usurpadores morreram. Contudo, o espírito da revolução já se espalhara como uma pestilência, e outro rival mais formidável surgiu na pessoa de Décio, que foi declarado imperador pela maior parte do exército, então nos confins da Panonia. Filipe encontrou-o com uma força militar bem maior, próximo aos muros de Verona; seguiu-se uma batalha desesperada, e nela o imperador foi assassinado.

Mal a notícia de sua derrota chegou a Roma, os pretorianos mataram-lhe o filho, e declararam Décio imperador. Não obstante, eles pouco sabiam do caráter do homem a quem estavam confiando suas propriedades, sua honra e suas vidas. Ele adentrou Roma em triunfo, e um de seus primeiros atos imperiais foi emitir um decreto contra os cristãos.

Décio parecia determinado a destruir até o nome dos cristãos, e os seus éditos eram tão cruéis quanto aqueles emitidos por Nero ou Domiciano. Ele sentia contra os romanos uma indignação que beirava ao frenesi, por haverem abandonado a adoração aos deuses, e permitido o progresso do odiado cristianismo. "Ele imaginava", relata Gregório de Nissa, "resistir ao poder de Deus pela crueldade e pela matança, transtornar a Igreja de Cristo, e impedir que fossem pregados os mistérios do evangelho. Então, enviou decretos a todos os governadores das províncias, ameaçando-os com os mais pavorosos tormentos, se eles não se empenhassem em exterminar o nome cristão, e em trazer o povo de volta à adoração dos demônios do Império".

Ele encontrou agentes dispostos em seus magistrados; eles aceitaram tão entusiasmadamente a declaração contra o povo de Deus, que, de acordo com a mesma fonte, os negócios públicos foram suspensos por algum tempo, a fim de que executassem o terrível decreto. As prisões não puderam abrigar as multidões de presos; enquanto alguns eram levados à morte em praça pública, por meio de medonhos tormentos, outros encontravam um lar no deserto. "Não havia clemência com a infância ou a velhice; como numa cidade apossada por um inimigo cruel e enraivecido, eram todos entregues à tortura e à morte. Nem a natureza frágil do sexo feminino suscitava compaixão, para que ao menos fosse livre dos suplícios cruciantes; a mesma lei de crueldade rugia contra tudo o que fosse considerado adverso aos ídolos" (Gregório de Nissa, no final do sermão sobre Gregório, o taumaturgo).

Parece haver alguma dúvida se Abdon e Sennen, supliciados no Coliseu durante essa perseguição, foram trazidos da Pérsia à força, ou se, como tantos outros persas nobres, vieram à grande capital romana por um senso de devoção e curiosidade. Os *Atos* adotados pelos Bolandistas declaram que foram levados para lá em cadeias, pelo próprio Décio. O imperador não estava na Pérsia, posto que partira numa expedição ao leste, na qual fora assassinado; mas isto pode ter acontecido no governo de Gordiano, quando Décio era um comandante do exército, e reprimiu a revolta nos confins da Pérsia. O restante dos *Atos* é aceito como genuíno. Como eles contam o sofrimento daqueles nobres jovens numa linguagem bela e simples, apresentá-lo-emos quase que palavra por palavra.

Ao chegar a Roma, Décio ordenou que o senado se reunisse, e que os jovens persas fossem trazidos perante ele. Eles foram conduzidos em cadeias, e ostentavam as marcas da crueldade com que haviam sido tratados. Ambos usavam a insígnia real de seu poder; o ouro, as pedras preciosas e o esplendor de suas vestimentas bordadas contrastavam tristemente com as pesadas correntes em seus pés e mãos. O senado inteiro olhou para eles com piedade. O Deus Todo-poderoso lançara à volta de seus servos uma majestade e uma beleza celestial, que despertavam nos espectadores temor e respeito.

Décio, levantando-se, dirigiu-se ao senado nestes termos:

— Padres conscritos! Seja conhecido de vossa augusta assembléia que os deuses e deusas entregaram-nos nas mãos os mais inveterados inimigos do Império. Olhem o canalha diante de vós!

Um murmúrio passou pela assembléia, e todos silenciaram apreensivos. Pareciam considerar com simpatia o jovem fidalgo. Então Décio mandou que Cláudio, o sumo sacerdote, fosse trazido ao capitólio a fim de fazer os dois cristãos sacrificar. Quando Cláudio chegou, Décio prometeu-lhes:

— Se sacrificardes agora, podereis continuar na liberdade de reis, e desfrutar de vossas posses, aumentando a vossa honra e o vosso poder sob o grande império de Roma. Cuidai em não recusar.

Abdon, porém, respondeu por si e pelo amigo: — Temos oferecido sacrifícios e homenagens, embora indignamente, ao Nosso Senhor Jesus Cristo; nunca sacrificaremos aos vossos falsos deuses.

Décio gritou aos lictores e aos serventes: — Que os mais severos tormentos sejam preparados para estes patifes, e que os leões e ursos os despedacem.

Corajosamente, Adon respondeu: — Não proteleis a execução desta sentença. Ansiamos por encontrar Nosso Senhor Jesus Cristo, que é capaz de destruir, quando assim o desejar, a vós e a vossas malvadas maquinações contra a sua Igreja.

Décio ordenou uma manifestação pública no anfiteatro, para que todos pudessem ver o destino dos cristãos pertencentes à realeza. No dia designado, eles foram levados para a frente do templo do Sol, a fim de se constatar se ofereceriam sacrifício. Os soldados empurraram-nos rudemente para diante do ídolo, mas eles o desprezaram. Arrancaram-lhes então as vestes, e os surraram. Depois disso, foram levados ao Coliseu, para serem devorados pelas feras.

Enquanto adentravam a arena, os dois reis disseram em alta voz: — Graças a Deus, estamos indo ao encontro de nossa coroa. — e então começaram a orar.

Dois leões e outros animais ferozes foram soltos na arena, mas foram postar-se, urrando, aos pés dos mártires. Não apenas não os tocaram, como também não os abandonavam, impedindo que os guardas se aproximassem dos santos servos de Deus. Vendo isto, Valeriano gritou:

— Eles possuem algum poder mágico. Que sejam mortos pelos gladiadores!

Os gladiadores entraram com lanças, e os assassinaram. Seus corpos foram amarrados juntos, e jogados diante do templo do Sol, ao lado do anfiteatro, onde foram deixados, para terror dos cristãos, por três dias. Na terceira noite, um cristão chamado Quirino, subdiácono, que permanecera o tempo todo junto ao anfiteatro, espreitando uma oportunidade para tirar os corpos, conseguiu recolhê-los e levá-los à sua casa. Envolveu-os respeitosamente em linho fino, e encerrou-os em um caixão de chumbo. Seus corpos foram assim preservados até o tempo de Constantino.

O local onde eles supostamente foram enterrados fica agora sob o jardim dos Passionistas, no Coeliano. Deus não deixaria no esquecimento a memória dos seus mártires. Durante o reinado de Constantino, quando Deus mostrou à igreja nascente de Roma o arco-íris da paz e da prosperidade, os corpos de ambos foram removidos para o cemitério de Pontiano, ou *ad Ursum Pileatum*, como era conhecido no princípio da Igreja. A bela e antiga igreja de Santa Bibiana foi erigida neste cemitério. Quando Gregório IV restaurou a igreja de São Marcos, no nono século, mandou que fossem levados para lá. A igreja católica enviou porções desses restos mortais à Florença e à França, como relíquia, mas a maior parte deles permanece preservada na igreja de São Marco, aguardando o momento em que se unirá novamente ao bravo espírito que os animava, para assistir ao julgamento do malvado mundo que os condenou.

Os Atos de Estêvão

Capítulo 15

1

Os eventos que estamos para relatar tiveram lugar no ano 259 da era cristã. Os imperadores Valeriano e Galieno haviam usurpado o trono, e sob o seu governo tirânico, uma terrível perseguição abateu-se sobre a Igreja. Dificilmente houve, em qualquer outro reinado dos duzentos e cinqüenta anos que se passaram sobre a Igreja, intervenções tão visíveis da providência divina para a exaltação de seus mártires e para a humilhação de seus inimigos, como as desse período. Os trovões do céu rolaram sobre a cabeça dos perseguidores, a terra tremeu-lhe sob os pés, e os seus ídolos derreteram-se como chumbo na fornalha da oração dos mártires. Contudo, rios de sangue jorraram, e os anjos, diariamente, transportaram para a residência de paz e alegria as almas preciosas dos triunfantes de Cristo.

Nunca houve na história do Império um tempo em que as pessoas foram tão visitadas pelas calamidades como nos reinados de Gallus e Valeriano. Inundações, incêndios e terremotos dizimaram províncias inteiras, e destruíram campos cultivados e belas cidades. A fome e a pestilência uniram-se na guerra do extermínio, e os lamentos do luto eram ouvidos em toda parte. Como era de se esperar, os cristãos foram responsabilizados por todas as calamidades do Império. O Diabo falou através dos oráculos do Capitólio, e atiçou os ânimos contra a "detestada religião", que nessa época espalhara-se a toda parte. A perseguição chegou trazida por circunstâncias peculiares.

Durante os três primeiros anos de seu reinado, Valeriano foi indulgente e pacífico. Ele era, de certo modo, afeiçoado aos cristãos. Em público, ou em particular, mostrava-lhes respeito e favor, e a Igreja florescia por todos os lados. "Antes da perseguição", relata Eusébio, o grande historiador da Igreja Primitiva, "Valeriano foi gentil e bondoso para com os servos de Deus. Nenhum dos regentes anteriores – nem mesmo aquele que era publicamente reconhecido como cristão (Filipe, ano 244) – mostrou tal favor para conosco como este príncipe no começo de seu reinado. A sua casa vivia cheia de cristãos, e mais parecia uma igreja de Cristo que um palácio do imperador romano" (Livro VII, cap. X).

Entre os cortesãos havia um homem chamado Macriano, de origem insignificante, mas que tinha alguma pretensão de aprender. Sendo bastante hábil com a feitiçaria e as mágicas, insinuou-se no favor do soberano. A avareza, a ambição e a crueldade tomaram posse de sua alma. Ele visava o poder supremo, e desejava satisfazer as vis inclinações de seu espírito derramando o sangue dos cristãos, a quem odiava sem causa. É de pensar que os demônios, a quem é permitido influenciar os homens através das artes negras, houvessem convencido Macriano de que nunca realizaria suas esperanças ambiciosas, enquanto Valeriano fosse amigo dos cristãos.

Macriano determinara perverter a nobre e generosa disposição do imperador. A história apresenta a terrível narrativa de seus sucessos. Ele começou por contar ao imperador as maravilhas da magia; como ele poderia desvendar o futuro, guiar o presente no caminho da prosperidade, e ser o talismã da riqueza, do poder e da glória. O irrefletido Valeriano caiu como mosca no mel envenenado. Sob os conselhos de seu preceptor impiedoso, passou a crer que as lições de sabedoria estavam escritas nas entranhas de bebês recém-nascidos, e que os terríveis segredos do futuro desconhecido podiam ser decifrados no sangue fluído do coração. A sua primeira vítima foi um recém-nascido. Em seu fanatismo cego, curvou-se sobre as vísceras mal-cheirosas para rastrear nas fibras escarlates a linguagem da profecia e do conhecimento. Os olhos preconceituosos enxergam tudo de uma só cor; de igual modo, quando a paixão predomina na alma, todos os pensamentos são moldados à sua forma, e as nobres faculdades do intelecto e da vontade emprestam seu serviço à sua gratificação. Assim, Valeriano achou ter visto na horrenda prática da magia as fontes desvendadas do conhecimento e do poder. Não é de admirar que, sob a orientação do impiedoso Macriano, ele descobrisse que os deuses (os demônios) estavam descontentes com o cristianismo; e como um abismo chama outro, ele caiu nas profundezas da crueldade, da intolerância e do fanatismo. No final de 251 d.C. Valeriano era um dos mais cruéis e desapiedados perseguidores da Igreja.

Durante os dias de paz que precederam a perseguição, Deus revelara a Cipriano, bispo de Cartago, que tempos difíceis estavam chegando. O erudito bispo escreveu a várias igrejas, preparando-as para a tormenta. Em sua sublime exortação ao martírio, em sua carta aos tibaritanos, ele declarou: "Instruído pela luz que o Senhor nos concedeu, devemos prevenir vossas almas pela solicitude de nossa admoestação. Vós deveis saber, e ter como certo, que dias de terríveis provações estão para chegar – o tempo do anticristo se aproxima. Devemos estar preparados para a batalha, e não pensar em nada, a não ser na coroa de glória e na inefável recompensa que seguirá à brava confissão de fé. As provações que se avizinham não são como as do passado; combates mais severos e mais sanguinolentos nos aguardam. Portanto, os soldados de Cristo devem preparar-se com fé inabalável e virtude imaculada, lembrando que são participantes do sangue de Cristo, e que podem derramar seu sangue por Ele" (Cipriano, Epis. 56, ad Thibaritano, de Exhortat. Mart.).

Quando, no ano seguinte, as nuvens da tempestade profetizada por Cipriano romperam sobre o mundo em todos os horrores de uma perseguição sangrenta, o próprio Eusébio foi uma de suas vítimas mais notáveis. Ele nos conta, noutra parte de sua obra, que quando a perseguição irrompeu, a turba enfurecida gritava no anfiteatro de Cartago, pedindo que ele fosse jogado aos leões. Como os edifícios mais altos são os mais expostos aos raios, os bispos e pais da Igreja foram as primeiras vítimas da perseguição. Em Roma, Estevão foi martirizado enquanto celebrava um culto nas catacumbas. É dos *Atos de Estêvão* que citaremos alguns dos episódios relacionados ao Coliseu durante a perseguição.

Conquanto Deus houvesse permitido a perseguição para provar a sua Igreja, preparou também terrível retribuição para a injustiça dos seus inimigos. Todos os perseguidores tiveram um fim precoce e miserável. Talvez nenhum desses tiranos que derramaram o sangue dos cristãos tenha sido tão humilhado e amaldiçoado como Valeriano. "Estes escolhem os seus próprios caminhos", diz o Senhor, através do profeta Isaias, "e a sua alma toma prazer nas suas abominações. Também eu quererei as suas ilusões" (Is 66.3,4). O Império inteiro tomou parte na maldição que se abateu sobre o impiedoso Valeriano; os males acumulados das pragas, das fomes, dos terremotos e das guerras civis desabaram como uma tempestade sobre o mundo, dizimando a raça humana e espalhando a toda parte o terror e a confusão.

Os bárbaros que viviam nas fronteiras das províncias investiram de todos os lados sobre diferentes partes do país, como que seguindo um plano preconcebido, pilhando e saqueando tudo à sua frente. Valeriano foi forçado a voltar a atenção a um inimigo mais formidável que os inofensivos cristãos. Ele organizou as tropas para a guerra, enviou seu filho Galieno contra os alemães, e o seu melhor e mais corajoso capitão a outra parte do Império, enquanto ele próprio liderou o exército contra os persas, que eram nesse tempo, como em muitos anos passados, os mais formidáveis inimigos do Império. Sapor, o rei dos persas, derrotou e destruiu o exército romano, e levou preso o imperador. A hora da retaliação chegara para o cruel Valeriano. Ele foi arrastado diante do persa arrogante, em cadeias, e ainda vestido com o seu magnífico manto de púrpura e ouro.

Depois de ser insultado da maneira mais bárbara e miserável, foi forçado a caminhar diante da carruagem do rei persa, e assim percorrer todas as cidades do reino, para ser insultado e maltratado pelo povo. O mais vil escravo não poderia ter sido tratado com mais desprezo. Toda vez que Sapor desejasse entrar na carruagem, ou montar seu cavalo, Valeriano era obrigado a dobrar-se com a face para o chão, e servir de escabelo. Após vários anos passados em humilhante servilismo, fome, insulto e dores incessantes, um destino ainda pior o aguardava. Quando se lhe desvaneceu a força natural, determinaram a antecipação de sua morte pelo último e mais cruel ato de desforra. Ele foi esfolado vivo, e a sua pele, enchida com palha, foi pendurada num dos templos como um monumento ao triunfo e à vingança dos persas. Assim devem perecer os que se levantam contra Deus!

2

Enquanto Valeriano prosseguia com os estudos impuros e medonhos da magia, os cristãos, cônscios da mudança que se lhe operaria no caráter, preparavam-se para a tempestade iminente. As catacumbas foram reabertas, e provisões foram transportadas para aquelas lúgubres residências dos mortos. O tabernáculo e o altar foram despojados de seus ornamentos, e os cultos passaram novamente a ser celebrados junto aos túmulos dos mártires, nas escuras passagens subterrâneas. Os catecúmenos eram batizados, e os fieis eram exortados e fortificados pela freqüente comunhão e oração incessante.

Valeriano demonstrou, de diversas maneiras, a alteração de seus sentimentos para com os cristãos. E enquanto ele premeditava o massacre dos seguidores de Cristo, um ato heróico de zelo e coragem de uma das criadas do palácio atiçou o fogo de seu coração pervertido, e desembainhou a espada para a matança de milhares.

Certo dia, uma pobre mulher estava chorando loucamente junto aos portões do palácio real. Uma cristã, serva do palácio, viu-a, e compreendeu que o seu bebê fora-lhe tirado pelo imperador, que naquele momento o estava cortando em pedaços. A cristã foi aos aposentos do soberano e encontrou-o, juntamente com o impiedoso Macriano, debruçado sobre o corpo sem vida de uma bela criança. Suas mãos estavam manchadas de sangue; eles mais pareciam fúrias que homens. Sentindo subir-lhe a santa indignação diante do quadro pavoroso, a destemida serva de Deus reprovou o imperador por sua impiedade, ameaçou-o com os julgamentos do Deus eterno, e fê-lo tremer com as terríveis retribuições que pendem sobre os assassinos e opressores dos pobres. Entretanto, o espírito do mal já se apossara do miserável Valeriano. As palavras de reprovação irritaram-lhe severamente a alma arrogante; ardendo de raiva, ele ordenou que os lictores removessem e torturassem a cristã que ousara repreendê-lo. Com o mesmo fôlego com que sentenciou a sua primeira mártir, ordenou que placas de bronze fossem penduradas nas paredes do Capitólio e nas colunas do Fórum, anunciando os decretos da perseguição e da matança.

Estevão reuniu à sua volta o trêmulo rebanho, e animou-o para o martírio; com santas admoestações e a leitura dos escritos sagrados, inspirou-lhes uma piedosa confiança. Entre outras coisas que citamos de Barônio (ano 259), os *Atos* do suplício deste santo homem contam que ele dirigiu-se aos fieis nestes termos:

"Meus filhinhos amados, ouçam a mim, um pecador. Enquanto há tempo, frutifiquemos em boas obras, e não apenas para com o próximo, mas a nós também. Em primeiro lugar, admoesto-vos a tomardes a vossa cruz e a seguirdes ao nosso Senhor Jesus Cristo, que condescendeu em dizer-nos: 'Quem achar a sua vida perdê-la-á; e quem perder a sua vida por amor de mim achá-la-á'. Por esta razão, suplico-vos que sejais mais solícitos, não apenas pela vossa salvação, mas pela do próximo também; se algum de vós tem amigos ou parentes ainda no paganismo, apressai-vos a trazê-los a Cristo, para que sejam salvos e batizados".

Entre os cristãos que ouviam estas advertências do líder estava Hipólito, um homem santo, que fora um rico cidadão romano, mas dera tudo o que possuía aos pobres, e agora levava uma vida solitária, nas catacumbas da Via Ápia. Quando Estêvão parou de falar, Hipólito lançou-se de joelhos, e expôs:

— Bom pai, tenho meu sobrinho e minha sobrinha, ambos gentios, a quem eu mesmo eduquei; a mãe deles, uma gentia, chama-se Paulina; o pai, que os envia a mim de tempos em tempos, chama-se Adrias.

Estêvão aconselhou-o a deter as crianças na próxima vez que lhe fossem enviadas, a fim de que os pais também viessem visitá-lo. Dois dias depois, as crianças vieram a Hipólito, trazendo alguns bolos. Ele reteve os sobrinhos, e mandou avisar Estêvão, que os veio conhecer e abraçar. Solícitos para com os filhos, os pais das crianças logo vieram buscá-las. Estevão falou-lhes então dos terrores do julgamento futuro, exortando-os seriamente a abandonar os ídolos, como fizera Hipólito. Adrias, o pai, disse que temia ser espoliado de suas propriedades e posto à morte – a sorte reservada a todos os que se professavam cristãos. Paulina, irmã de Hipólito, alegou o mesmo, e repreendeu-o por instigar tal coisa; ela odiava a religião cristã. A família partiu, deixando sem sucesso aqueles que os exortara, mas não sem esperança.

Estevão chamou Eusébio, o douto sacerdote, bem como o diácono Marcelo, e enviou-os a Adrias e Paulina, convidando-os novamente a vir às catacumbas, onde Hipólito vivia. Quando eles chegaram, Eusébio lhes disse:

— Cristo vos espera, a fim de introduzir-vos no reino dos céus.

E quando Paulina começou a insistir na glória deste mundo e na sina miserável dos cristãos, ele descreveu-lhes as glórias inefáveis do céu, que eles não podiam alcançar a não ser pela fé e o batismo. Paulina recusou decidir-se até o dia seguinte. Na mesma noite, um pai e uma mãe cristãos vieram com o filho paralítico até Eusébio, para que ele o batizasse. Eusébio orou pelo menino e batizou-o. O menino foi imediatamente curado da paralisia; sua língua, que era presa, soltou-se, e ele glorificava a Deus. Então Eusébio realizou a santa ceia, e todos participaram do corpo e do sangue de Cristo. Quando contaram isto ao bispo Estêvão, ele veio reunir-se a eles, e todos regozijaram-se em Deus.

Na manhã seguinte, Adrias e Paulina retornaram, e ao ouvir sobre a cura do menino, encheram-se de admiração; prostrando-se contritos, pediram para ser batizados. Hipólito rendeu graças a Deus, e bradou: — Pai, não adia o seu batismo.

A resposta de Estêvão foi: — Deixemos então que a solenidade seja completada; faze-lhes as perguntas prescritas, para que se constate se eles realmente crêem e não têm mais nenhum tremor no coração.

Após as interrogações, ele recomendou-lhes que jejuassem, e havendo-os instruído, batizou-os; deu ao menino o nome de Neone, e à menina, o de Maria. Estêvão partiu, e os novos convertidos ficaram morando com Hipólito, Eusébio e Marcelo nas catacumbas. As propriedades que possuíam na cidade foram distribuídas aos pobres.

Tão logo essas notícias chegaram aos ouvidos do imperador, ele ordenou que procurassem os convertidos, prometendo que metade da propriedade deles seria dada em recompensa a quem os encontrasse. Foi então que Máximo, um escrevente de uma das repartições do governo, recorreu a um estratagema para os achar. Fingiu ser um cristão que recolhia donativos, e dirigindo-se a um local chamado *Area Carbonaria*, no monte Coeliano, lá esteve esmolando até que viu Adrias passar, e dirigiu-se a ele a fim de obter uma prova de que era mesmo cristão:

— Pelo amor de Cristo, em quem eu creio, eu te suplico, tem piedade de minha miséria.

Apiedando-se dele, Adrias convidou-o a acompanhá-lo. Mas quando iam entrando em casa, Máximo foi pego por um demônio, e gritou: — Homem de Deus! Sou um informante. Vejo sobre mim um fogo imenso. Oh, ora por mim. Estou sendo torturado pelas chamas!

Os crentes intercederam por ele com lágrimas, e ele, prostrando-se ao chão, foi curado. Quando o levantaram, ele exclamou: — Pereçam os adoradores dos ídolos. Quero ser batizado!

Levaram-no a Estêvão, que o instruiu antes de o batizar. Sendo agora um cristão, Máximo pediu para ficar alguns dias com o bispo Estêvão.

Quando Máximo não retornou, procuraram por ele, e alguns de seus colegas escreventes foram enviados à sua casa pelo mesmo departamento. Encontraram-no prostrado em oração. Lançando mão dele, levaram-no a Valeriano, que lhe indagou:

— Ficaste tão cego pelo suborno, a ponto de enganar-me?

— É verdade — replicou Maximo. — Até então eu fui cego, mas agora, havendo sido iluminado, eu vejo.

— Por qual luz? — indagou o imperador.

— A luz da fé no Senhor Jesus Cristo — confirmou Máximo.

Enfurecido, Valeriano ordenou que ele fosse lançado de uma das pontes do Tibre. Seu corpo foi depois sepultado por Eusébio nas catacumbas, na Via Ápia.

Depois disso, Valeriano enviou um grupo de setenta soldados, com ordens de aplicar toda diligência, até encontrarem Eusébio e os demais. Quando o bispo, juntamente com Adrias, Paulina, as crianças, e o venerável Hipólito foram descobertos, conduziram-nos algemados ao Fórum de Trajano. O diácono Marcelo queixara-se da crueldade do imperador contra os amigos sinceros, e foi denunciado por Secundino Togato. Por causa disto, ele também foi apanhado.

Eusébio, o sacerdote, foi o primeiro a ser interrogado pelo juiz: — És tu o perturbador da cidade? Mas, antes, qual é o teu nome?

— Chamam-me Eusébio, e sou sacerdote.

Então o juiz ordenou que ele se sentasse a um lado, e que Adrias fosse trazido. Indagado primeiramente quanto ao seu nome, e depois sobre como conseguira a riqueza e a influência com que seduzia as pessoas, respondeu:

— Em nome de Jesus Cristo, herdei-as do esforço de meus pais.

— Então faze uso de tua herança, e não a desperdices subvertendo os outros — admoestou o juiz.

— Eu realmente a emprego, e sem fraude, para o meu próprio bem e o bem de meus filhos.

— Tens filhos e esposa?

— Eles estão aqui comigo, algemados.

— Que sejam introduzidos — ordenou o juiz.

Paulina e os filhos, Neone e Maria, foram trazidos à sua presença, seguidos pelo diácono Marcelo e por Hipólito.

— É esta a tua esposa? E são estes os teus filhos? — indagou o juiz.

— São eles — confirmou Adrias.

— E quem são estes outros dois?

— Aquele é o diácono Marcelo, e este é meu irmão Hipólito, um fiel servo de Cristo.

Voltando-se para eles, o juiz exigiu: — Declarai com vossa própria boca por qual nome sois chamados.

Marcelo respondeu: — Chamam-me Marcelo, o diácono.

— E tu? — dirigiu-se ele a Hipólito. — Qual é o teu nome?

— Hipólito, servo dos servos de Cristo.

O juiz ordenou que Paulina e as crianças fossem postas à parte, e falou a Adrias: — Dizei-me onde estão os teus tesouros, e que tu e os demais que contigo vieram ofereçam sacrifícios aos deuses, salvando vossas vidas; de outro modo, logo a perdereis.

— Já lançamos fora os ídolos vãos — interveio Hipólito —, e encontramos o Senhor do céu e da terra, Cristo, o filho de Deus, em quem cremos.

O juiz ordenou então que todos fossem levados à prisão pública, e que não fossem separados. Foram todos conduzidos à Marmetina. Após três dias, o prefeito, assistido por Probo, reuniu a corte no Templo da Terra, onde ordenara que instrumentos de tortura de todos os tipos estivessem de prontidão. Adrias foi trazido primeiro, e interrogado sobre as suas propriedades. Quando nada satisfatório lhe foi extraído, o altar diante de Minerva foi aceso, e eles receberam ordens de oferecer incenso. Todos rejeitaram com horror a proposta, rindo do juiz por lhes pedir tal coisa. Foram então despidos, estendidos nus sobre o cavalete, e surrados com varas. Paulina, açoitada severamente, rendeu a alma a Deus. Vendo isto, o juiz mandou que Eusébio e Marcelo fossem decapitados. A sentença foi executada na Petra Scelerata, próximo ao Coliseu, em 13 de novembro. Seus corpos foram deixados aos cães; o de Paulina foi arremessado no pavimento. Um outro Hipólito, um diácono, recolheu os três, e sepultou-os nas catacumbas da Via Ápia, onde eles tantas vezes haviam se reunido.

Depois disso, Secundino levou Adrias, as duas crianças, e Hipólito à sua própria casa, tentando por todos os meios descobrir onde estava o dinheiro deles. Mas suas respostas eram as mesmas:

— O que possuíamos, gastamos com os pobres; nosso tesouro é a nossa alma, que não podemos de maneira alguma perder. Cumpre a tua missão.

Secundino, então, mandou torturar as crianças, a quem o pai encorajara: — Sede firmes, meus filhos.

Enquanto recebiam os golpes, a única coisa que as crianças diziam era: — Ajuda-nos, Cristo!

Depois foi a vez de Adrias e Hipólito serem supliciados, tendo as laterais do corpo queimadas com tochas. E quando haviam sido torturados de diversas maneiras, sem de modo algum serem induzidos a sacrificar, Secundino ordenou:

— Rápido! Levantai do chão as crianças Neone e Maria, trazei-as à Petra Scelerata, e matai-as diante dos olhos do pai.

Feito isto, seus corpos foram atirados num lugar público, ao lado do anfiteatro. À noite, cristãos fiéis levaram-nos dali, e os sepultaram na mesma catacumba que a sua mãe, na Via Ápia.

Quando, passados oito dias, Secundino relatou tudo ao imperador, ele mandou que seu trono fosse preparado no circo. Flamínio, Hipólito e Adrias, foram conduzidos acorrentados, com um arauto gritando à frente: — Estes são os culpados miseráveis, os canalhas que subverteram a cidade!

Quando chegaram ao tribunal, o juiz pôs-se novamente a questioná-los acerca do dinheiro, propondo: — Entregai o dinheiro que usais para induzir o povo ao erro.

— Nós pregamos a Cristo — replicou Adrias —, que condescendeu em livrar-nos do erro, não para a destruição dos homens, mas para que tenhamos vida.

Quando Secundino viu que suas palavras de nada valiam, mandou que lhes batessem na boca com varas pesadas, enquanto o pregoeiro proclamava: — Sacrificai aos deuses, queimando-lhes incenso!

O trípode, um objeto de três pés, já estava aceso para este propósito.

Hipólito, escorrendo sangue, gritou: — Executa teu ofício, infeliz, e não para!

Então Secundino mandou que os executores parassem de bater, e insistiu: — Ao menos agora, tendes dó de vós mesmos; vede que tenho pena de vossa loucura.

Os cristãos responderam: — Estamos prontos a suportar qualquer tormenta para não fazer o que tu e o imperador desejais.

Secundino relatou isto ao imperador Valeriano, que ordenou a destruição imediata de ambos, na presença do povo.

Desta vez, Secundino mandou que fossem levados à ponte de Antônio, e espancados até a morte. Depois de sofrer por um longo tempo, eles entregaram a Deus o espírito; seus corpos foram deixados no mesmo lugar, próximo à ilha Licaônia. Hipólito, o diácono da igreja de Roma, removeu os corpos, durante a noite, para a mesma cripta na Via Ápia (5 de dezembro), onde os outros fiéis haviam sido postos. (Veja Barônio, ano 259, nº 8 e seguintes.)

Nos *Atos* que estamos citando, descobrimos que, tão logo as catacumbas receberam os restos mortais dos mártires, tornaram-se também o lar voluntário dos vivos. Enquanto a paz reinava no Império, e os sacrifícios impuros eram oferecidos em pequenos templos no centro da cidade, alguns cristãos fervorosos retiravam-se para as catacumbas a fim de orar sossegados. Este era o caso de Hipólito, o irmão de Paulina, cuja morte acabamos de descrever. Há, nos mesmos *Atos*, a comovente história de uma mulher grega e de sua filha, que passaram alguns anos numa das criptas da Via Ápia, permanecendo em oração até bem depois de a espada da perseguição haver voltado para a bainha. Elas eram parentes de Adrias e Paulina, e eram igualmente cristãs. Ao chegarem a Roma, souberam que seus familiares haviam sido martirizados por amor a Cristo. Em grande alegria, foram à capela das catacumbas (hoje chamada Capela de São Sebastião), onde os mártires haviam sido enterrados, e lá passaram treze anos em vigília e oração, até que aprouve a Deus chamá-las para o céu. Foram ambas sepultadas na mesma cripta.

3

Quase um ano se passara, desde que tiveram lugar as cenas acima descritas. A perseguição ainda assolava, mas já ia perdendo a virulência de sua irrupção. O Diabo, que se apossara do coração de Valeriano, incitava-o a crueldades ainda maiores, e a um ódio mais profundo e intenso pelos cristãos. Conseqüentemente, ele emitiu um decreto mais maldoso que o primeiro, e prometeu como recompensa aos informantes todas as propriedades dos cristãos por eles traídos. Enviou ordens secretas aos governadores das províncias, esclarecendo que, apesar de publicamente ordenar a morte apenas dos cristãos principais, na verdade desejava o total extermínio da religião.

Assim, no ano seguinte, a perseguição tornou-se mais feroz que nunca. Devemos agora retornar à segunda parte dos *Atos* que estamos citando, e continuar a história de carnificina e horror passada no Coliseu dezessete séculos atrás.

Quando o édito foi publicado, Estêvão, o líder, convocou o clero, e encorajou-os: — Irmãos e companheiros de armas, já ouvistes falar do diabólico mandato: se um gentio entregar um cristão, receberá como recompensa todos os seus bens. Portanto, irmãos, rejeitai com desprezo os deuses deste mundo, para que possais receber o reino celestial; não temei os príncipes da terra, mas orai ao Deus do céu e a Jesus Cristo, seu Filho, que nos podem resgatar das mãos dos inimigos e da malícia de Satanás, associando-nos à sua graça.

O presbítero Bonus ajuntou: — Não apenas estamos preparados para renunciar aos bens terrenos, mas também para verter o nosso sangue pelo nome do Senhor Jesus Cristo.

Quando Bonus acabou de falar, todo os cristãos achegaram-se a Estêvão, e pediu-lhe permissão para trazer seus vizinhos gentios que desejavam ser batizados. Ele determinou que no dia seguinte reunissem-se todos na cripta de Nepotiana.

No raiar do dia seguinte, cento e oito catecúmenos de ambos os sexos estavam reunidos. Estêvão batizou-os, e dirigiu o culto de que todos participaram. Enquanto o bispo ocupou este posto nas catacumbas, cuidando das questões da Igreja, ensinando, exortando, presidindo concílios, e celebrando cultos nas criptas dos mártires, multidões de gentios acorriam a ele para serem instruídos e batizados.

Simprônio, o servo de um desses novos convertidos, foi apanhado, interrogado, e forçado de todas as formas a revelar como ele dispusera do dinheiro de seu rico senhor. Entre outras coisas, quando a imagem de Marte foi posta diante dele com o tripé, para que sacrificasse, ele declarou: — Possa o Senhor Jesus Cristo, Filho do Deus vivo, destruir-te!

E imediatamente o ídolo fundiu-se. Admirado, Olimpo, o oficial encarregado de sua execução, mandou que ele fosse levado a sua própria casa, ameaçando esgotar sobre ele, naquela noite, toda espécie de tormento.

Chegando ao lar, Olimpo contou a sua esposa, Exupéria, como o ídolo derretera diante do nome de Cristo.

— Então — ponderou ela —, se a virtude deste nome é tão grande como disseste, é melhor que abandonemos os deuses que não podem defender nem a nós nem eles mesmos, e procuremos este Jesus que deu a vista à filha de Nemésio.

Olimpo, então, mandou que Tertuliano, seu servente, tratasse honradamente a Simprônio, e tentasse descobrir onde estava o tesouro de Nemésio, seu amo. Naquela mesma noite, porém, ele e Exupéria, juntamente com o filho, vieram até Simprônio e caíram de joelhos, professando:

— Reconhecemos o poder de Cristo. Queremos ser batizados por ti!

— Se tu, tua esposa e teu filho estais realmente arrependidos — falou Simprônio a Olimpo —, podemos cuidar do batismo.

— Terás a prova agora mesmo — prometeu Olimpo —, de que de todo o meu coração eu creio no Senhor Jesus a quem pregas. —assim falando, abriu um aposento onde ele conservava ídolos de ouro, prata e mármore, e garantiu a Simprônio que estava pronto a fazer com eles o que ele achasse por bem.

— Então destrói cada um deles com tuas próprias mãos — propôs Simprônio. — Derrete o ouro e a prata, e distribua-os aos pobres, e então saberei que crês de todo o coração.

Quando Olimpo fez o que foi mandado, ouviu-se uma voz que lhe disse: — Deixa meu Espírito habitar em ti.

Ao ouvir isto, ele e sua esposa começaram a fortalecer-se mais e mais, fervendo com o desejo de ser batizados. Simprônio comunicou estas coisas a Nemésio, então em liberdade, e ele foi imediatamente relatá-las ao bispo Estêvão. O bispo agradeceu a Deus, e à noite, dirigiu-se à casa de Olimpo, que caiu de joelhos com a esposa e o filho, apontando os fragmentos dos ídolos, como uma prova de sua sinceridade. Vendo isto, Estêvão pôs-se a doutriná-los nas coisas espirituais. Depois batizou o casal juntamente com os seus serviçais que creram, e com o seu filho, a quem deu o nome de Teodolo.

Três dias depois, a notícia chegou a Valeriano e a Galieno, que imediatamente ordenaram a morte de Nemésio e de sua filha, Lucila, a quem a vista fora restaurada. Ambos foram assassinados no templo de Marte, enquanto Simprônio, Olimpo, Exupéria e Teodolo foram queimados até a morte, próximo ao anfiteatro. Eles expiraram entoando louvores a Cristo, que lhes concedera o privilégio de ser contado entre os mártires. Seus restos mortais foram recolhidos pelo clero, e acompanhados até a tumba por Estêvão, com os hinos habituais. Alguns dias depois, decretos especiais foram emitidos para a apreensão e punição de Estêvão e da igreja romana. Doze deles foram apanhados imediatamente, e levados à morte sem nenhum interrogatório. Entre eles estava o amado sacerdote Bonus, ou o Bom, que fizera aquela gloriosa declaração nas catacumbas, quando a igreja fora convocado por Estêvão. Seus corpos foram recolhidos por Tertuliano, um liberto de Olimpo, e depositados próximo àqueles dois outros mártires, numa cripta perto da Via Latina. Ouvindo isto, Estêvão mandou chamar Tertuliano, e havendo-o instruído a respeito do reino do céu e da vida eterna, batizou-o, e recomendou-o a um pastor, que o encarregou especialmente de procurar os corpos dos mártires. Dois dias depois, Tertuliano foi apanhado e levado perante Valeriano, por quem foi interrogado como sendo propriedade de Olimpo; havendo respondido e suportado toda espécie de tortura com uma constância heróica, foi finalmente decapitado no segundo marco miliário da Via Latina. Seus restos foram recolhidos por Estêvão e depositados na mesma cripta que os demais.

No dia seguinte, vários soldados foram enviados a prender Estêvão e os cristãos que com ele estivesse. Quando o levaram à presença de Valeriano, o imperador indagou:

— És tu que estás te empenhando para destruir a república, e por tua persuasão induzir o povo a abandonar a adoração aos deuses?

— Eu não arruíno a república — afirmou Estêvão —, mas de fato, admoesto e exorto o povo a renunciar aos demônios a quem eles adoram nos ídolos, e a reverenciar somente ao Deus verdadeiro, e a Jesus Cristo, a quem Ele enviou.

Valeriano ordenou, então, que ele fosse conduzido ao templo de Marte, onde a sua sentença seria lida nas tabuinhas.

Sendo levado para fora da cidade, na Via Ápia, e chegando ao templo de Marte, Estêvão levantou os olhos ao céu e orou: — Senhor Deus e Pai, que destruíste Babel, a torre da confusão, destrói este lugar onde o Diabo engana o povo com superstições.

Começou a trovejar. Um raio atingiu o templo, derrubando uma parte dele. Os soldados correram, deixando Estêvão sozinho. Ele dirigiu-se então ao cemitério de Lucina, com os pastores e diáconos que o auxiliavam, e ali encorajou os cristãos para o martírio. Depois, adorou ao Deus Onipotente. Os soldados que haviam saído em seu encalço encontraram-no celebrando o culto. Sem se atemorizar, Estêvão prosseguiu ministrando até os soldados lhe cortarem a cabeça, no momento em que ele se sentava na cadeira pontifical, diante do altar. Era o dia 4 de agosto. Foi grande a lamentação dos cristãos, ao serem privados de seu generoso pastor. Eles o depositaram numa cripta, juntamente com a cadeira ensopada por seu sangue, num local chamado cemitério de Calisto. (Veja Barônio, ano 260.)

Os restos mortais de Hipólito, Adrias, Paulina, e das crianças Neone e Maria, acham-se preservados sob o altar da bela igreja de Santa Ágata, em Suburra. Ela é agora a capela acadêmica dos estudantes irlandeses em Roma, a quem foi concedida, juntamente com a ampla faculdade anexa, por Gregório XVI, "de abençoada memória". Os discípulos de Patrício aprendem que o espírito de mártir ainda é necessário em seu país. A Irlanda também teve os seus mártires, e o túmulo das vítimas das primeiras perseguições à Igreja deve, forçosamente, trazer à memória do levita exilado a história de seu país sofredor. A sua fé vê o lado brilhante da nuvem que passou sobre a Irlanda nos tempos penais; seus pais estão com os heróis de Roma, na brilhante galáxia dos mártires do céu; seu país é contado entre as nações favorecidas por Deus.

[1] A pequena capela onde Máximo foi sepultado ainda é vista nas catacumbas de São Sebastião, na Via Ápia. Como estas catacumbas são abertas ao público estrangeiro, não há nada tão conhecido na Cidade Eterna. A pedra com a inscrição "Locus Maximi" ainda se acha preservada no mesmo ponto. Era nesta sombria capela subterrânea que Filipe Néri costumava passar noites inteiras em oração.

Os Duzentos e Sessenta Soldados

Capítulo 16

Enquanto o ímpio Valeriano estava pagando a pena de seus crimes sob o chicote do vitorioso Sapor, rei da Pérsia, seu filho Galieno, devasso e imprestável, dava continuidade ao reinado de tirania. Sem afeição por seu pai, e sem interesse pelo Império, ele entregou-se aos mais vergonhosos excessos e libertinagens.

Cinco usurpadores levantaram-se quase simultaneamente para arrancar-lhe das mãos as rédeas do Império. Entre eles estava Macriano, cujo perverso conselho levara Valeriano a hostilizar os cristãos, e provocara a terrível retribuição do céu sobre o infortunado imperador. O rival mais bem-sucedido de Galieno foi o soldado Cláudio; no governo de Valeriano, ele passara de tribuno a comandante militar. Seu triunfo sobre os godos tornou-o famoso; prodigalizaram-lhe louvores, erigiram estátuas em seu nome, e ele tornou-se o ídolo do exército. A sua ambição acompanhou os passos de sua fortuna; ele visava o comando supremo.

Cláudio era um homem astucioso, e lançou mão de um estratagema para remover seu rival: escreveu os nomes de alguns dos mais bravos e audaciosos oficiais do exército de Galieno, imitando perfeitamente os caracteres e a caligrafia do imperador. O documento, que pretendia alistar os nomes de quem o tirano tencionava matar, foi enviado por um confidente ao campo de Galieno, que se achava sitiado pelo usurpador Aureolo, em Milão. Ele foi recebido por uma das supostas vítimas, que reuniu os demais à sua volta, e resolveram matar Galieno à noite. Quando escureceu, eles deram um alarme falso, e os soldados foram chamados às armas. Na confusão, o ignóbil imperador teve o corpo trespassado por um dardo, e um soldado partiu-lhe a cabeça em duas partes, com a espada. Cláudio foi declarado imperador por seu próprio exército, derrotou Aureolo, e veio a Roma para mergulhar as mãos no sangue dos cristãos, e manchar o próprio nome com a infâmia eterna.

Seu predecessor era demasiadamente destemperado para ser formidável. A crueldade, o derramamento de sangue e a imolação indiscriminada de vítimas inocentes não são as manchas encontradas na página da história que lhe menciona o nome. A sua impureza, intemperança, e visível tolerância das paixões brutais não lhe permitiram um momento de sobriedade para molestar os cristãos. Não obstante, as velhas leis de perseguição ainda estavam em vigor; havia juízes e governadores que usavam os terríveis decretos para satisfazer caprichos cruéis, e remover aqueles a quem consideravam detestáveis. Muitos martírios foram registrados nas províncias, enquanto em Roma a perseguição transcorria sem os horrores da matança. Os cristãos sofreram, mas não no Coliseu, nem na Petra Scelerata; não eram retalhados com chicotes nodosos, nem lançados em caldeirões de óleo fervente; não eram jogados no Tibre, nem decapitados no terceiro ou sétimo marco miliário. Outra perseguição, uma perseguição mais fatigante, os assolava. Eles eram lançados em prisões repugnantes, acorrentados às galeras, ou forçados a trabalhar como os malfeitores nas florestas e nos poços de areia, nas adjacências da cidade.

Assim, quando Cláudio entrou em Roma, já tinha as vítimas preparadas para si. Seu curto e sangrento reinado começou com uma das cenas mais cruéis e dolorosas encontradas nos contos de horror do Coliseu.

Nos *Atos* dos nobres persas Mário, Marta e seus filhos, apresentados nos Bolandistas, e datados em 9 de janeiro (e 1º de março), lemos o seguinte:

"Ao mesmo tempo, Cláudio ordenou que se algum cristão fosse encontrado, na prisão ou livre, deveria ser punido sem julgamento. Quando esta lei foi promulgada, foram detidos na Via Salária duzentos e sessenta cristãos que, pelo nome de Cristo, foram condenados a trabalhar nos areeiros. Eles foram confinados no depósito de um oleiro, e depois levados ao anfiteatro para serem assassinados com flechas. Quando isto aconteceu, Mário e sua esposa Marta, juntamente com os filhos Audifax e Abacuque, passaram por grande aflição. Foram com o abençoado sacerdote João ao lugar onde eles haviam sido assassinados, e descobriram que tinham tocado fogo nos corpos. Começaram a removê-los e a sepultá-los com ungüentos e especiarias, pois eram pessoas abastadas. A quantos puderam resgatar, enterraram numa cripta da Via Salariana, perto de *Clivum Cucumeris*. Sepultaram também um certo tribuno de Cláudio, chamado Blasto, e passaram muitos dias naquele lugar, com João, em jejum e oração".

A imaginação deve completar os detalhes horrendos deste massacre. De acordo com os *Atos*, eles foram mortos a flechadas, no Coliseu. A brutal soldadesca teve permissão para ocupar o lugar dos espectadores, e atirar flechas em seus companheiros, forçados a entrar na arena. Os arqueiros eram sempre os mais selvagens e violentos dentre os militares; os executores públicos eram geralmente escolhidos nesta unidade. Seus hábitos destemperados, sua aparência rude e bruta, e a sua falta de humanidade, faziam-nos odiados pelos próprios pagãos. Eles eram instrumentos de tortura nas mãos dos tiranos, para afligir os cristãos.

É doloroso contemplar estes bravos soldados, desarmados, amarrados e silenciosos, esperando que os dardos fatais os atravessassem. Em vão procuramos nos horrores dos naufrágios ou dos campos de batalha por algo que pudéssemos comparar a esta cena. No primeiro, os terrores são mais na antecipação que na realidade; a onda que engolfa sua vítima esconde até mesmo a agonia da morte; um grito ocasional de uma vítima debatendo-se rompe da tempestade; passado um momento, porém, tudo está acabado; nenhum vestígio do naufrágio é visto: os vagalhões rolam, e o vento uiva, como antes. Mas não assim na cena diante de nós, no Coliseu. Durante horas, os suspiros dos moribundos misturam-se às risadas dos arqueiros. Um grupo está de joelhos, mãos postas em oração; o zumbido das flechas voando é o seu dobre fúnebre. Eles caem um a um. Dois amigos agarram-se num último abraço, e caem juntos. O sangue de ambos mistura-se na mesma torrente. Nunca houve uma batalha maior vencida pelo bravo. Sua coragem foi um desafio à morte; o espólio de sua vitória, a maior riqueza já obtida.

Seriam esses pobres soldados estranhos a todos os laços de afeto e paixões da alma? Certamente que não. A graça de sofrer o martírio não significa o entorpecimento das sensibilidades humanas; as suas afeições, seus medos e dores são sentidos tão fortemente quanto no coração do soldado moribundo no campo de batalha. O lar, a família e os amigos eram amados pelo mártir, mas o bálsamo sobrenatural da graça amortecia a pontada da separação. Os pais idosos, o cônjuge amado, e os filhos queridos eram alegremente entregues à Providência paternal, que abençoa com o mesmo afago com que pune. Sem um murmúrio, sem um sinal de pesar, eles aguardam a coroa.

Dos horrores deste massacre, somos levados em espírito a outra cena, brilhante e consoladora. Podemos imaginar os espíritos dos soldados agonizantes elevando-se acima da abóbada grandiosa do anfiteatro, ostentando coroas de louro imarcescível; suas almas livres flutuam na alegria eternal. Quando a grande ruína é iluminada numa noite de verão por milhares de pirilampos, como estrelas flutuantes no céu escuro, vêm-nos à mente os anjos brilhantes enviados do céu para saudar aqueles soldados martirizados. É terrível o contraste entre a escuridão do massacre no mundo material, e o júbilo que ele causa nas regiões da felicidade verdadeira. Séculos de alegria imutável têm passado sobre aqueles heróis do Coliseu; curta foi a sua batalha; eterna a sua recompensa. As aflições terrenas são momentâneas; no além-túmulo, tornam-se manchas pequeninas no horizonte longínquo do passado. Os tormentos cruciantes do martírio, que a princípio fazem estremecer, são transições instantâneas para a alegria eterna. Não é, pois, com sentimentos de pena ou indignação, que afastamos desta cena de sangue o nosso pensamento; levantamos o olhar de nossa pequenez para elevá-lo à brilhante galáxia dos espíritos martirizados, nas regiões celestiais, e, viajores que somos neste vale de lágrimas, desejamos juntar-nos a eles em seu incessante hino de gratidão a Deus, por sua misericórdia e bondade.

Os Atos de Priscila

Capítulo 17

1

Quando Cláudio era imperador, emitiu um édito que foi o mais impiedoso do mundo: ou os cristãos sacrificavam aos ídolos, ou eram mortos. Ele ordenou aos presidentes e juízes que executassem a lei, e assim destruíssem todos os cristãos. Prescreveu, além disso, que aqueles que consentissem em sacrificar deveriam ser considerados dignos de grande honra, enquanto os dissidentes deveriam ser tratados com a máxima crueldade. A fim de manifestar a seriedade de seu zelo, e para iniciar a observância de sua lei impiedosa, Cláudio presidiu os sacrifícios no templo de Apolo, e ao mesmo tempo ordenou que os soldados agarrassem a qualquer um conhecido como cristão, homem ou mulher, e por meio do terror e da tortura, forçasse-o a sacrificar aos deuses.[1]

Havia, então, homens malignos, que desejavam ardentemente destruir a adoração cristã. Dirigindo-se a certa igreja, eles encontraram Priscila orando. Ela era de sangue nobre; seu pai fora senador três vezes, e era riquíssimo. Esta santa criança tinha apenas onze anos, e era adornada com a graça de Deus e a pureza moral.[2] Os ministros do imperador comunicaram-lhe:

— O nosso imperador Cláudio mandou que sacrificasses voluntariamente aos deuses.

— Primeiro deixai-me entrar na santa igreja universal — replicou ela com o coração jubiloso —, a fim de orar ao meu Senhor Jesus Cristo, e então iremos em paz. É necessário que, em nome de Jesus, eu confunda o nosso ignóbil imperador, e participe do triunfo de Cristo.

Retornando à igreja, ela completou sua oração.

Havendo terminado sua petição, ela foi com eles ao imperador. Entrando no aposento de Cláudio, os ministros anunciaram: — Esta menina está disposta a obedecer ao comando de vossa majestade.

Ao ouvir isto, o imperador alegrou-se sobremaneira, e ordenou que ela fosse trazida perante ele. Quando introduziram a garota no palácio, levando-a a sua presença, ele exclamou: — Tu és grande, ó deus Apolo! E glorioso sobre todos os deuses, pois trouxeste-me esta ilustre donzela, tão bonita e com tão boa disposição. — E voltando-se a Priscila, continuou: — Arranjei para que fosses trazida perante mim, para fazer de ti a minha soberana e participante do poder de meu reinado.

— Mas eu sacrificarei sem sangue — propôs Priscila —, e unicamente ao Deus imaculado, meu Senhor Jesus Cristo.

Ouvindo estas falas, e não lhes compreendendo o significado, o imperador ordenou que ela fosse levada ao templo de Apolo, a fim de oferecer-lhe sacrifícios. Recebendo ordens de entrar no templo, a santa jovem, com o semblante animado, pediu ao soberano:

— Entrai também vós, e todos os sacerdotes de Apolo, a fim de verdes como o Senhor onipotente e imaculado se agrada do sacrifício de seus fiéis.

O imperador mandou que todas as pessoas ali reunidas observassem o que ela ia fazer.

— Glórias a ti, o Pai glorioso! — Exaltou Priscila. — Eu te invoco e te suplico: lança por terra este ídolo inerte e mudo, este vil emblema da falsidade e da corrupção. Mas tu, ó Pai, ouve-me, a mim pecadora, para que o imperador saiba como é vã a sua esperança depositada nos ídolos, e reconheça que não deve adorar outro deus além de ti.

Tão logo ela orou, houve um grande terremoto; a cidade inteira foi sacudida. A estátua do deus balançou, e caiu; de igual modo, a quarta parte do templo foi destruída, e esmagou uma multidão, juntamente com os sacerdotes do ídolo.[3]

Aterrorizado, o imperador fugiu. Priscila insistiu com ele: — Fica, imperador, e assiste. Teu Apolo está quebrado em pedaços, e tu podes, agora, ajuntar os cacos. Além do que, teus sacerdotes foram destruídos na mesma ruína. Deixa que Apolo venha ajudá-los.

O demônio que habitava o ídolo falou em alta voz: — Ó virgem Priscila! Serva do grande Deus que reina no céu, tu que guardas seus mandamentos, e privaste-me de minha habitação! Morei aqui durante sessenta e sete anos, doze deles no governo de Cláudio. Muitos mártires vieram, e não me expuseram. Tenho sob meu comando outros noventa e três espíritos dos mais impiedosos, e ordenei a cada um deles que me sacrifique diariamente cinqüenta almas de homens.[4] Ó imperador, perseguidor dos cristãos! Encontraste uma alma santa, e por causa dela terminarás o teu reinado em desgraça.

Estas palavras foram ditas numa voz alta e lamentosa. Densas trevas cercaram os presentes, e eles se foram tremendo de apreensão.

O imperador Cláudio, não compreendendo que fora pelo poder divino que o ídolo sofrera a queda, mandou que a menina fosse esbofeteada na face. Depois de estapeá-la por algum tempo, os executores perderam a força e suplicaram:

— Ai de nós pecadores! Sofremos mais que a menina. Ela não está ferida, e nós sentimos dores. Imploramos-te, ó imperador, que ela seja levada de nós.

Cláudio, porém, enraivecido contra eles, determinou que o rosto de Priscila fosse esbofeteado ainda mais. Olhando para o céu, a donzela clamou:

— Bendito sejas, Senhor Jesus Cristo! Tu dás paz eterna àqueles que em ti crêem.

Ela foi imediatamente rodeada por uma luz brilhante, e ouviu-se uma voz do céu:

— Filha, tem bom ânimo, e nada teme. Eu sou o Deus a quem invocaste, e jamais te abandonarei.

Depois destas coisas, o imperador encolerizou-se até quase a loucura. No dia seguinte, sentando-se no tribunal, exigiu: — Trazei-me aquela bruxinha malvada, para que vejamos mais um pouco do seu feitiço.

Quando Priscila lhe foi trazida, ele indagou-lhe: — Consentes em viver comigo, e sacrificar aos deuses?

Firmemente, ela respondeu: — César, o mais ímpio dos homens, e filho de um pai satânico! Não te envergonhas de insultar uma garota indefesa, e de tratá-la desse modo, quando sabes que ela nunca consentirá em sacrificar aos ídolos?

Enfurecido, o imperador mandou que ela fosse despida e surrada com um chicote. O corpo da criança surgiu branco como a neve, e tão brilhante era a luz por ela emitida, que ofuscou os olhos dos espectadores.[5] Enquanto a chicoteavam, a pequena virgem exclamou: — Clamei ao Senhor em minha aflição, e Ele me ouviu.

Ouvindo-a orar, Cláudio perguntou-lhe: — Pensas que me seduzirás com a tua mágica?

— Teu pai, o Diabo, é o príncipe das trevas — respondeu Priscila. — Ele ama os fornicadores, e abraça os mágicos.

O imperador ordenou então que lhe batessem com varas. A menina, ouvindo sobre esta punição, sorriu e disse: — Ó homem injusto e impiedoso, inimigo de Deus e inventor do mal! Tu és demasiadamente cego para conhecer as bênçãos que me estás obtendo do Criador Eterno.

Então Limênio, um parente do imperador, aconselhou-o: — Esta criança contaminada não sofreu estes tormentos para a glória dos cristãos e do crucificado. Mas brilhando como um raio de sol, ela espera obter alguma coisa. Ordene vossa majestade que ela seja lançada na prisão até amanhã, e a besuntemos com óleo de sebo para acabar com este brilho.

O imperador imediatamente mandou que Priscila fosse posta na prisão, até o dia seguinte. Enquanto era conduzida para lá, ela gritou diante de todos: — Dou-te graças, ó meu Senhor Jesus Cristo, e imploro o teu favor. Preserva-me do impuro e impiedoso Cláudio, que despreza a tua bondade.

Durante toda a noite, a menina glorificou a Deus no cárcere, entoando-lhe hinos; a voz de uma multidão era ouvida louvando a Deus juntamente com ela. Quando o dia raiou, mandaram que fosse tirada da prisão; antes, porém, deveria ser lambuzada com óleo e banha. Mas quando Limênio estava saindo do palácio, sentiu um agradável aroma, e perguntou ao seu companheiro:

— Está sentindo um perfume?

— Os deuses mandaram esta fragrância por causa da amada Priscila. Todos estão dizendo que os deuses dela lhe apareceram durante a noite.

Quando chegaram à prisão, encontraram-na iluminada de um modo que seria impossível descrever. Priscila estava sentada com uma tabuinha nas mãos, e lia estas palavras: "Como são grandes as tuas obras, ó Senhor! Tudo fizeste com sabedoria" (Sl 103. 24).

Limênio ficou aterrorizado; deixando o lugar, foi ao palácio anunciar ao imperador a grande maravilha de Deus. O imperador mandou que ela fosse trazida ao templo para sacrificar, e caso recusasse, que fosse exposta às bestas feras. Priscila continuou a orar: — Tenho andado no caminho dos teus mandamentos, ó Senhor. Ensina-me a tua justificação, e eu conhecerei as maravilhas da tua divindade. Livra-me da punição dos homens, para que eu guarde os teus mandamentos.

O imperador, vendo que o seu semblante achava-se mais belo e animado que antes, indagou-lhe: — Ouviste o bom conselho, e consentiste em sacrificar aos deuses benignos?

— A minha conversão, imperador, é completa — declarou ela. — Tu não me persuadirás com as tuas controvérsias, porque estou livre das impiedades e vãs seduções deste mundo. Recebi os mandamentos de meu Senhor Jesus Cristo. É bom para mim apegar-me a Ele, e depositar toda a minha esperança nEle, que é a verdade, e que de nada tem falta, pois é onipotente. A sedução de tuas palavras são como setas de escuridão, apontando o caminho das trevas eternas. Regozijo-me antes na morte dos santos que me cercavam, e que venceram o Diabo, teu pai.

Irado, o imperador prometeu: — Tu não precisas morrer, Priscila, se sacrificares.

— Ordenas que eu entre no templo outra vez? — indagou ela.

— Sim — confirmou ele —, vai e sacrifica, para que não sejas devorada pelas feras.

— Pela graça de meu Senhor Jesus Cristo, que assiste a mim, sua humilde serva — concordou ela —, eu entrarei, como tu ordenas.

Entretanto, o demônio que habitava o ídolo, sabendo que a santa criança o estava vindo banir, clamou em alta voz: — Ai de mim! Para onde fugirei do teu espírito, ó Deus do céu? O fogo me persegue dos quatro cantos do templo.

Priscila entrou, e apontando a imagem do ídolo, chamou: — Imperador! Olha para este impostor: tem olhos que não podem ver, ouvidos que não ouvem, mãos que não sentem, e pés que não andam. É uma estátua decorada com desprezível vaidade. Queres que eu sacrifique a isto?

O imperador, não entendendo o que ela queria dizer, gritou: — Possam os deuses viver para sempre! Tu consentiste em meu pedido!

Priscila, porém, aproximou-se do ídolo, e dirigiu ao Senhor uma oração: — Ó, Senhor Deus, Rei Eterno! Tu que estendeste o céu e fizeste a terra; Tu, que estabeleceste domínio para as águas do oceano, e calcaste a cabeça da serpente; Tu, ó Senhor, não me abandonarás agora. Ouve a minha oração, e destrói este ídolo feito por mãos de homens, e usado pelo demônio como instrumento de engano e malícia. Deixa Cláudio saber, por meio de diferentes punições, que somente Tu abençoas na eternidade. Amém.

Erguendo então a voz, ela ordenou: — Sai daí, tu que habitas este ídolo mudo e surdo.

Ouviu-se um ruído como de trovão, e desceu fogo do céu, consumindo os sacerdotes do templo. Morreu um grande número de pessoas, a púrpura sobre o braço direito do imperador ficou queimada, e o ídolo foi reduzido a cinzas.[6]

— Glória a Deus nas alturas — exclamou Priscila —, e paz na terra aos homens de boa vontade.

Depois disto, o imperador mostrou-se enfurecido, e sem atentar para o milagre que presenciara, ou ao poder do Deus invisível, instruiu o prefeito:

— Leva esta mágica, e rasga-lhe o corpo com ganchos de ferro afiados, para que ela não mais veja a luz deste mundo. Estou farto de confusão e vergonha, e não sei o que fazer.

O prefeito levou-a imediatamente ao pretório, e sentando-se no tribunal, comandou: — Fazei chegar esta destruidora de templos, para vermos o que ela fará.

Priscila aproximou-se sorrindo.

— Zombas de mim, bruxinha, porque ainda estás viva — irritou-se o prefeito. — Juro pelo sol mais puro que darei tuas entranhas aos cães, e então veremos se o teu Cristo te será de alguma valia.

— Ó homem ímpio! — exclamou Priscila. — Não devo zombar do poder do imperador, que sendo vencido por uma menina, mediante Jesus Cristo, entregou-me então a ti?

— Ele é o soberano, e tem poder para entregar-te a mim, a fim de que eu te obrigue a sacrificar, ou tire a tua vida.

— Não sacrificarei — enfatizou Priscila. — Atormenta-me conforme te apraz.

O prefeito ordenou que ela fosse estirada na roda, e seus membros cortados com pequenas facas. Enquanto a supliciavam, Priscila clamou:

— Ó Senhor Jesus, ajuda-me! Em ti me refugio.

Enfurecido, o prefeito ordenou que ela fosse jogada na prisão. Mas ela, ocultando o corpo inocente, e guarnecendo-se com o próprio cabelo, encaminhou-se rapidamente ao cárcere. O prefeito, montado num cavalo, dirigiu-se para lá, e encontrou a menina com as faces como antes.[7] Estupefato, ele deixou o lugar; trancou a porta da prisão, selou-a com seu anel, e deixando cinqüenta homens de guarda, foi à procura do imperador. Entrementes, Priscila glorificava a Deus, cantando-lhe louvores. Uma grande luz iluminava a cela onde se achava confinada.

O prefeito encontrou o imperador no palácio, e este, ao vê-lo surpreendeu-se:

— O que fazes aqui?

— Como ordenastes vossa majestade — esclareceu o prefeito —, torturei a malvada Priscila com espadas e ganchos de ferro, e tentei matá-la. Contudo, imaginai só, ela está viva, e recusa sacrificar. Executei vossas ordens. Deveis agora considerar que outros castigos lhe infligireis.

— É evidente que ela confia em seus encantamentos. Que ela seja entregue às bestas feras, e feita em pedaços.

O prefeito estava silencioso.

Ao amanhecer, ele mandou que os executores a trouxessem, e falou-lhe:

— O imperador ordena que sacrifiques aos deuses. Se recusares, serás exposta às feras.

Priscila, com o semblante brilhando como a luz do sol, respondeu:

— Em nome de Jesus Cristo, que sofreu por nós que nEle cremos, estou certa de que hei de vencer-te.

O prefeito muito se irritou ao ouvir isto, e foi dizer ao imperador: — Imploro à vossa majestade que venhais comigo ao anfiteatro.

Ambos dirigiram-se então para lá, e mandaram que a menina fosse jogada entre dois animais selvagens.

— Observai meu sacrifício — convidou Priscila.

— Olhai, ó imperador — ajuntou o prefeito —, esta feiticeira que arruinou nossos deuses. Que ela seja estraçalhada pelas feras.

Um dos animais era um leão feroz que, havia quatro dias, não era alimentado.[8] O imperador, sentando-se no trono, e dominado pela tristeza, mandou que Priscila fosse introduzida na arena. Quando ela entrou, ouviu-se um grande ruído vindo do céu, que aterrorizou os espectadores.

O imperador insistiu: — Acredita, e concorda com os meus desejos; evita a grande calamidade que paira sobre ti. Eu juro pelos deuses que te amo demais.

A santa criança elevou os olhos ao céu, e orou: — Ó Senhor Jesus, que manifestaste o conhecimento de tua divindade, e coroaste de glória os teus santos, preserva-me perfeita no combate deste dia.

Depois, olhando para o imperador, declarou: — Ó desgraçado e infeliz, saiba que prefiro ser devorada pelas feras, e ganhar a vida eterna com Cristo, a cair no laço da morte eterna, rendendo-me a tuas seduções.

O imperador mandou, então, que soltassem o leão feroz. O leão estava rugindo na cova, de modo a aterrorizar as pessoas. O guardador soltou-o, e ele entrou na arena saltando e bramindo. Depois se encaminhou à menina, não demonstrando ferocidade, mas amor, e abaixou-se diante dela, como se lhe beijasse os pés.[9] Priscila orou então ao Senhor:

— Ó Deus, Tu permitiste que eu lutasse como uma criminosa neste teatro de culpa, mas preservaste-me a alma imaculada e pura.

Voltando-se depois ao imperador, proferiu: — Vê, ó imperador, tens testemunhado o nosso poder sobre as torturas e os animais selvagens, porque Cristo, que fez o céu e a terra e tudo o que neles há, é sempre vitorioso. Todas as coisas lhe foram sujeitas por Seu Pai.

O imperador, vendo a brandura do leão, que mostrava reverência e amor para com a menina, insistiu com ela: — Humilha-te, e reconheça os deuses, e eles te ajudarão.

— Eles não podem ajudar a si mesmos — replicou a jovenzinha —, como poderão ajudar-me? Em nome de Jesus Cristo, por meu combate, e por meu martírio, eles serão aniquilados.

O imperador mandou que o leão fosse levado de volta ao covil; antes, porém, de sair da arena, o animal atacou um dos parentes do imperador, e o matou. Enraivecido, Cláudio ordenou que Priscila fosse novamente posta na prisão. Cheia da graça de Deus, ela orou: — Preserva-me, ó Senhor, dos laços que prepararam para mim, e do escândalo dos obreiros da iniqüidade.

Três dias depois, o imperador tornou a ordenar que se oferecesse um sacrifício no templo, e mandou buscar Priscila. Ela chegou resplendente como o sol. Cláudio pediu-lhe: — Crê e sacrifica, e serás salva.

— Eu creio em Jesus Cristo — replicou ela.

Irado, o imperador mandou que ela fosse pendurada e lacerada com ganchos. Enquanto era içada, Priscila expressou-se assim: — Tu me fazes regozijar, ó Senhor, em tua santa vontade, e eu me deleitarei nas obras das tuas mãos. Teus juízos são a verdadeira luz eterna!

Quando ela proferiu estas coisas, os braços e os ossos dos que a atormentavam foram acometidos por uma dor tão aguda, que eles bradaram ao imperador: — Livra-nos desta dor! Nós te imploramos! Os anjos de Deus estão nos atormentando.

Cláudio determinou, então, que Priscila fosse queimada. Os auxiliares seguiram as instruções, e acenderam uma imensa fogueira para nela jogar a menina. Em alta voz, ela clamou: — Ó Senhor, Tu que olhas desde o céu para aqueles que em Ti crêem e te buscam, ajuda-me, pois sou tua serva!

Imediatamente caiu uma pancada de chuva, e um furioso redemoinho espalhou as chamas, queimando quem estava por perto. Reconhecendo-se vencido por uma menina, o imperador sentiu-se extremamente desanimado.[10]

Exasperado, ele mandou que lhe cortassem o belo cabelo. Quando o servente o cortou, ela disse: — Está escrito pelo apóstolo: se uma mulher possui cabeleira longa, ela é o seu ornamento. Tu me tiraste o que Deus me havia dado. Deus tirará de ti o teu reino.

Ele deu ordens para que ela fosse levada ao templo, e lá ficasse trancada, e com a porta selada pelo seu anel. Feito isto, dirigiu-se ao palácio. Priscila permaneceu lá durante um dia e uma noite, louvando e bendizendo a Deus. Embora o imperador e os sacerdotes tivessem o hábito de ir diariamente ao templo, não entraram lá enquanto Priscila estava trancada, por causa das vozes de uma multidão de anjos que eram ouvidas. Cláudio disse aos que o cercavam:

— Nosso deus a quem servimos é grande. Ele convocou todos os outros deuses para instruir e confortar Priscila.

No terceiro dia, ele ordenou a preparação de um grande sacrifício de bois. Quando o povo abriu as portas do templo, viram Priscila sentada, enquanto o deus deles jazia estendido no chão.[11] Aterrorizado, o imperador bradou:

— Onde está nosso deus?

— Não o vês reduzido a pó? — indagou Priscila.

O imperador, numa raiva imensurável, decidiu que ela fosse levada para fora da cidade, a fim de ser decapitada. A santa mártir regozijou-se: — Ó Senhor Jesus Cristo, Redentor da humanidade, eu te louvo e te adoro. E suplico-te, Tu, que me livraste de todo mal intentado contra mim, salva-me agora, Senhor Jesus. Tu, em quem não há acepção de pessoas, aperfeiçoa-me na confissão de teu nome. Que eu seja recebida na tua glória, a fim de que, alegremente, eu escape dos males que me rodeiam. E recompensa ao impiedoso Cláudio, de acordo com os seus atos para com a tua serva desamparada!

Depois de orar, ela voltou-se aos executores: — Cumpri as ordens que recebestes.

Assim, a pequena mártir teve a sua vida encerrada pela espada. Naquele instante, ouviu-se uma voz do céu: — Porque lutaste pelo meu nome, Priscila, entra no reino do céu, com todos os meus santos.

Ao ouvir isto, os executores caíram sobre o rosto e morreram.[12]

Um cristão, que a tudo assistira em segredo, anunciou ao bispo de Roma como eles haviam conduzido Priscila pela Via Óstia até o décimo marco miliário, e ali a decapitaram, tirando-lhe a vida. O bispo foi com ele ao lugar mencionado, e encontraram-lhe o corpo. Havia um sorriso em sua face, que brilhava como que tocada pelo Espírito Santo.[13] O bispo e seu companheiro abriram uma cova, e a enterraram naquele mesmo lugar.

Ao tomar conhecimento desses fatos, o imperador foi acometido por uma profunda tristeza, e como um cão raivoso, comeu a própria carne.[14] Tremendo e gemendo, ele suplicava: — Tem piedade de mim, Deus dos cristãos! Sei que transgredi teus preceitos e blasfemei de ti, ó Cristo. Persegui o teu nome, e pequei ingratamente contra os teus servos. Estou sendo afligido por ti. Tu me recompensaste como eu mereci.

Ele inspirou estremecendo em agonia, e ouviu-se uma terrível voz sentenciando: — Entra, imperador, entra na fornalha do Inferno; vá para as trevas exteriores, as sombrias regiões de dores preparadas para ti.

Houve um terremoto, e muitos do que se achavam em Roma creram em Cristo naquele dia, por causa da voz ouvida do céu; mais de cinco mil pessoas, sem contar mulheres e crianças.[15] O martírio de Priscila ocorreu no dia 18 de janeiro.

Pouco tempo depois, os fiéis de Cristo construíram uma igreja nesse local, e ali serviram a Deus, dia e noite. Os restos mortais de Priscila permaneceram ali até o tempo de Antônio (275 d.C.), quando foram transportados à cidade, e depositados perto do arco romano, na igreja de Áquila e Priscila.

Os *Atos* de Tatiana, conforme narrados pelos Bolandistas, são precisamente similares aos de Priscila. Não se tem certeza se são duas pessoas diferentes, ou a mesma, chamada por diferentes nomes. Contudo, seguindo o douto julgamento de Papebrochius, acreditamos que Tatiana tenha sido outra das heroínas do Coliseu. Ela tem um dia comemorativo distinto no martirológio romano, o dia 12 de janeiro.

[1] O contexto deste capítulo é quase uma tradução literal dos Atos originais.

[2] *"Haec in undécimo anno erat bonorum operum, et gratia Dei moribus ornat".* – Atos Bolandistas, 18 de Abril, N°. 2.

[3] *"Et haec ea orante, statim terrae motus factus est magnus, ita ut civitas concuteretur et corruit Apollo et comminutus est; simili modo Quarta pars templi destructa est et oppressit multitudinem paganorum cum sacerdotibus idolorum".* – Atos N°. 4.

[4] *Algo semelhante é lido nos Atos de Martina e Tatiana,* mas devemos nos lembrar que é o espírito de mentira quem está falando; a sua autoridade não tem muito valor.

[5] *"Tunc iratus imperator jussit expoliari eam et iterum caedi. Sancta autem videbatur cândida sicut nix, cujus splendebat corpus in tantum quod nitor claritatis ejus caligare faciebat respicientes in eam".* – Atos, cap. 11, N°. 1.

[6] *"Et mox tonitruum magnum factum est et cecidit ignis de coelo et combussit sacerdotes templi et multitudo populi mortua est, et imperatoris partem dexteram purpurae combussit, et idolum in favil lam redegit".* – Atos, últimas linhas do N°. 10.

[7] Uma extrema brevidade é empregada nesta porção dos *Atos.* Circunstâncias que podem ter sido separadas por dias são registradas como se houvessem ocorrido na mesma hora.

[8] *"Erat autem et alius leo immanissimus qui quotidie comedebat septem oves. Hic non comederat per dies quatuor, ut devorated. B. Priscilam."*

[9] *"Et erat leo rugiens in cubili suo, ut omnes terreret. Ille qui eum nutriebat aperiit leoni et egressus leo rugiit cursum arripiens et ambulavit ad Sanctam, non terrorem ostendens sed dilectionem et inclinans se adorabat, osculabatur pedes ejus."*

[10] *"Et mox pluvia facta est magna, et sonitus venti, et dispersa est magna flamma et incendit qui circumstabant omnes. Imperator autem valde tristis erat quia vincebatur a puella".* – Atos, N°. 15.

[11] *"Turbae autem aperientes portam templi viderunt B. Priscilam sedentem in sede et cum ea existentem coetum Angelorum quorum pulchritudo enarrari non potest; viderunt autem deum illorum in terram cecidisse".* – Atos, N°. 16.

[12] *"Et ita finitiv vitam B. Priscila per gladium; et vox de coelo facta est, dicens, Quia certasti pro nomine meo, Priscila, ingreders in regnum coelorum cum omnibus sanctis; et, facta hac você, carnitices ceciderunt in fácies suas et mortui sunt".* – Atos, N°. 17.

[13] *"Tunc episcopus, hoc cum audivit, ambulavit cum ipso qui ei nuntiaverat, et ibi eam invenerunt jacentem, unam quidem aquilam sedentem ad caput ejus et aliam ad pedes custodientem corpus ejus, ne a feris tangeretur. Caput vero lucidum splendida facie risit in Spiritu Sancto".* – Atos, N°. 18.

[14] *"Percussus est dolore cordis eadem die, et, sicut rabidus canis, carnes suas comedebat".* – Atos, N°. 18.

[15] *"Ingredere, imperator, in clibanum Gehennae; vade in tenebras exteriores, tibi enim preparata sunt tenebrosa poenarum loca. . Factus est autem terrae motus magnus, et crediderunt in eadem die, de iis qui erant in urbe Roma, pro você quae facta est de coelo, numero plusquam quinque millia, exceptis parvulis et mulieribus".* – Ib. 19.

Crisanto e Daria

Capítulo 18

1

Crisanto era filho de Polemio, um senador da Alexandria, que fora para Roma durante o reinado de Numeriano (282 d.C.), e imediatamente passara a fazer parte do senado. Pai e filho eram pagãos, mas a inescrutável Providência, comparada pelo apóstolo Paulo ao oleiro, que destina alguns vasos para honra e outros para desonra, lançou a luz do Espírito Santo no coração de Crisanto, e fez dele não apenas um cristão, mas um nobre mártir da Igreja de Deus. De temperamento ardente, e dotado de uma mente poderosa, o jovem era amigo apaixonado dos estudos. Ele mergulhou em todos os sistemas de filosofia conhecidos naquele tempo, estudou retórica com os primeiros mestres, e antes que chegasse ao limiar da virilidade, a sua mente desenvolvera-se pela ciência e erudição. Estas ocupações são incompatíveis com a indulgência das vis paixões da natureza, e Crisanto era virtuoso sem o saber. O Deus Todo-poderoso olhou para ele com olhar complacente, e por sua divina graça trouxe-o ao conhecimento da fé. Os meios empregados para a sua conversão foram os mesmos de nossos dias.

Em sua sede ardente de conhecimento, o jovem lia todos os livros que lhe caíssem nas mãos. Ele ouviu falar sobre os cristãos, e as coisas maravilhosas relacionadas àquela religião perseguida despertaram-lhe a curiosidade. A pureza, a paciência no sofrimento, e o extraordinário amor ao próximo demonstrado pelos cristãos, surpreenderam e deleitaram o jovem nobre. Em pouco tempo, alguns livros dos cristãos e uma cópia das Sagradas Escrituras foram parar-lhe nas mãos, e ele os leu com avidez. A luz irradiava de cada página, e um indescritível sentimento de paz acalmou-lhe o coração preocupado. Dia e noite, ele envolvia-se no estudo daquela verdadeira filosofia, que emanava da própria Sabedoria eternal. Ele se perguntava como vivera tanto tempo sem conhecê-la – tão sublime, tão simples, perfeita, bela e tremenda era ela. Como a primeira visão que uma criança tem do oceano, nenhuma linguagem poderia contar o que ele sentia.

Crisanto tornou-se cristão. Um poder sobrenatural guiou-o a um velho eremita, chamado Carpóforo, que o instruiu e o batizou. Após o batismo, a sua mente foi inundada pela luz do céu, e o seu coração ardeu com o zelo pela conversão de almas. Ele ansiava partilhar a alegria que lhe enchia o peito. Oito dias após o seu batismo, ele era visto nas praças públicas, tão destemido quanto os apóstolos ao descerem do cenáculo, em Jerusalém, para iniciarem a obra de conversão do mundo. Inúmeras pessoas eram convertidas por seus poderosos discursos, mas aprouve a Deus que ele o glorificasse por meio do sofrimento.

Seu pai recebeu com raiva a notícia de que ele abraçara o cristianismo. Como todos os pagãos, Polemio pensava não haver nada mais insensato ou impiedoso que pregar que um homem crucificado era o Deus verdadeiro. Ele trancou Crisanto num quarto, e empenhou-se, duramente, em forçá-lo a retornar à adoração dos deuses. Não permitia que ninguém o visse, e dava-lhe comida apenas uma vez ao dia. Não obstante, Crisanto estava feliz e inabalável em sua resolução, e tratava o pai com respeito e reverência. Alguns dias se passaram desse modo, quando o Maligno, percebendo que ele era irredutível em sua fé, armou um perigoso e malvado laço à sua virtude.

Um amigo do senador Polemio foi um dia visitá-lo. Achou-o triste e aflito porque falhara em seus esforços de vencer a resolução do filho. Polemio abriu o coração ao amigo, e pediu-lhe conselho. Conselheiro mais pérfido e traiçoeiro ele não podia arranjar; o Diabo parecia havê-lo encarregado de maquinar a ruína de Crisanto.

— Se queres mudar a resolução de teu filho — aconselhou ele —, tenta-o com prazeres, em vez de privações. Atrai-o com a juventude e a beleza; o prazer fá-lo-á esquecer que é cristão. Tu devias saber que estas provações que lhe infligiste são consideradas pelos cristãos mais honrosas que dolorosas.

Polemio achou que era bom o conselho, e resolveu segui-lo. Ele preparou o triclínio com os mais belos reposteiros, encheu as mesas com preciosas viandas, e selecionou um grupo das mais atraentes mulheres, a quem vestiu em deslumbrante estilo; e quando havia preparado tudo o que pudesse agradar aos sentidos ou satisfazer as paixões, introduziu ali o santo rapaz, esperando destruir-lhe primeiro a virtude, e então encontrar em sua fé uma vítima fácil.

Crisanto, sem saber das intenções do pai, entrou surpreso no triclínio, que era um refeitório com três o mais leitos inclinados, dispostos ao redor de uma mesa. Mil luzes refletiam-se dos lustres de cristal; as paredes estavam cobertas com tapeçarias inestimáveis, e o aroma das mais deliciosas iguarias mesclava-se ao perfume das mais belas flores. Em volta da mesa circular, reclinavam-se diversas moças. Achavam-se vestidas de modo lascivo, representando as deusas da mitologia pagã; abanavam-se num ócio voluptuoso, e pareciam estar aguardando a chegada do principal convidado da noite: Crisanto.

Quando ele entrou, levantaram-se todas para homenageá-lo; os músicos tocaram, e o incenso foi queimado. O jovem olhou à volta aturdido; num instante, a suspeita tornou-se convicção: viu que uma cilada lhe fora preparada. Mal ele adentrou o aposento, seu pai escapuliu-se por trás dele, deixando o refeitório, e trancando repentinamente a porta com um pesado ferrolho.

Crisanto orou no íntimo, pedindo forças, pois sabia que não poderia continuar, a menos que o Senhor o assistisse. Sua oração foi ouvida, e todo os encantamentos e tentações do Diabo caíram-lhe como flechas sem forças no escudo da fé. O Todo-Poderoso operou um estranho milagre a seu favor. Tão logo o pai o deixara, e ele murmurara a curta oração, as moças mergulharam num sono profundo. Ele ficou em plena solidão, e ajoelhando-se a um lado no magnífico aposento, deu à sua alma a doce alegria da comunhão com Deus.

Polemio e os serventes ficaram surpresos com o súbito silêncio vindo da sala do banquete – nenhum cochicho, nenhum movimento; somente o silêncio. Vencido finalmente pela curiosidade, Polemio abriu furtivamente a porta, e olhou para dentro. A surpresa e o terror o atingiram. As moças, os músicos e os escravos estavam dormindo nos bancos ou no chão, como mortos, e Crisanto achava-se ajoelhado num canto, absorto em oração, com os braços cruzados ao peito. Seria um sonho? Seria mágica? Ou um estratagema organizado pela inteligência de seu filho cristão, a fim de gracejar com as suas ordens, e transformá-lo em escárnio? Atordoado, ele ficou de pé na porta do triclínio, entre o medo e a dúvida. Chamou todos os domésticos e criados para ver a estranha cena. Alguns choraram achando que as moças estavam mortas; outros fugiram assustados, e chamaram todos os amigos da família. A casa tornou-se um cenário de confusão, enquanto no triclínio reinava a calma de uma tumba.

Finalmente, depois de um dia e uma noite, os amigos de Polemio asseguraram-lhe que tudo fora produzido pela magia ou arte negra, que Crisanto aprendera dos cristãos. Após muita deliberação, resolveram entrar na sala e retirar as mulheres. Quando as tiraram do triclínio, despertaram imediatamente; não tinham consciência do ocorrido, e queriam voltar ao banquete que sequer haviam tocado. Apesar de toda objeção, retornaram; porém mal entraram na sala, caíram novamente no sono. Enquanto alguns ficaram estupefatos, e outros aterrorizados, o Diabo estava preparando outra prova para abalar a virtude de Crisanto.

Havia entre os amigo de Polemio um venerável ancião, muito estimado por sua erudição e prudência. Chamando à parte o senador, o velho aconselhou:

— Polemio, vejo através das artes negras de teu filho. Ele tem sido um discípulo competente da magia cristã, e agora acha fácil exercitar suas habilidades com as moças simples e fracas. Mas como estas artes não têm poder sobre as mentes nobres e instruídas, vamos procurar uma pessoa inteligente e bonita, que possa convencê-lo pela lógica, e tornar-se sua esposa. Conheço uma dentre as virgens de Minerva; ela é jovem, bonita e inteligente. A beleza de suas feições e os poderes de sua mente triunfarão sobre Crisanto.

Polemio consentiu. Ele era tão contrário ao cristianismo, que mesmo se a mulher mais vil e desprezível, dos baixos lupanares da cidade, pudesse ser bem-sucedida em demover seu filho da prática da virtude, ele a teria recebido na família, e transformado-a em herdeira do título e da riqueza de sua linhagem senatorial. No entender do velho senador, existiam apenas dois crimes: o cristianismo e a covardia em batalha.

Deixemos por um momento Polemio e seu velho amigo tramando a melhor maneira de arruinar o nobre Crisanto, e vamos a um cenário diferente, noutra parte da cidade.

Entre as peculiaridades da adoração pagã, era comum que algumas mulheres se dedicassem de um modo particular a alguma deusa. Os pagãos possuíam deuses, tanto femininos como masculinos, para expressar cada tendência da mente; cada paixão e cada desejo eram personificados em alguma divindade. Essas coisas que hoje são a ocupação das horas de lazer do sexo frágil, como a música, a poesia, o bordado, etc., nos dias do Império Romano eram atividades de homenagem religiosa, oferecida a uma divindade tutelar imaginária. As devotas de diferentes deusas reuniam-se de tempos em tempos nos vestíbulos de seus respectivos templos, e estas reuniões sempre terminavam com um esplêndido banquete, para o qual seus amigos do sexo masculino eram convidados. Entre as virgens de Minerva, com eram chamadas, havia uma dessas naturalmente virtuosas, de alma nobre e generosa, que agora devemos apresentar ao leitor como a heroína deste interessante registro histórico.

Seu nome era Daria. Ela estava no despontar da feminilidade, e sobrepujava as suas companheiras em beleza e graça. Desde a sua mocidade (nesse tempo ela tinha provavelmente dezesseis anos), associara-se às amantes de Minerva, o que era considerado naqueles dias um ato de grande mérito e virtude. Nobre e generosa, ela era amada por todos; e nas representações dramáticas, comuns entre as crianças daqueles tempos remotos, ela era invariavelmente escolhida para o papel de Palas Minerva.

Certa manhã, Daria foi com suas companheiras ao vestíbulo do templo de Palas Minerva. Não era longe do Coliseu; os antiquários dizem-se capazes de apontar o local exato. Talvez o leitor destas linhas tenha vindo a Roma, e se lembre de ter visto na Via Alexandria, indo do fórum de Trajano para o Coliseu, os restos de um esplêndido pórtico, de belo e esmerado entalhe, e as colunas quase enterradas no solo. As ruínas são chamadas pelos moradores da vizinhança de *Le Colonnacce*. No "Guide to Rome", de Murray, lê-se o seguinte: "Estas colunas acham-se enterradas até acima de sua metade; a sua altura é estimada em dez metros, e a circunferência, em três. Elas ficam em frente a uma parede, sobre a qual o capitel de uma pilastra ainda é visível. O friso é ricamente ornamentado com esculturas representando as artes patrocinadas por Minerva. No ático superior, as duas colunas são uma estátua de corpo inteiro da deusa; e entre as figuras do friso, vê-se mulheres tecendo, pesando o fio e medindo os tecidos, e uma figura de Pudicícia sentada, coberta com o véu" (p.39).

É bem provável que as jovens da escola de Minerva costumassem reunir-se neste local, para ajudar umas às outras nas finas artes representadas no belo friso do pórtico, o único remanescente do templo. Daria, cercada por suas companheiras, estava alegre e animada, quando o senador Polemio e seu idoso amigo subiram os degraus do pórtico e chamaram-na à parte. Humilde e modesta em seus pensamentos, ficou atônita ao ouvi-los dizer que tinham vindo para torná-la esposa de Crisanto. Ela não era habilitada para esta posição pelo nascimento ou pela fortuna, e quase duvidou da sinceridade da proposta. Percebendo, porém, que Polemio falava honestamente – ele suplicava com lágrimas nos olhos –, ela agradeceu a Minerva a boa fortuna, e chamando uma escrava fiel que sempre a acompanhava, correu para a casa do senador, sem ao menos contar às amigas sobre o estranho capricho da fortuna, que estava prestes a elevá-la à posição de ama de uma das principais famílias de Roma. Como eram brilhantes os castelos de felicidade que ela pintava na mente, enquanto caminhava alegremente ao lado do ancião. Ela não cogitava dos desígnios de uma Providência amorosa, que a tudo vê, que a estavam conduzindo das trevas para a luz, e preparando-lhe alegrias e deleites melhores e mais duradouros que aqueles pintados por sua vívida imaginação.

Chegando ao palácio de Polemio, parecia que o alvoroço e o barulho das últimas horas haviam diminuído. Crisanto mandara trazer ao triclínio a sua cópia das Sagradas Escrituras, e achava-se profundamente mergulhado no estudo quando o pai retornou. As moças empenharam-se em dissuadir Daria de entrar no aposento; ela, porém, aparentemente confiante em seus amuletos, mas na verdade guiada por uma influência sobrenatural, decidiu cumprir a missão que lhe confiara o pai do rapaz: oferecer-se a ele como noiva.

Elas a vestiram de modo deslumbrante: jóias e diamantes de princesa cintilavam-lhe no colo branco como a neve; seus cabelos foram trançados com flores e ouro; o rosado belo e saudável de suas faces não carecia de tinturas. A orgulhosa e rica Cleópatra teria trocado de lugar com Daria. O senador abraçou seu velho amigo, e agradeceu-o por haver recomendado tão bela moça para ser a sua filha.

Entretanto, Daria fora feita para o céu; em poucas horas, tornar-se-ia semelhante aos anjos. Quando ela entrou no triclínio, contrariando as expectativas, não foi dominada pelo sono. O próprio Crisanto levantou-se, recebeu-a amavelmente, e ofereceu-lhe assento. Ele orou intimamente por um instante, e aproximando-se dela falou-lhe:

— Ilustre e bela donzela, se foi para uma breve união comigo, e para induzir-me a abandonar a minha resolução, a mim, que estou inflamado de amor por outra pessoa, que recorreste a estes caros ornamentos e belos vestidos, estás grandemente enganada. Não preferes buscar o amor do Filho imortal de Deus? Tal tarefa não é difícil, se a desejares. Se preservares imaculados a tua alma e o teu corpo, os anjos de Deus cuidarão de ti; os apóstolos e mártires serão teus amigos, e o próprio Cristo será teu esposo. E Ele, que é Todo-poderoso, preparar-te-á um aposento de pedras preciosas sem mancha em seu reino eterno, preservar-te-á a flor de tua beleza juvenil, e inscrever-te-á no livro da vida, para um rico dote.

Daria comoveu-se com estas palavras. A vergonha de ser considerada uma simples meretriz despertou-lhe os nobres sentimentos do coração. A seriedade do jovem ao falar, e as sublimes e misteriosas promessas de felicidade sem fim, levaram-na a arremessar ao chão a máscara do engano e da hipocrisia com que pensara conquistar as afeições do rapaz. A sua resposta foi nobre e sincera;

— Acredita-me, Crisanto! — confessou agitadamente. — Não foi o fascínio de uma vil paixão que me trouxe aqui. Fui impelida pelas lágrimas de teu pai a trazer-te de volta à tua família e à adoração de nossos deuses.

— Bem, se tens, então, qualquer argumento que me possa induzir a mudar minha resolução — aquiesceu Crisanto —, ouvir-te-ei pacientemente. Vamos pesar calmamente as coisas para nosso mútuo benefício.

Ele chegou mais perto dela, e iniciaram uma conversa verdadeiramente interessante e filosófica, que apresentaremos abreviadamente dos *Atos*, como se lê em Sarius (28 de outubro).

— Nada — afirmou Daria — pode ser mais útil e necessário ao homem que a religião. — Quando negligenciamos esta função primordial de nossa existência, corremos o risco de suscitar a ira dos deuses.

— E que adoração, mais sábia das virgens, devemos oferecer aos deuses? — indagou Crisanto.

— A adoração que os induzirá a proteger-nos.

— Como podem proteger-nos, quando carecem eles mesmos da proteção de um cão para não serem roubados pelos ladrões noturnos, e precisam ser fixados ao pedestal com cravos de ferro e chumbo, para evitar que caiam e se espatifem?

— Isto é verdade — replicou Daria. — Mas se a multidão inculta pudesse adorar sem imagens, não haveria necessidade de se fazê-las. De fato, elas são feitas de mármore, prata e bronze, para que os adoradores vejam com os próprios olhos aqueles a quem devem amar, venerar e temer.

— Mas consideremos por um momento o que é dito dessas imagens — volveu Crisanto —, para vermos se são dignas de nossa adoração. Certamente tu não considerarias deus uma pessoa ou objeto que não pudesse mostrar qualquer prova externa de glória ou santidade. Que sinais de honradez possui o alferes Saturno, que matava os próprios filhos no momento em que nasciam, e os devorava, conforme escrito por seus mesmos adoradores? Que motivos tens tu para louvar a Jove, que cometeu crimes, homicídios e adultérios, tantos quantos foram os dias de sua vida; que maquinou a ruína do próprio pai, foi o assassino dos próprios filhos, um violador de matronas, o marido da própria irmã, um usurpador de tronos, e o inventor das artes mágicas? Uma vez que os escritores o acusam destas impiedades e de outras semelhantes, como podes chamá-lo de deus, e acreditar em teu coração que é um deus? O que pode ser mais absurdo, jovem donzela, que deificar reis e generais só porque foram poderosos e bravos na guerra, mas que os seus próprios adoradores viram morrer como outros mortais? Que princípio de divindade encontras em Mercúrio, a quem os poetas e artistas gostam de representar com cabeças de porcos e monstros, e asas estendidas; cujas artes mágicas descobrem os tesouros escondidos da terra, destrói o veneno de cobras, e opera todos os seus milagres pelo poder dos demônios, a quem se oferece diariamente o sacrifício de uma vaca ou um galo? Não são estas as lendas que contam a seu respeito? Onde está a santidade de Hércules, que fatigado de salvar outros do fogo, atirou-se às chamas por sua própria inspiração, e pereceu miseravelmente com sua clava e sua pele? E em Apolo, que virtudes encontras? E nos sacrifícios dionisíacos, em sua intemperança e incontinência? Ainda nos falta falar do Juno real, da estúpida Palas, e da Vênus lasciva.

Daria sobressaltou-se; nunca antes ouvira a sua amada Minerva ser chamada de estúpida.

— Não as descobrimos disputando orgulhosamente entre si quem é a mais bonita? As obras dos poetas e historiadores não estão cheias das guerras e misérias trazidas sobre a raça humana por causa da beleza menosprezada de uma dessas deusas vaidosas? Visto que nenhum deles é digno de honra divina, em quem a raça humana, nascida com um impulso natural para a religião, depositaria a sua confiança e adoraria como deus? Não nos menores, certamente, pois não passam de escravos dos outros. O caso, então, nobre donzela, é que se os maiores e mais poderosos deuses são tão miseráveis e ímpios, muito mais o serão aqueles que os adoram.

Poder-se-ia imaginar que o poder e a eloqüência desse discurso houvessem vencido imediatamente todo o preconceito e a vã convicção que Daria, até então, experimentara no paganismo. Entretanto, ela fora dotada com um brilhante intelecto, e a sua réplica às invectivas de Crisanto foram não apenas inteligentes e belas, mas tornou o debate extremamente inteligente, e profundamente filosófico.

— Mas tu estás consciente, Crisanto, de que todas estas coisas são apenas ficção dos poetas, e não merecem a consideração das mentes sérias. Na escola de nossos filósofos, onde os homens prudentes tratam as coisas como elas realmente são, os deuses não possuem os vícios que mencionaste; seu poder e providência são expressos por nomes simbólicos, que deram origem às fantasias dos poetas. Assim, alegoricamente, o tempo tem sido chamado de Saturno; Júpiter é outro termo para o calor, a luz, e o poder vivificante da natureza; Juno representa o ar; Vênus, o fogo; Netuno, o mar; Ceres, a terra; e assim por diante. Estas coisas não nos servem? Não são dignas de honra?

— Se estas coisas são deuses — insistiu Crisanto —, por que fazer imagens delas, e adorar representações de coisas que estão sempre presentes? A terra nunca se ausenta, o fogo está sempre à mão, o ar nos rodeia sempre e em toda parte. Como é estranho adorares as imagens destas coisas, e não elas mesmas! Que rei ordenaria ao seu povo desprezá-lo, mas adorar a sua estátua? Pese por um momento a insensatez desta teoria. Aqueles que adoram a terra por venerar-lhe a divindade deveriam diligenciar por demonstrar em sua atitude respeito e honra pela deusa. Deveriam eles rasgá-la com arados e pás, e pisá-la ignominiosamente sob os pés? Outros negam que ela seja uma deusa, e a laceram com arados e rastelos, e demonstram desdém em vez de respeito. Contudo, a qual deles ela se abre com a abundância de suas colheitas e seus frutos deliciosos? Ao que blasfemou e ultrajou-lhe a grande divindade. Se ela fosse realmente uma deusa, dar-se-ia isto assim? De igual modo, o pescador que vai pescar no mar, menosprezando-lhe a divindade, prospera mais que o tolo que fica na praia, adorando Netuno nas ondas que rugem. E assim é com os outros elementos. Eles são dirigidos pela divina providência de um grande Deus, que os criou para o benefício dos homens. Eles não passam de partes de uma grande obra, e são dependentes uns dos outros. A terra produz seus frutos e colheitas; tire, porém, a luz do sol, as chuvas umedecedoras, e o orvalho refrescante, e ela tornar-se-á estéril e inútil. O mar rola suas marés poderosas de costa a costa, e sustenta em sua superfície o comércio das nações; ele obedece a leis fixas, e proclama o poder e a glória de seu Criador. Ele, que criou o sol, a terra, o mar e o ar, e anima toda a natureza com a vitalidade da reprodução, é o único digno de honra, reverência e adoração. O estudante não reverencia as cartas ou os livros do preceptor, mas a ele próprio. O enfermo não louva as drogas que o curam, mas o gênio e a habilidade do médico. Assim, nobre donzela, uma vez que as coisas que mencionaste como divinas são inanimadas e dependentes, deve haver outro poder agindo sobre elas e animando-as – o poder de Deus!

Daria converteu-se. Crisanto mal terminara seu sublime argumento, quando ela atirou-se-lhe aos pés, implorando para ser instruída no conhecimento do Deus verdadeiro. Enquanto ele falava, o coração da jovem era um campo de batalha de poderes contendores. A vaidade e o amor-próprio haviam construído seus castelos na mente de Daria, e um preconceito profundamente assentado parecia ter fechado todas as avenidas da convicção. No entanto, o Todo-Poderoso, que influencia o livre-arbítrio, mas não o força, enviou em seu auxílio os poderosos agentes da razão e da graça. A eloqüência de Crisanto, bem mais capacitado que a jovem que se aventurara a arrazoar com ele, e a doce e invisível indução da divina graça, fizeram dela uma cativa desejosa do evangelho de amor.

2

O Deus Todo-poderoso, havendo trazido essas duas almas ao conhecimento da verdade, destinou-as a serem vasos eleitos para a proclamação de sua glória e para a salvação de muitos outros. Quando Daria declarou o seu desejo de tornar-se cristã, ela e Crisanto fizeram uma santa aliança; adotaram um estratagema piedoso para seu benefício mútuo e para a salvação de outros. Concordaram em passar por marido e mulher diante dos homens, consagrando, ao mesmo tempo, a sua castidade a Deus.

Com esta estratégia, ela pôde ir para casa a fim de preparar-se para o batismo, e Crisanto foi libertado pelo pai. Houve grande regozijo com o seu suposto retorno; Polemio deu uma festa magnífica aos amigos. Crisanto ia todos os dias visitar Daria, e assim que ela mostrou-se preparada, foi batizada por Cajus, juntamente com sua mãe.

O zelo fervoroso dos dois jovens era sentido por todos os que entravam em contato com eles. Do mesmo modo que eles haviam se convertido, muitos outros foram levados a abandonar as loucuras do paganismo e a aceitar a fé cristã. Inúmeros jovens largaram o mundanismo e abraçaram a santidade. Crisanto instruía os homens, e Daria, as mulheres. O Diabo não pôde suportar o bem, e suscitou contra eles uma tormenta que lhes trouxe a coroa do martírio.

Alguns homens maus da cidade puseram os olhos sobre as convertidas de Daria; enfurecidos pela perda, e instigados pelo Diabo, foram ao prefeito da cidade, e queixaram-se de que, pela maquinação de duas pessoas chamadas Crisanto e Daria, suas possíveis esposas estavam sendo afastadas deles e entrando para o odiado cristianismo. (*Clamant adolescentes se deponsuras sibi mulieres amisisse*, &). Algumas mulheres também disseram o mesmo a respeito de Crisanto. O prefeito Celerino ordenou que ambos fossem apanhados e, caso não sacrificassem aos deuses, submetidos a torturas. Cláudio, um tribuno dos soldados, e que gozava de grande reputação por sua habilidade mágica, foi nomeado para executar estas ordens. Era um grande acontecimento para ele e seus soldados, conforme provará a seqüência de nossa narrativa. Ele entregou Crisanto aos soldados brutais, com permissão para atormentá-lo como bem lhes aprouvesse, até que consentisse em sacrificar.

É impossível descrever os inúmeros suplícios e insultos oferecidos ao nobre mancebo, que se alegrava em imitar seu Senhor no sofrimento e na paciência. Arrastaram-no ao templo de Júpiter, fora da cidade, e ali tentaram todo tipo de dor e indignidade para induzi-lo ao sacrifício. Ente outras coisas, arranjaram algumas correias de couro e, depois de umedecê-las, amarraram-nas o mais fortemente possível em torno de seus braços e pernas, esperando que o couro molhado, ao secar, contraísse e cortasse-lhe a carne até os ossos. No momento, porém, em que as amarraram e lhes deram nós, elas se quebraram e caíram.

Levaram-no de volta à cidade, e o lançaram numa prisão repulsiva. Tentaram, então, atá-lo com um cordão triplo, que caiu da mesma maneira. Atribuíram tudo à magia, e um soldado mais impiedoso que os outros despejou água imunda sobre ele, dizendo para divertir os colegas:

— Agora a tua mágica de nada te servirá.

Contudo, em vez de um cheiro desagradável, sentiram um doce aroma, como se ele houvesse sido borrifado com água-de-rosa. Puseram-no, então, dentro de uma pele de bezerro, e o deixaram numa praça para ser afligido pelos cães, e ressecado pelo sol ardente. No entanto, o servo de Deus não sofreu qualquer inconveniência: os cães aproximaram-se farejando o ar, como se uma estranha fragrância impregnasse a brisa, e então retiraram-se rapidamente, como se houvessem sido fustigados. A pele de Crisanto não bronzeou nem ressecou; depois de um dia e uma noite neste estado, vigiado pelos guardas que se revezavam, ele parecia ainda mais animado e belo que antes. Admirados, seus executores levaram-no outra vez ao cárcere, e apressaram-se a contar ao tribuno Cláudio tudo o que acontecera.

Cláudio veio pessoalmente testemunhar o milagre. No orgulho de seu coração, pensava poder explicar aos soldados ignorantes o processo de magia pelo qual se deram os milagres. Quando chegaram à cela, encontraram-na iluminada, como se mil lâmpadas pendessem de suas paredes sombrias, e sentiram um agradável odor, semelhante ao da brisa passando por um jardim na primavera. Cláudio ordenou que Crisanto fosse trazido à sua presença, e cercado por seus rudes veteranos, dirigiu-se arrogantemente ao servo de Deus:

— Por qual poder tu realizas estes milagres? Tenho vencido todos os feiticeiros e mágicos, mas nunca encontrei uma magia como a tua. Como pareces ser um homem ilustre e sábio, tudo o que te pedimos é que renuncies a perniciosa assembléia dos cristãos, que incitam a sedição e o tumulto dos romanos, e que sacrifiques aos deuses onipotentes. Assim, preservar-te-ás na dignidade de teu nascimento e de tua fortuna.

Crisanto orava intimamente pela conversão do bem intencionado, porém ignorante, tribuno. Assumindo um tom de independência, e de gentil exprobração, o jovem replicou:

— Se tivesses um pingo de prudência, declararias abertamente o que confessaste em parte. Não é por magia que faço estas coisas, mas pelo poder do grande Deus. Tu me vês da mesma forma que vês os teus deuses; no entanto, se confessares a verdade, saberás que eles não podem ver nem ouvir. Tens dentro de ti um espírito que te anima o corpo e te dá inteligência. O que são estas coisas que chamas de deuses, senão pó e chumbo?

A blasfêmia contra os deuses do império era severamente punida pela lei romana, e Cláudio, que os ouvira ser ridicularizados por Crisanto, sentiu por um instante a verdade do que ele dissera. Todavia, rendendo-se aos impulsos de seu coração pagão, ordenou que o moço fosse desnudo e açoitado. Varas rígidas como ferro foram trazidas para infligir-lhe a mais severa punição, mas quando lhe tocaram o corpo, tornaram-se suaves como o papel. Ao ver o milagre, o tribuno comoveu-se. A graça, que lhe vinha batendo à porta do coração, encontrou guarida. Ele mandou que Crisanto fosse solto e novamente vestido. Enquanto vestiam o rapaz, os soldados permaneceram silenciosos; perguntavam-se o que significaria aquele tratamento clemente que o tribuno dispensava a Crisanto, ou que espécie de provações ele estava preparando para abalar-lhe a firmeza. Todavia, Cláudio exigiu silêncio e atenção, e falou-lhes solenemente:

— Estais cientes, bravos soldados, de que compreendo todos os encantamentos e artes mágicas. Este homem, posso ver, não realiza estes milagres por nenhuma espécie de magia, mas com o auxílio do poder divino. Vós bem vistes como os laços com que o amarramos se romperam; ele foi exposto ao sol sem nenhuma conseqüência, o seu cárcere fétido transformou-se numa câmara de luz e perfume, e agora, as varas de madeira resistente tornaram-se macias como o papel, quando usadas contra ele. Sendo assim, havendo nestas coisas a aparência de sinceridade e verdade, o que nos resta fazer senão prostrar-nos pedindo perdão pela iniqüidade cometida contra ele, e implorar-lhe que nos ensine a reconciliar-nos com este Deus, cujos seguidores são vitoriosos em toda guerra? Uma vez que este homem nos venceu, ele deveria dominar todos os governadores e imperadores do mundo.

Quando Cláudio acabou sua exposição, ele e todos os seus soldados ajoelharam-se, e o nobre tribuno falou por seus companheiros de armas: — Nós sabemos, jovem, que o teu Deus é o Deus verdadeiro. Imploramos-te que nos ensine algo sobre Ele, e ajude-nos a reconciliarmo-nos com Ele.

Crisanto chorou de alegria. Sua oração foi curta e silenciosa, mas cheia de poder. A resposta foi imediata e abundante. Naquele dia, ele batizou o tribuno com a esposa e os filhos, e toda uma coorte de soldados. Ele passou alguns dias em paz na casa de Cláudio, instruindo os novos convertidos, e preparando-os para a provação que a sua fé iniciante logo sofreria.

Entrementes, as informações do ocorrido logo chegaram a Numeriano. Ele mandou que Cláudio fosse lançado ao mar com uma pedra atada ao pescoço, e que se decapitasse todos os soldados que se negassem a sacrificar. Deus infundiu-lhes tanta graça na alma, que eles desejavam veementemente morrer por sua causa. Os dois filhos de Cláudio confessaram-se cristãos, e sofreram um glorioso martírio. O mesmo aconteceu aos soldados que bravamente trocaram a vida miserável deste mundo por uma existência eternal e feliz no reino de Deus.

Havia, no lugar onde eles foram sepultados, um monumento que os cristãos se apropriaram, e usaram como uma pequena igreja. Ficava na Via Maura, não muito longe da cidade. Os cristãos enterraram ali os corpos de Cláudio e dos soldados. Hilária, a esposa de Cláudio, ia freqüentemente orar na igrejinha, e com muitas lágrimas, implorava ao Senhor que a levasse para junto de seu marido, e ambos pudessem desfrutar da presença de Deus.

Certo dia, quando alguns pagãos passavam pelo local, viram Hilária orando, e descobriram que era cristã. Resolveram logo agarrá-la e levá-la ao imperador. Ela implorou-lhes que lhe permitisse orar por mais um momento, e depois iria com eles aonde quisessem. Eles consentiram. Ela encaminhou-se para o interior do monumento, e erguendo os braços ao céu, pediu ao Todo-Poderoso que a salvasse da vergonha e da terrível provação que teria de sofrer por sua fé. Deus ouviu-lhe a oração. Depois de esperar por alguns minutos, os pagãos impacientaram-se, e entraram para prendê-la. Encontraram-na no chão, sem vida. Seu espírito feliz voara para o império da bem-aventurança. Assustados, os pagãos fugiram. Duas das criadas de Hilária, que haviam permanecido por perto e assistido a tudo sem serem vistas, sepultaram respeitosamente a boa ama na mesma tumba que o seu esposo e os seus filhos martirizados.

Mas retornemos aos heróis desta história. Sabendo-se que Crisanto fora a causa da estranha conversão da legião de Cláudio, a punição mais medonha foi reservada para ele. O jovem foi lançado na prisão Marmetina, enquanto discutiam que espécie de morte lhe daria. Os *Atos* dizem que esta era a prisão mais escura e lúgubre. Ele foi despido, e atado com pesadas correntes da cabeça aos pés. Contudo, a luz, o aroma e a alegria, que haviam iluminado todos os calabouços santificados por sua presença, não o abandonaram na Marmetina. Crisanto sentiu-se mais feliz e honrado por ser posto naquela prisão, onde dizem haver estado os apóstolos Pedro e Paulo, que se o houvessem declarado imperador.

Agora devemos retroceder um pouco, e ver o destino da nobre e bela Daria. Como era costume naqueles dias de infâmia, o primeiro suplício infligido a uma donzela cristã era aquele sugerido pelos demônios das trevas: o lupanar. Na mesma manhã em que Daria foi presa, levaram-na perante o imperador por causa de sua beleza insuperável. Os *Atos* não detalham a entrevista, mas é evidente que o desprezo com que a sua alma pura tratou as seduções e promessas do imperador trouxeram sobre ela a sua indignação. Num acesso de fúria, ele ordenou que ela fosse exposta no lupanar mais notório da cidade. Ele ficava à sombra do Coliseu. Enquanto Crisanto realizava prodígios, e batizava centenas de pessoas numa parte da cidade, Daria era a heroína de estupendos milagres sob os arcos do anfiteatro. Aquele Poder que nunca abandona uma pessoa santa, posta contra a sua vontade entre os ímpios, sabia como preservar Daria. Registraremos o milagre de sua preservação com as palavras precisas dos *Atos*.

"Contudo, a ajuda foi dada a Daria por um leão que fugira da arena. Entrando na câmara onde ela achava-se exposta e orando, ele postou-se no centro do aposento. Os cidadãos, sem saber de nada, enviaram à virgem o mais ímpio e falso dos jovens. Tão logo ele entrou, o leão saltou sobre ele, jogou-o ao chão, e enquanto o calcava sob a pata, olhava para a jovem de Cristo, como se a espera de que ela lhe dissesse o que fazer com o rapaz. Percebendo tudo, Daria falou ao leão: 'Em nome do Filho de Deus, permita-lhe ouvir o que tenho a dizer'. O leão, deixando-o livre, vigiava a porta para que ninguém mais entrasse.

"Então Daria dirigiu-se ao moço: 'Viste que até o leão feroz, ouvindo o nome de Cristo, adorou a Deus. Mas tu, jovem infeliz, dotado de razão, acha-se mergulhado em muitos crimes e impiedades. Te orgulhas e te glorias de muitas coisas que deveriam envergonhar-te.' O rapaz prostrou-se, e suplicou chorando: 'Deixa-me partir em segurança, e pregarei a todo mundo que o Cristo a quem adoras é o único Deus verdadeiro'. Daria ordenou ao leão que o deixasse passar. Quando a fera afastou-se da porta, o moço precipitou-se para a rua, proclamando em alta voz que Daria era uma deusa.

"Depois disso, quando alguns homens audaciosos vieram da arena para prender o leão, o bicho, pelo poder divino, lançou-os ao chão, mantendo-os junto da jovem, mas sem lhes fazer mal. Daria aproveitou a oportunidade: 'Se crerdes em Cristo, podereis ir em segurança; se não, deixai que vossos deuses os livrem'. Os homens gritaram a uma voz: 'Se alguém não crê que Cristo é o Deus vivo e verdadeiro, que não saia vivo deste lugar!' E saíram dali bradando: 'Acreditai, ó romanos! Não há outro Deus além do Cristo, a quem Daria prega'.

"Celerino, o pretor, mandou que ateassem fogo à câmara onde Daria estava exposta. Ao ver o fogo, o leão assustou-se, e rugiu dando o alarme. Daria tranqüilizou-o: 'Não te assustes. Tu não perecerás pelo fogo, nem serás capturado ou morto. Morrerás de morte natural. Pára de temer, e vai-te em paz. Aquele a quem tu honraste haverá de proteger-te'.

"Curvando a cabeça, o leão saiu; passou pelo meio da cidade sem que ninguém o tocasse. Todos os que foram salvos de sua boca foram batizados" (Surius, 28 de outubro).

Quando estas coisas foram anunciadas a Numeriano, ele ordenou que Pôncio, um pretor, forçasse Crisanto e Daria a sacrificar, ou seriam levados à morte por meio de severos tormentos. O pretor advertiu-os e tentou, inutilmente, fazê-los sacrificar. Ao ver que recusavam, mandou que Crisanto fosse pendurado no depósito de armas. O instrumento onde o penduraram quebrou-se instantaneamente, e as tochas se apagaram. Quanto a Daria, os que a tocavam eram atingidos pelo medo e sofriam dores intensas. O pretor apressou-se a relatar os fatos ao imperador que, atribuindo tudo à magia, e não à interferência divina, determinou que ambos fossem queimados vivos, num buraco fora do portão Salariano. As ordens foram obedecidas; era da vontade do Todo-Poderoso que os seus servos obtivessem assim a coroa, e fossem para Ele. Crisanto e Daria foram conduzidos para fora da cidade, acompanhados por uma grande multidão. Quando os puseram na grande cova, ambos cantaram juntos um hino. Sucumbiram sob as pedras e a terra que os pagãos lançaram sobre eles, encontrando a morte e a sepultura no mesmo lugar. Unidos em espírito, foram ambos às bodas eternais do Cordeiro de Deus.

Logo após o martírio, aquela tumba tornou-se um local de encontro dos cristãos. Nos cultos ali realizados houve grandes milagres e inumeráveis conversões. Multidões destemidas afluíam para o lugar, e logo Numeriano soube do que se passava. Ordenou, então, que os soldados removessem qualquer vestígio do túmulo, para que os cristãos não se reunissem ali no futuro. Os soldados chegaram certa manhã, após o culto, e precipitando-se sobre a congregação, mataram um grande número de fiéis. Dentre eles, o pastor Deodoro, o diácono Mariano, e vários outros clérigos e leigos cujos nomes não são conhecidos.

Os *Atos* destes fiéis foram concluídos com as seguintes palavras:

"Nós, Varino e Armênio, irmãos, escrevemos estas coisas como elas aconteceram, por ordens de nosso santo líder Estêvão, e enviamos estes *Atos* a todas as cidades, para que todos saibam que os santos mártires, Crisanto e Daria, receberam a coroa do martírio no reino celestial de Deus. A Ele, toda glória e poder, agora e para sempre".

A Perseguição de Deocleciano

Capítulo 19

A perseguição de Deocleciano foi a mais ampla e severa de todas as que já se abateram sobre a Igreja. Um número incontável de mártires foi enviado ao céu, e a Igreja iniciou, em meio a todas as crueldades e os horrores dessa provação, a gloriosa carreira de triunfo, que difundiu a sua influência e levou as bênçãos da fé além das fronteiras do Império Romano. O início do quarto século assistiu a batalha entre a Igreja e os poderes deste mundo. Ela triunfou e manteve o poder que ganhou. Antes de citar quaisquer dos *Atos* dos mártires supliciados no Coliseu, nesse reinado, daremos ao leitor um resumo dessa terrível perseguição; como ela surgiu, e as felizes conseqüências que se seguiram.

Não nos demoraremos sobre as estranhas vicissitudes do destino, que puseram um homem como Deocleciano à frente do império de Roma. Ele era um escravo, nascido de escrava, e obteve a sua honra como um bravo bárbaro nas fileiras do exército. Foi nomeado general por Probo, e com a morte de Carino, foi declarado césar por suas próprias tropas. Seu caráter era uma combinação de ignorância, orgulho, avareza e crueldade. A superstição, que é sempre uma característica das mentes fracas, encontrou abrigo e triunfou em seu coração perverso e covarde. Deocleciano acreditava nos oráculos, e tinha fé irrestrita em tudo o que eles diziam. Uma estranha coincidência levou-o a ter grande reverência por estas ilusões pagãs. Uma sacerdotisa gaulesa dissera-lhe, enquanto ele ainda era general, que haveria de tornar-se imperador quando matasse um porco não castrado. Ele matou com as próprias mãos o assassino de Numeriano, e logo após foi declarado imperador. Isso, pensava ele, fora o cumprimento da profecia. Foi o oráculo de Apolo, como veremos adiante, que o fez perseguir os cristãos.

Deocleciano tinha um amigo, um soldado ignorante e de nascimento humilde, chamado Maximiano, a quem a fortuna cega também favorecera. Por haver sido seu companheiro no exército, foi elevado a uma posição de mando no Império. Ignorante e cruel como Deocleciano, foi o instrumento apropriado nas mãos dos poderes das trevas, que estavam se preparando para um ataque violento à Igreja de Deus. Ambos dividiram o Império entre si. Deocleciano preferiu o luxo do leste, e deixou a Maximiano o oeste desgraçado.

Por estranho que pareça, nos primeiros anos de Deocleciano, tudo era alegria e calma no lado do Império governado por ele. Eusébio, em seu oitavo livro, oferece uma descrição entusiasmada da prosperidade da Igreja naquelas regiões. Conquanto seja certo que Deocleciano desconfiasse dos cristãos, e até mesmo os odiasse, parecia que algo o refreava de molestá-los. O número dos cristãos, nesse tempo, era imenso; a indignação pública contra eles fora mais ou menos apaziguada. A perturbação política dos últimos quatro anos mudara a atitude dos pagãos, enquanto o espírito de fé, sempre vigilante e ativo, saía à procura das almas, e pregava publicamente o evangelho de Cristo. Alguns meses de tranqüilidade foram suficientes para levantar das ruínas a Igreja prostrada. Quando houve um momento de calmaria na tempestade da perseguição, milhares de pessoas foram vistas ao pé da cruz, e os novos convertidos e catecúmenos engrossaram as fileiras dos cristãos dizimados no conflito. Assim, quando Deocleciano subiu ao trono, quase metade do Império era cristã. A igreja do leste estava particularmente florescendo. Influenciada pelos Basílios, Gregórios, e uma multidão de heróis martirizados, ela já aprofundara demasiadamente as raízes no solo para ser murchada pela perseguição, ainda que fosse a mais acirrada. Mesmo em Nicomédia, onde recebeu o impacto mais forte da tempestade, ela apenas se ocultara, enquanto Deocleciano e Galério pensavam que houvera sido aniquilada. Tão florescente eram os cristãos, que até mesmo a esposa e alguns dos filhos do imperador chegaram a abraçar a fé,[1] e muitos dos oficiais da casa imperial professavam abertamente o cristianismo.

"Como tão grande glória e liberdade nos foram dadas antes dessa perseguição", comenta Eusébio, "eu não posso explicar. Talvez haja sido a benignidade do imperador, que confiando a nós o cuidado das províncias, removeu o medo de ter de sacrificar aos deuses, em consideração e estima por nossa religião. De que adianta falar das multidões nos palácios imperiais, de suas esposas, seus filhos e empregados domésticos, a quem concedera a liberdade de adorar abertamente a Deus? Quem pode enumerar a quantidade daqueles que diariamente convergiam à fé em Cristo, o número de igrejas em cada cidade, e as multidões de pessoas ilustres, que se reuniam nos edifícios sagrados do Deus verdadeiro? As igrejas não mais os comportavam; novos e maiores templos eram edificados sobre a fundação dos antigos. Apesar da malignidade dos demônios e das conspirações dos homens malvados, a santa fé progredia mais e mais, dia a dia, enquanto o Senhor nos julgava dignos da sua proteção".[2] Estas últimas palavras do grande historiador parecem agourentas; mas ele estava apenas escrevendo a introdução do mais terrível conto de perseguição e morte.

Embora Eusébio fale em termos fortes da paz geral da Igreja e da aparente parcialidade do imperador, não devemos nos esquecer que Deocleciano era um hipócrita, e mostrava-se tolerante para com os cristãos naqueles primeiros anos de seu reinado, mais por sua política baixa e covarde que por favor e indulgência. Em certas partes das províncias a ele reservadas, a perseguição assolava com maior ou menor violência, conforme o que aprouvesse aos governadores, e em virtude dos éditos não revogados de Aureliano, ainda em vigor contra os cristãos. Lemos sobre o martírio de Cláudio, Astério, Neone, e seus companheiros, na província de Egea, na Lícia, no primeiro ano de seu reinado (285). Há monumentos mostrando que a perseguição assolava também noutras províncias.[3] Tudo isto deve ter chegado ao conhecimento de Deocleciano; ele permitiu a perseguição onde poderia, facilmente, tê-la impedido. Contudo, a sua hipocrisia era uma virtude, se comparada à crueldade sanguinária de seus últimos anos.

Devemos, por um momento, volver os olhos a Maximiano. Esse canalha, tão inesperadamente elevado à realeza, não impunha limites às suas paixões. Ele odiava os cristãos ainda mais que Deocleciano. Um de seus primeiros atos na Gália foi levar à morte uma legião de soldados cristãos. Eram os melhores e mais bravos soldados de seu exército, e chegavam a mais de seis mil.[4] Eles foram especialmente enviados do leste para ajudá-lo a acalmar as inquietações de seu caráter formidável. Em todo o oeste, os mais nobres e ricos foram mortos à espada para satisfazer a crueldade e a avareza desse monstro.

Todavia, a Igreja avançava por todos os lados, e Eusébio não hesitou em chamar de calmos aqueles dias. Mas, oh! Essa calma teve um terrível efeito sobre a Igreja. A rigidez da antiga moral foi relaxada, e as desordens foram gradualmente aumentando. "A liberdade sossegada", conta Eusébio, "a nós concedida pelo Senhor, e com que podíamos observar mais tranqüilamente os seus preceitos, foi por nós abusada. Cresceu entre nós o espírito de inveja e de rancor; rompeu uma guerra civil; as armas com que procurávamos injuriar uns aos outros eram as nossas línguas caluniadoras; a fraude, a falsidade, e a hipocrisia estavam usurpando o controle das ações dos homens; e o chicote já estava nas mãos divinas. Nós o vimos cair um tanto pesadamente sobre os que serviam no exército. Contudo, éramos tão imaturos às advertências do evangelho, que não diligenciamos, em tempo oportuno, em despertar-nos para a tempestade que ameaçava à nossa volta. Como cegos e loucos, que não imaginam serem os eventos humanos dirigidos e ordenados por uma Providência Superior, para as suas próprias e sábias finalidades, continuamos a tentar a Deus acrescentando às nossas culpas anteriores novos e piores crimes. Finalmente, de acordo com a predição de Jeremias, o Todo-Poderoso cobriu de vergonha a filha de Sião, e lançou ao chão a glória celestial de Israel; no dia de sua ira, o Senhor não se lembrou do escabelo de seus pés".[5]

O poder das trevas parecia haver medido cada passo, e avançado cuidadosamente, antes de descer com toda a fúria sobre o arraial adormecido de Israel. Outro monstro em forma humana foi enviado à terra para ter o poder; ele sobrepujou todos os césares em vilania, crueldade, e todo tipo de pecado. Este homem era Galério.

Deocleciano, em quem a timidez e o temor converteram-se em imbecilidade, concebeu a idéia de dividir o Império em mais duas partes. As constantes agitações dos bárbaros, que ameaçavam por toda parte, e mesmo algumas revoltas internas, induziram o imperador falto de visão a adotar esta política suicida. A sua idéia era nomear mais dois césares, que teriam pleno poder para defender e governar seus distritos relativos, sem ostentar o nome de imperador. Para este propósito nomeou Constâncio Chlorus, um homem de nascimento nobre e qualidades desejáveis, e Galério, o filho de um camponês, um soldado de sorte, porém tirano e inimigo mordaz do cristianismo.

Por alguns anos, Galério ocupou-se em acalmar os motins nas fronteiras do Império. Pelas orações dos soldados cristãos de seu exército, ele obteve um completo triunfo sobre os persas. Seu orgulho, é claro, acompanhava os passos de sua boa sorte, e ele retornou tão inchado com a sua grandeza, que desprezou seu benfeitor, e decidiu ser o imperador. A sua mãe, que ainda vivia, também era cruel e supersticiosa; a única educação que ela dera ao filho fora o ódio aos cristãos. Quando Galério voltou do leste, ela mal o abraçou, e já se pôs a injuriar os cristãos, e a incitá-lo a persegui-los.

Galério governava a província da Ilíria, e ali desembainhou pela primeira vez a sua espada contra a Igreja. Começou em sua própria casa, e então em seu exército.[6] As escravas de sua mãe impiedosa foram queimadas no fogo da cozinha, enquanto ela assistia como uma fúria, em brutal alegria. No exército, os primeiros oficiais no poder receberam ordens de levar os cristãos à morte; percebendo-se, porém, que eram demasiadamente numerosos, e que dois terços deles seriam destruídos, a ordem foi modificada, e apenas alguns dos mais notáveis foram executados. Ao mesmo tempo, todos os outros foram excluídos de qualquer promoção ou emolumentos provindos do serviço. Quando vemos os que foram martirizados, eles são poucos se comparados ao grande número dos sobreviventes; contudo, podem ser contados aos milhares. Nos *Atos de Santo André*, que era tribuno de uma legião no exército de Galério, lemos que ele foi martirizado por volta do ano 300, juntamente com três mil companheiros.[7] Todavia, a prudência conteve a espada de Galério, e impediu o golpe que ele pretendia desferir. A hora destinada pela Providência ainda não chegara, mas aproximava-se rapidamente.

Durante quatro anos ele desejou o extermínio total dos cristãos. Sabia por experiência que eles iriam como cordeiros para o matadouro; que não murmurariam nem se revoltariam contra a sentença injusta. Com uma diabólica malícia, concebeu a idéia de promover uma perseguição simultânea e universal em todo o Império, a fim de varrer da face da terra, de uma vez por todas, o detestado nome dos cristãos. Para efetuar seu intento, percebeu ser necessário um édito de Deocleciano. Viajou à Nicomédia, onde Deocleciano estava residindo, e não voltou enquanto não conseguiu o seu propósito.

Isto foi no ano 302. Todavia, Deocleciano tremia ao pensamento de um assassinato em massa dos cristãos; a sua timidez natural torturava-lhe a mente com imagens de revolta e insurreições, e guerras civis que poderiam arremessá-lo do trono. Não obstante as advertências sobrenaturais de seus temidos oráculos, e os rogos incessantes de Galério e de sua mãe ímpia, Deocleciano temia dar tal passo, e adiou, enquanto pôde, a assinatura do édito fatal. Galério, vendo malograda a sua súplica, assumiu o tom arrogante do desafio, levando Deocleciano a finalmente consentir, uma vez que o oráculo de Apolo o recomendava. Um vidente foi enviado ao oráculo, e um suborno de Galério trouxe de volta a resposta de que os cristãos eram hostis aos deuses.

A sorte foi lançada. O mês, o dia e a hora foram determinados, quando os três demônios deveriam ser soltos, e a Igreja de Deus, mergulhada em desolação e angústia. Os Jogos Finais, celebrados todos os anos com grande pompa, estavam próximos; o primeiro dia desses jogos, 23 de fevereiro de 303, foi assinalado para o início da perseguição. Mensageiros foram despachados aos governadores das províncias, para que estivessem de prontidão; que preparassem a roda, a fornalha e a espada para os servos de Cristo. Muitos deles regozijaram-se à perspectiva de um banquete de sangue. O extermínio de uma religião odiada era sempre bem-vindo, mas a esperança das riquezas ilimitadas dos cristãos caindo-lhes nos cofres, e de crescer no favor do césar, produziu em seus corações corrompidos um zelo e uma cooperação pela causa impiedosa, que fez dessa perseguição não apenas a mais ampla, mas também a mais destrutiva já passada sobre a Igreja.

Os cristãos sabiam que a hora da provação se aproximava. Não era inapropriada a comparação das perseguições às tempestades no mar, e a Igreja era a pequena barca que devia enfrentar a fúria dos elementos. Havia sinais no céu, anunciando a luta iminente; seu futuro era escuro e sombrio, como o horizonte quando se aproxima a tormenta. As vozes dos pastores soavam nas igrejas como o pio agudo das gaivotas marinhas enfrentando as vagas agitadas, e dando o familiar alerta da tempestade. As mulheres e crianças foram enviadas aos abrigos das catacumbas, enquanto cada mastro solto fora amarrado ao molhe, e todas as velas, rizadas. Os bispos haviam reunido seus trêmulos rebanhos, e falado-lhes com tal fervor e eloqüência, que os fez desejar o aço dos executores, que lhes traria a coroa do martírio. Enquanto os jovens corajosos, como Sebastião e Pancrácio, cujo coração possuía a resistência do carvalho, permaneceram na cidade para resistir ao ímpeto da luta e encorajar os irmãos mais fracos, gentis donzelas de sangue nobre, como Agnes e Priscila, recolhiam-se nas casas de campo, e oravam com o coração palpitante, como pombas assustadas, suspirando em seus ninhos. A antecipação do mal é freqüentemente mais dolorosa que o próprio golpe. Antes que o terrível édito fosse promulgado, algumas igrejas foram abandonadas, e os altares removidos para a casa de algum cristão obscuro, ou para as catacumbas.

No início da tempestade, o piloto da Igreja era o tímido Marcelino. Até ele perdeu a coragem no fragor da tormenta; abandonou o leme por um instante, mas reivindicou-o novamente e foi adiante. A piedosa matrona Lucina havia doado a sua casa de campo e seu jardim, fora da Porta Capena, para um novo cemitério, e enquanto houve tempo, a Igreja cingiu-se para o combate.

Finalmente, o édito sanguinário é lido. Uma cópia é enviada de Nicomédia a Roma e à Ilíria. Galério, o promotor principal da perseguição, tão ansioso estava pelo dia tenebroso, que passou a véspera em vigília. Os cristãos haviam construído uma bela igreja num morro, voltada para a cidade de Nicomédia. O templo podia ser visto da janela do palácio do imperador. Mal raiara a manhã do dia 23 de fevereiro, quando uma tropa foi enviada a destruir a igreja. Os soldados agarraram tudo o que havia dentro – livros, móveis e algumas vestimentas – e queimou-os na praça. Então, com gritos e urros, jogaram abaixo a construção. Os dois imperadores, que de uma janela do palácio desfrutavam da cena, recompensaram os soldados, em seu retorno, por sua nobre e brava conduta. Na manhã seguinte, os pergaminhos que anunciavam a coroa de glória para milhares de filhos escolhidos de Deus foram pendurados nas colunas de mármore do Fórum de Nicomédia.

O decreto deveria ter sido publicado em todo o Império ao mesmo tempo, mas por algum ciúme secreto do senado, foi protelado em Roma até o dia 15 de maio. O arrogante senado ainda se agarrava aos direitos de sua instituição original, e ainda gabava-se de que o seu poder nominal fosse uma realidade. Não obstante, como uma fortaleza desmantelada e abandonada, lançava a sua sombra orgulhosa sobre a planície, como nos dias de sua glória, e impedia, por um instante, que a espada suspensa fosse descida. O demônio, porém, não deixaria que lhe tirassem a presa. A turba romana habituara-se a acatar suas sugestões, e estava sempre disposta a insultar o Deus verdadeiro. Foi em um acesso de excitação brutal que o brado freqüentemente ecoado pelas arquibancadas do Coliseu fez ressonância no Circo Máximo. Enfurecido, o populacho levantou-se como que por um impulso simultâneo, e gritou: "Christiani tollantur!" O brado "Fora com os cristãos!" foi doze vezes repetido por um coro de centenas de milhares de vozes sedentas de sangue. E foi seguido pelo clamor, dezenas de vezes repetido: "Morte e extermínio aos cristãos!" Por isto, foi combinado pelo senado que a perseguição aos cristãos deveria ser declarada, e assim, ela foi decretada. (Veja os *Atos de Sabino*, em Barônio, ano 301.)

Em Nicomédia, um cristão rico e de alta posição social estava passando pelo Fórum, na manhã em que o édito fora publicado, e imprudentemente, rasgou uma das cópias, espalhando os pedaços ao vento. Ele foi agarrado, e queimado até a morte, em fogo lento, em frente ao palácio de Deocleciano.[8] Galério enraiveceu-se como nunca; a vingança e o desespero deram um matiz mais profundo à sua crueldade natural. O primeiro decreto era leniente demais para o seu propósito, e ele arranjaria outro, escrito em caracteres de sangue. O autor de "Death of the Persecutors of the Church", conta-nos como ele obteve o segundo édito.

"Com a ajuda de alguns confidentes, ele ateou fogo ao palácio real. Tão logo a conflagração foi descoberta, os agentes do impiedoso imperador começaram a gritar que os cristãos eram a causa do incêndio e os inimigos do soberano. Assim, as labaredas do ódio infernal contra os cristãos arderam mais furiosamente no coração dos gentios que as chamas devorando a habitação imperial". (*De Mortibus Persecutorum*, cap. XIII, também em Barônio, ano 201.)

Outros éditos seguiram o primeiro; eram mais radicais e terríveis que quaisquer leis antes publicadas. Eram dirigidos particularmente contra os eclesiásticos, as igrejas, os escritos sagrados, e as virgens. É horrível dizer, mas, uma das sanções desses éditos era que qualquer moça que se negasse a sacrificar tornar-se-ia propriedade pública.[9] Mas todos os raios de Deus estavam prontos para defender suas filhas desamparadas; todas as vezes que tentavam pôr em execução esta lei ímpia, julgamento e morte eram o resultado imediato. As maquinações do malvado Galério não terminaram por aí. Vendo o sucesso de seu primeiro estratagema, ele mal esperou passar quinze dias, e ateou fogo ao palácio imperial, lançando a culpa sobre os cristãos, e fazendo Deocleciano acreditar que eles eram incendiários, e que desejavam queimá-lo vivo em seu palácio. Galério tremeu de excitação, quando ele declarou que não estaria seguro enquanto houvesse um cristão no palácio. Todos esses planos tiveram sobre o pusilânime Deocleciano o efeito desejado; ele, que já era um instrumento nas mãos de seus colegas, tornou-se o pior inimigo da Igreja, e superou, se isto é possível, os outros dois em crueldade.

"A sua fúria contra os cristãos", afirma Lactâncio, "atingira as alturas; ele não mais perseguia a alguns, mas a todos eles, e em toda parte. Primeiro ele obrigou Valéria, sua irmã, e Priscila, sua esposa, a contaminar-se com os sacrifícios gentílicos. Mandou matar o seu eunuco favorito, que comandava toda a corte e os seus assuntos pessoais; pastores e outros ministros foram pegos e assassinados sem qualquer julgamento; homens e mulheres, de todas as idades, eram submetidos às torturas mais cruéis. O número dos acusados cresceu assustadoramente; eram levados à morte em multidões. Imensas fogueiras ardiam à sua volta, e os consumiam juntos. Os criados da casa do imperador foram lançados ao mar, com pedras penduradas ao pescoço. Em todos os templos pagãos, estabeleceram-se juízes, cuja única ocupação era fazer o povo sacrificar; a prisões públicas lotaram, e novas torturas eram testadas para perverter os cristãos ou fazê-los em pedaços" (conforme acima, cap. XIV).

O extermínio foi plenamente declarado, e a batalha assolou todo o Império. A província da Gália foi o único local a escapar-lhe da fúria; ela estava, nesta ocasião, sob o governo de Constantino Chlorus, o pai de Constantino o Grande. Ele era justo, e não tinha preconceito contra os cristãos; onde lhe foi possível, impediu o assassinato e a carnificina. Alguns dos governadores sob seu comando confiscaram os bens dos cristãos, e ocasionalmente, levava-os à morte; não obstante, a Gália foi preservada dos horrores que se abateram sobre outras porções do Império. As descrições deixadas por Lactâncio, Eusébio, e o imortal Basílio,[10] a respeito dessas horas de provações, encheriam volumes, que seriam sagrados aos olhos da Igreja; ao mostrar a virulência e a universalidade da perseguição, eles declaram a glória e o triunfo da instituição divina, que não apenas sobreviveu, como permanece sobre a rocha dos séculos, tão indestrutível hoje quanto no tempo em que o ímpio Galério buscava aniquilá-la.

Tudo o que a malícia humana e demoníaca pôde sugerir foi tentado para o extermínio dos cristãos. "Foi proclamado, além disso", escreveu um santo mártir, citado por Eusébio em seu oitavo livro, "que ninguém deveria ter por nós qualquer cuidado ou pena, mas que todos deveriam ver-nos, e agir a nosso respeito, como se não mais fôssemos homens".

O eloqüente Basílio, em um de seus sublimes panegíricos sobre os mártires cristãos, relata: "As casas dos cristãos eram destroçadas e deixadas em ruínas; seus bens tornaram-se objeto de saque; seus corpos sofriam nas mãos dos ferozes lictores, que os dilaceravam como feras, arrastando suas matronas pelos cabelos, ao longo das ruas, endurecidos à suplica por piedade, fosse de idosos ou de crianças. O inocente era submetido a tormentos geralmente reservados ao mais vil criminoso. Os calabouços eram lotados com habitantes de lares cristãos, que agora jaziam desolados. Os desertos sem trilha e as cavernas das florestas enchiam-se de fugitivos, cujo único crime fora adorar a Jesus Cristo. Naqueles dias tenebrosos, os filhos traiam os pais, o progenitor acusava a própria descendência, o servo apoderava-se da propriedade de seu senhor, denunciando-o, um irmão fazia derramar o sangue do outro – nenhum direito ou vínculo de humanidade parecia ser reconhecido; estavam todos cegos, como que por possessão demoníaca. Ademais, as casas de oração eram profanadas por mãos ímpias; os altares sagrados eram derrubados; não se faziam mais oblações a Deus; nenhum lugar foi deixado para o culto divino. Tudo o que havia era a profunda tribulação, trevas espessas, que excluíam todo conforto; os colégios sacerdotais foram dispersos; nenhum sínodo ou concílio podia reunir-se, por causa do terror da matança em toda parte. Os demônios, no entanto, podiam celebrar suas orgias, e poluir tudo com a fumaça e o sangue de suas vítimas" (Orat. *In* Gordium Mart).

Lactâncio escreve: "A terra inteira estava aflita e oprimida; três bestas selvagens, do mais brutal caráter, rugiam de leste a oeste, em sua fúria de devorar os cristãos. Se eu tivesse cem línguas e cem bocas, e se a minha voz fosse de ferro, eu ainda não poderia descrever a horrenda crueldade dos gentios, nem os nomes e a espécie de tormentos que eles empregavam contra os cristãos" (*De Mortibus Pers.*, cap. XVI).

Para descobrir os cristãos, eles recorreram a certos estratagemas maliciosos, porém ridículos. Além dos espiões da corte, cujo nome era legião, foi decretado que se pusessem ídolos em todas as lojas de suprimentos, a fim de que a mínima coisa necessária à vida não pudesse ser comprada sem que se sacrificasse aos demônios. Em toda praça, fonte, padaria ou açougue, havia uma pequena estátua de algum deus fabuloso, uma caçoula com fogo, e uma caixa de incenso. Qualquer um que desejasse comprar deveria, primeiro, queimar algum incenso ao ídolo. Um oficial do governo estava lá para insistir na absurda homenagem aos demônios. Eram tais os excessos e avidez pelos sacrifícios, que pessoas idosas, que havia anos não saiam de casa, foram arrastadas às praças públicas para queimar incenso; criancinhas no colo da mãe eram obrigadas a juntar-se neste escárnio blasfemo ao Deus verdadeiro.[11]

Se fôssemos narrar o terrível sofrimento dos cristãos sob as novas e desconhecidas torturas (como Lactâncio as chama), inventada pelos perseguidores, encheríamos páginas e páginas de cenas que fariam gelar cada veia de nosso corpo. Elas ultrapassavam qualquer coisa que a fantasia mais cruel já imaginou. O fogo, a água, o ferro, e a força bruta de demônios encarnados emprestavam todas as suas combinações para produzir dor, queimar, rasgar e destruir; a mais elevada ciência era empregada em matar pela tortura mais lenta. A vergonha de ser despido perante as turbas violentas era mais dolorosa aos jovens cristãos, de ambos os sexos, que o flagelo da roda. A falta de piedade e misericórdia para com uma menina de oito anos era a mesma para com um homem de oitenta.

Para aumentar os horrores desses tempos, os corpos destroçados das vítimas eram privados de sepultamento, e freqüentemente deixados durante dias nas praças públicas, ou jogados nos campos, fora das cidades, a fim de serem devorados pelos cães a aves de rapina. Emitiram-se ordens para que os corpos fossem guardados dia e noite, a fim de que os cristãos não os levassem e os honrassem. "Deveríeis ter visto", escreve Eusébio, "não poucos homens executando este comando bárbaro e selvagem. Alguns deles, como se isto fosse um assunto de elevada importância, vigiavam de uma torre, para que o morto não fosse levado embora. Até os animais selvagens, os cães e os abutres espalhavam aqui e ali pedaços de corpos. A cidade inteira foi semeada de vísceras e ossos humanos; nada parecia mais cruel e horrendo, até mesmo àqueles que antes haviam sido nossos inimigos. Todos lamentavam, nem tanto pelas condições calamitosas daqueles em quem estas crueldades eram praticadas, mas pelo opróbrio lançado sobre eles e a humanidade em geral". Não admira que tais barbaridades hajam arrancado lágrimas do mais duro mármore. Continuando seus registros no mesmo capítulo, Eusébio relata um dos mais extraordinários milagres da história da Igreja Primitiva:

"Após estas horrendas barbaridades haverem sido praticadas por muitos dias seguidos, ocorreu o seguinte milagre: o tempo estava claro, a atmosfera limpa, e a face do céu serena e brilhante, quando, de repente, de todas as colunas que sustentavam as galerias públicas da cidade, começou a cair gotas em forma de lágrimas; o Fórum e as ruas ficaram molhados com água de alguma fonte desconhecida (nenhuma umidade fora destilada do ar). De maneira que se espalhou entre os habitantes o boato de que, incapaz de suportar as terríveis impiedades cometidas por eles, a terra havia, inexplicavelmente, vertido lágrimas; que as pedras e a matéria inanimada haviam chorado em reprovação à brutal e selvagem inclinação do homem. Não tenho dúvidas", prossegue Eusébio, "de que as gerações futuras verão isto como uma história fabulosa e ridícula; eles não considerarão o fato do mesmo modo que alguém que teve a certeza confirmada pelas autoridades dos tempos em que ocorreu".[12]

Foi um estranho fenômeno; mas não importa como seja encarado, a interpretação dada pelos próprios pagãos permanece para atestar o triunfo moral dos cristãos sobre o ânimo e a empatia de seus perseguidores.

É impossível calcular, ainda que aproximadamente, o número dos que foram massacrados durante essa perseguição. Por dez longos anos, a tempestade soprou sobre o Império, e enquanto o sangue de milhares fluía dos patíbulos numa corrente contínua, outro tanto perecia nos desertos, ou nas cavernas insalubres da terra. Um catálogo antigo, publicado por Papebrochius, mostra que num espaço de trinta dias, quinze mil pessoas foram levadas à morte. Eusébio refere-se a "um enumerável grupo, de todas as províncias".

Somente em Tebas. Ele mesmo viu, numa sucessão de anos, dez, vinte, trinta, e até sessenta pessoas, serem levadas à morte num único dia. "Noutra ocasião, cem homens, com mulheres e criancinhas, foram mortos num só dia; tanto, que as espadas dos executores ficaram cegas e inadequadas ao uso, e por isso foram quebradas; os próprios executores, ao cansar-se, eram substituídos por outros, em turnos. Neste tempo também observamos o mais admirável ardor, vivacidade, e verdadeira força divina nos que criam em Cristo; tão logo a sentença era pronunciada contra alguém, os demais corriam a confessar a sua fé perante os tribunais" (Livro VIII, cap. IX.).

Ele escreve ainda sobre uma cidade da Frígia, onde o governador, os magistrados, e todos os cidadãos eram crentes em Jesus. Todos declararam com firmeza a sua determinação em morrer em vez de sacrificar. O fogo foi ateado em toda a cidade, e os soldados a cercaram, impedindo que alguém escapasse. Assim, toda a população – homens, mulheres e crianças – foi destruída, e recebeu junto a coroa de glória. Barônio também menciona uma congregação inteira, queimada no próprio templo, numa manhã natalina (ano 301, Nº 47).

Talvez nada nos proporcione uma idéia melhor da virulência da perseguição, que a impressão tida pelos imperadores de que eles haviam destruído completamente o cristianismo. Parecia-lhes tão impossível a subsistência da Igreja cristã, que numa segura e resoluta antecipação do evento, pomposas inscrições foram feitas em vários lugares, para comemorar, entre outros feitos heróicos dos imperadores, a destruição da "superstição cristã". Eis dois espécimes dessas inscrições mentirosas:

> *"DIOCLETIANUS IOVIUS ET MAXIMIANUS*
> *HERCULEUS CAES. AUG.*
> *AMPLIFICATO PER. ORIENTEM ET*
> *OCCIDENTEM IMP. ROM.*
> *ET*
> *NOMINE CHRISTIANORUM*
> *DELETO, QUI. REMP. EVER-*
> *TEBANT".* [13]

De novo:

> *"DIOCLETIANUS CAES.*
> *AUG. GALÉRIO IN ORIENTE ADOPT.*
> *SUPERSTITIONE CHRIST.*
> *UBIQUE DELETA ET CULTU*
> *DEORUM PROPAGATO".*[14]

Rimos ao olhar para estas inscrições, e então para a Igreja, como ela é agora. A população inteira do Império Romano não chegava ao número que ela reúne hoje em seu seio. Poucos meses após estas placas haverem sido fixadas nas paredes do palácio, um cristão sentou-se no próprio trono do imperador. Enquanto o escultor gravava a inscrição sobre o que ele considerava a lápide da religião aniquilada, Constantino ordenava suas tropas além dos Alpes, e talvez já houvesse lido no céu o sinal de que ele fora destinado pelo Grande e Eterno para livrar a sua Igreja, e destruir para sempre o poder dos pagãos. De fato, quando aquelas lajes de mármore foram trazidas da oficina, e refletiram pela primeira vez a luz do sol em suas superfícies polidas, o líder cristão estava fazendo novas divisões nas igrejas de Roma, aumentando-lhes o número para vinte e cinco, a fim de suprir as necessidades religiosas de seu povo, que estava se multiplicando sob a espada![15]

Como é estranho pensar que aqueles monumentos foram erigidos para comemorar a queda do cristianismo! Foi naquele exato momento, na véspera de seu triunfo, que a dinastia que se empenhava em esmagá-lo sofreu o espasmo da dissolução. Os dois monumentos acham-se preservados, como curiosidades, no museu do sucessor cristão dos césares. Seu reino de terror passou para dar lugar ao poder compassivo, que eles pensavam não mais existir; suas casas de ouro, seus arcos triunfais, e seus anfiteatros gigantescos, são agora ruínas ao lado das igrejas que guardam os restos mortais dos mártires, a quem eles assassinaram. Deocleciano e Galério não cogitavam, ao ler complacentemente os monumentos que lhes comemoravam os feitos grandiosos, que viria um tempo, quando um viajante cristão, de uma ilha desconhecida no Pacífico Sul (Nova Zelândia), haveria de ler a mesma placa, de manhã, no museu do Vaticano, e à noite, sentar-se num arco quebrado do Coliseu para desenhar as ruínas do palácio de ouro!

Entretanto, estas interessantes inscrições contam a terrível história da ferocidade da perseguição. Cada vestígio da Igreja parecia ter sido varrido da face da terra. Ela foi de fato derrubada das altas classes, e banida dos círculos dos ricos, mas floresceu nas cabanas dos pobres, desprezíveis demais para serem molestados pelos arrogantes pagãos. Ela viveu nas catacumbas, cujas passagens escuras e lúgubres aterrorizavam o mais zeloso dos perseguidores. E enquanto os imperadores e seus agentes não viam mais qualquer traço da Igreja na terra, os cristãos reuniam-se aos milhares nas entranhas da terra, e celebravam o culto em templos ornamentados com todas as belezas da arte, e entoavam o louvor a Deus diante de altares de mármore resplandecentes, decorados com ouro. Não podia ser de outro modo. O Todo-Poderoso não pretendia que a sua Igreja fosse destruída. Ele permitira a provação em sua sábia providência; não houvesse Ele mantido a mão estendida sobre ela, em vão teriam vigiado os que guardavam a cidade. "*Nisi Dominus custodieret civitatem, frustra vigilat qui custodit eam*" (Sl 127).

O cristianismo havia triunfado e alcançado a emancipação antes mesmo de a cruz ser usada como sinal de vitória por Constantino. Já foram dadas provas suficientes de que a Igreja não carece de patrocínio humano, e pode permanecer de pé sem os sorrisos, ou mesmo a tolerância, dos governadores mundanos. Seus inimigos mais poderosos e mortais tiveram de, no final, morder o pó em profunda humilhação, e proclamar ao mundo, por meio de éditos, que falharam em destruir a Igreja. Os éditos de emancipação, emitidos pelo ímpio Galério em seu leito de morte, pareciam ser destinados pelo Deus Todo-poderoso como um final solene a todos os decretos e esforços de três séculos para esmagar e aniquilar a sua Igreja. Eram proclamações a todo o mundo, e a todas as gerações, que, a despeito do Império, com todos os seus terrores e poderes, ela pôde não apenas subsistir, mas florescer e triunfar. Numa palavra, a sua história, a sua perenidade, e a sua missão sobrenatural foram determinadas por seu Supremo Fundador, que garantiu: "As portas do Inferno não prevalecerão contra ela".

Traduziremos um parágrafo do último édito emitido pelo tirano Galério, como um interessante e emocionante contraste com as inscrições que declaravam ser o cristianismo coisa do passado.

"Por meio do qual todo homem possa saber que os que desejarem seguir esta seita e religião têm permissão, por nossa graciosa indulgência, para aplicar-se nesta religião que usualmente têm seguido, do modo que seja aceitável e agradável a cada um deles. Além disso, permitimos-lhes reconstruir suas capelas.

"As casas ou propriedades rurais, que pertenciam formalmente aos cristãos, e foram, pelos éditos de nossos pais (Deocleciano e Maximiano), conferidas ao tesouro público, ou tomadas por alguma cidade, ou vendidas, ou entregues e doadas a alguém como demonstração do favor imperial, decretamos que sejam devolvidas ao antigo direito e posse dos cristãos" (Eusébio, livro VIII, cap. XVI).

Não poderíamos concluir este breve exame dessa terrível perseguição à Igreja com um parágrafo mais apropriado; ele declara o triunfo de nossa fé. Mas, como o último ato de uma tragédia é o mais amedrontador, temos nos tremendos julgamentos de Deus sobre os perseguidores um final adequado ao nosso conto de horror, e pedimos a indulgência do leitor por mais um instante, enquanto apresentamos uma das muitas provas da veracidade das inspiradas palavras: "Ninguém tem levantado a mão contra Deus e prosperado".

A partir do momento em que Deocleciano publicou o seu primeiro decreto, a sua alma tornou-se um inferno. O medo e o desespero excessivos fizeram-no insuportável a si próprio. Ele veio a Roma, e foi vaiado pelo povo; retirou-se então, numa fuga precipitada, em meio ao inverno, faltando poucos dias para os jogos que comemorariam o nono ano de seu consulado. Em sua jornada a Ravena, contraiu uma doença prolongada, que lhe causou muito sofrimento. A sua mente ficou tão enfraquecida, que ele tornou-se um imbecil, e às vezes, um perfeito lunático. Mas o clímax de seus sofrimentos foi a sua humilhação. Ele foi forçado, pelo tirano Galério, a renunciar ao título de imperador. Foi levado a um extenso campo, cerca de cinco quilômetros da cidade de Nicomédia, e posto sobre um magnífico trono, vestido de púrpura. Então, diante de todo o exército, foi obrigado a despir-se de todas as insígnias do poder, transferindo-as ao tirano, que se sentou em outro trono, ao seu lado. O velho imperador chorou como uma criança, rangeu os dentes numa fúria desesperada, e blasfemou contra os deuses a quem antes servira fielmente. Ele foi vaiado no campo, cenário de sua degradação, e fugiu praticamente sozinho para Salona, em Dalmácia, cenário de seu ignóbil nascimento, onde morreu na obscuridade, quase louco.[16]

"O outro que possuía honra semelhante à dele", diz Eusébio, referindo-se a Maximiano, "pôs fim à própria vida, enforcando-se, conforme uma profecia diabólica, que lhe prometera esse destino por causa de suas muitas e audaciosas vilanias".

Quanto a Galério, que era o instigador chefe da perseguição, o seu julgamento desceu do céu. Lactâncio deixou uma descrição de como ele foi devorado vivo. A narrativa é tão medonha, que não suportaria uma tradução. Basta dizer que ele teve a mesma morte que Herodes, o primeiro perseguidor de Jesus Cristo. "Esta enfermidade", comenta Eusébio, "espalhou-se incuravelmente, devorando-lhe as entranhas, e produzindo uma quantidade indescritível de vermes e um nocivo fedor. Antes de adoecer, toda a massa de carne de seu corpo (por causa da abundância de alimento que ele ingeria) tornara-se imensa. Quando começou a apodrecer, transformou-se num espetáculo repugnante e intolerável a todos os que dele se aproximavam. Alguns médicos, incapazes de suportar a sua fetidez, foram mortos. Outros, quando não puderam administrar qualquer remédio (todos os tecidos de seu corpo estavam intumescidos, e sem esperança de restauração), foram cruelmente assassinados por ordens de Galério" (Livro VIII).

Lactâncio conta que o mau cheiro de sua carcaça putrefata era tão terrível, que contaminava não apenas o palácio, mas toda a cidade. Ele permaneceu neste estado por um ano inteiro, até que a morte livrasse o mundo de um dos maiores monstros já vistos. Foi em meio a estas torturas que ele emitiu o decreto a favor dos cristãos, implorando que, em retribuição ao seu obséquio, eles suplicassem ao seu Deus por sua recuperação. Galério morreu em 15 de maio, de 311, duas semanas após assinar a retratação de sua guerra blasfema ao Deus verdadeiro.

[1] Este fato é agora posto em dúvida por declarações feitas na obra recentemente descoberta, *De Morte Persecutorum.*

[2] *Eusébio, História Eclesiástica,* livro VIII, cap. 1.

[3] Bolandistas, 23 de agosto. Também em Tillemont, tom. *V. Persécution de l'Eglise sous Dioclétien,* art.2.

[4] Veja Ruinart, *Acta S. Mauri et Sociorum.*

[5] No primeiro cap. do oitavo livro, conforme citado acima.

[6] *"(Galerius Maximianus) diu ante reliques imperatores, Christianos qui in exercitu militabant ac presertim eos qui in palatio suo versabantur, per vim abducere a religione sua conatus est"* – & Eusébio, cap. XVIII.

[7] Bolandistas, 19 de agosto.

[8] Nos martirológios de Ado e Usuardus, este homem é chamado de João, e é comemorado em 7 de setembro.

[9] Veja *Atos de St. Teodora,* abril; também Tillemont, vol. V. art. 19; também Barônio, ano 301, nº 31 e seguintes.

[10] Eusébio e Lactâncio foram testemunhas oculares; Basílio viu os efeitos da perseguição, pois viveu na primeira metade do quarto século.

[11] St. Optatus Milivitus, livro I e III.

[12] De Mart. Palest., cap. IX.

[13] *"Diocleciano Júpiter e Maximiano Hércules, césares, havendo estendido o império romano de leste a oeste, e destruído o nome dos cristãos, que estavam arruinando o estado."*

[14] *"Diocleciano, César Augusto, e Galério, adotado no este, havendo varrido de toda parte a superstição de Cristo, e propagado a adoração aos deuses."*

[15] *"Hic (Marcellus Papa) fecit caemeterium Via Salaria et vigenti quinque títulos in urbe constituit quase dioceses propter baptismum et poenitentium multorum qui convertebantur ex paganis et sepulturas martyrum".* – Ex Lib. Pont. In Vit. Morul.; e Barônio, ano 309, nº 4.

[16] Veja *"De Morte Persecutorum",* cap. XVII.

[17] Conforme acima, cap. XXXIII.

Os Atos de Vitor e seus Companheiros

Capítulo 20

1

No tempo em que Valeriano era governador, sob os imperadores Diocleciano e Maximiano, a perseguição assolou aos cristãos na província da Sicília. Vivia lá, nessa ocasião, um santo menino chamado Vitor, através de quem Deus operava milagres. Ele suplicava dia e noite pela misericórdia divina, e aprouve a Deus responder-lhe:

— Dar-te-ei, ó Vitor, a mercê que tanto buscas.

Hilas, seu pai, era um homem ilustre, porém ímpio. Ao tentar inutilmente induzir o filho a sacrificar aos deuses, mandou que o chicoteassem, e convocando Modesto, o tutor, deu-lhe a seguinte ordem:

— Cuida para que este menino não mais pronuncie as palavras que temos ouvido.

Um anjo do Senhor apresentou-se ao garoto, e confortando-o, prometeu-lhe:

— Fui mandado a ti como um guardião. Proteger-te-ei até o dia de tua morte, e tudo o que pedires a Deus ser-te-á dado.

Chegou aos ouvidos de Valeriano, o governador, que o jovem Vitor, filho do nobre Hilas, servia e adorava ao Senhor Jesus Cristo. Valeriano chamou o pai do menino, e pediu explicações:

— O que é isto que ouvi sobre teu filho? Ele adora ao Deus dos cristãos? Se desejas que ele seja salvo, deves empenhar-te em demovê-lo dessa tolice.

Ao ouvir isto, Hilas chamou o filho e aconselhou: — Meu querido filho, ouve o conselho de teu pai, e deixa esta loucura de tua adoração. Não posso entender como vieste a adorar um homem morto. Se o soberano souber disto, virá sobre ti com toda a fúria de seu poder; será a tua ruína e o meu desgosto.

O abençoado menino replicou: — Pai, saiba que este Deus a quem chamas de homem morto é o Deus a quem tu também deves adorar. Ele é o Cordeiro de Deus, que tira o pecado do mundo.

— Mas, Vitor — tornou o pai —, eu sei que este Cristo, a quem chamas Deus, foi açoitado pelos judeus e crucificado por Pilatos.

— Sim, foi — replicou o rapazinho. — Mas este é um grande e maravilhoso mistério.

Hilas era pagão, e não podia compreender tudo o que o filho dizia. Todavia, com a afeição natural de pai, ele temia mais as conseqüências de se professar o cristianismo que o desprezo oferecido aos deuses do Império. Enquanto refletia num modo de induzir o filho a abandonar a fé, o Deus Todo-poderoso operava milagres através de Vitor. Em resposta às suas orações, os enfermos eram curados; os cegos recebiam a vista, e os demônios expulsos por ele eram forçados a declarar publicamente os méritos do jovem piedoso. Valeriano soube do que se passava, e mandou que Vitor fosse trazido à sua presença.

— Como é que não sacrificas aos deuses imortais? — indagou ele, quando Vitor chegou. — Não sabes que os nossos príncipes ordenaram a morte de qualquer um que for achado adorando ao homem chamado Cristo?

Vitor, cheio do Espírito Santo, e não demonstrando qualquer temor – algo inusitado em sua tenra idade – afirmou: — Nunca consentirei em adorar demônios, ou pedras, ou peças de madeira. Servirei sempre ao Deus vivo, que sempre me protegerá.

Então seu pai começou a chorar e a gritar no tribunal: — Oh! Vinde e chorai comigo, pois meu único filho vai perecer.

Dirigindo-se ao pai, Vitor declarou: — Não perecerei, se eu puder entrar na vida eterna.

Valeriano, então, pronunciou-se: — Como tu és de nascimento nobre, e eu, antigamente, desfrutava da amizade de teu pai, não executarei contra ti a sentença completa, como se fosses um sacrílego vilão. Mas como és um menino obstinado, devo corrigir-te. Lictores, dêem-lhe algumas varadas.

Depois de lhe desferirem alguns golpes, o governador perguntou: — Consentes, agora?

— Já te disse antes — respondeu Vitor —, adorarei unicamente a Jesus Cristo, o Deus vivo.

Então o governador mandou que os lictores pegassem as varas mais pesadas, e o surrassem severamente. No momento, porém, em que dele se aproximaram, seus braços secaram (*Et brachia eorum arefacta sunt*). O braço de Valeriano sofreu de igual modo, e ele gritou:

— Ai! Perdi meu braço, e estou sentindo muita dor! Hilas, tu não tens um filho, mas um diabo de um mágico!

— Não sou um mágico — declarou Vitor. — Sou um servo do Senhor, por meio de quem posso todas as coisas.

— Então, cura-me — pediu Valeriano —, e não te chamarei de mágico.

Vitor, erguendo os olhos ao céu, orou: — Ó Senhor Jesus Cristo, Filho do Deus onipotente e verdadeiro, por amor dessas pessoas à minha volta, suplico-te que cures o braço do governador, para que ele creia em ti.

Imediatamente, o braço de Valeriano ficou são.[1]

Entregando o menino ao pai, Valeriano ordenou-lhe que o levasse para casa, e que se empenhasse em convencê-lo a sacrificar. Hilas assim o fez, e aplicou-se a mudar o filho com bondade e carinho: vestiu-o com os mais belos trajos, e organizava festas e danças lascivas, na tentativa de desviar o menino. Vitor, no entanto, fechava os olhos e os ouvidos às seduções, e orava a Deus pedindo forças.

Aconteceu, então, de seu pai deixá-lo numa linda sala, que instantaneamente encheu-se com uma luz celestial, e um grande número de anjos cercou o menino, cantando. Toda a família e os empregados agruparam-se junto à porta. A luz era tão forte, que ninguém podia olhar para dentro, e Hilas foi atingido pela cegueira.[2] Quando a música cessou, e a luz brilhante desapareceu, eles descobriram que Hilas havia perdido a vista. Ele gemia de dor, e os servos e criados estavam em lágrimas.

Levaram-no a um divã, e rodearam-no, chorando e lamentando. Valeriano, que era seu amigo, foi chamado. Ao chegar, indagou o que acontecera, e soube que Hilas fora acometido pela cegueira. O governador mandou que o levassem ao altar de Júpiter, e lá Hilas prometeu sacrificar inúmeros bois gordos, de chifres dourados, se lhe fosse restaurada a visão. Prometeu também dedicar virgens à deusa Vesta. Não obstante, seus olhos permaneceram fechados, enquanto ele sofria dores intensas.

Conduziram-no então ao seu filho, e imploraram-lhe de joelhos que o curasse. Vitor perguntou-lhe se ele deixaria de adorar aos demônios, e se acreditaria no Deus verdadeiro. Hilas respondeu afirmativamente, mas o menino, conhecendo-lhe os pensamentos, proferiu:

— Entendo a tua resposta. Teu coração está endurecido. Mas por amor destes que aqui estão, Deus te curará, embora não sejas merecedor.

Vitor orou, e as escamas caíram dos olhos de Hilas, permitindo-lhe enxergar. Furioso, Hilas exclamou: — Agradeço aos meus deuses a minha cura, não ao teu Deus.

A partir daquele momento, ele começou a pensar em matar o filho.

Um anjo de Deus apareceu a Modesto, o tutor de Vitor, um homem santo e religioso, e mandou-o levar o menino ao litoral, onde encontraria um navio à espera, e que partiria imediatamente para onde ele indicasse.

— Mas eu não sei o caminho — protestou o tutor. — Para onde irei?

— Eu to mostrarei — garantiu o anjo.

Vitor, o menino abençoado, tinha então sete anos. (*Erat autem B. Vitus circiter annorum septem.*)

O anjo guiou-os ao litoral, onde o Senhor havia preparado uma pequena embarcação. Assumindo a aparência de um piloto, o anjo indagou:

— Para onde vos apressais, bons amigos?

— A qualquer parte onde o Senhor nos guiar — respondeu Vitor —, seguiremos pronta e animadamente.

— Onde está o dinheiro de vossa passagem? — perguntou o anjo.

— Aquele a quem servimos pagar-te-á — foi a resposta de Vitor.

Eles entraram no navio, o anjo tomou o leme, e eles foram parar num lugar chamado Electorio. Tão logo desembarcaram, o anjo desapareceu. O tutor e o menino entraram naquela terra, e chegaram ao rio Siler, onde descansaram sob uma árvore. Deus operou muitos milagres através do abençoado menino. A comida era-lhes dada através de uma águia, e uma grande multidão reuniu-se à sua volta, por causa da fama de seus milagres. Os demônios bradavam através de algumas pessoas: — O que tens tu conosco? Vieste destruir-nos antes do tempo?

Vitor passava horas ensinando o povo, e batizou muitas pessoas. A sua oração constante era: "Eu cria, ainda que disse: estive sobremodo aflito" (Sl 116.10), e "Como suspira a corça pelas correntes das águas, assim, por ti, ó Deus, suspira a minha alma" (Sl 42.1).

Entrementes, o filho do imperador Deocleciano[3] era atormentado por um espírito imundo, e o Diabo gritava através de sua boca: — A menos que Vitor, o lucano, venha aqui, não te deixarei.

— E onde posso achar este homem? — indagou o imperador.

— Ele está em território tanagriano, próximo ao rio Siler.

Deocleciano enviou soldados armados, a fim de que trouxessem rapidamente o jovem designado pelo demônio.

Quando chegaram ao local, encontraram o campeão de Cristo orando ao seu Senhor.

— És tu o jovem Vitor? — indagou o líder dos soldados.

— Sim, sou eu.

— O imperador precisa de ti — tornou o líder.

— Sou um pequeno e indigno ser — respondeu Vitor. — Como ele pode querer-me?

— O filho do imperador acha-se atormentado por um demônio — explicou o homem —, e ele pede que te leve até lá.

— Vamos então — concordou Vitor —, em nome do Senhor.

Quando ele chegou a Roma, e a sua chegada foi anunciada ao imperador, o soberano ordenou que fosse imediatamente conduzido à sua presença. O semblante de Vitor era extremamente belo, e brilhava como fogo; os seus olhos eram raios de sol, cheios da graça de Deus.

— Tu és Vitor? — perguntou Deocleciano, mas o menino ficou em silêncio.

O césar começou, então, a interrogar Modesto. Mas ele, sendo velho e de natureza simples, não sabia como dar uma resposta adequada, e foi ridicularizado pelo imperador.

— Por que interrogas um velho como se ele fosse um jovem? — interferiu Vitor. — Deverias respeitar seus cabelos brancos.

Enraivecido, Deocleciano indagou: — Como podes ser tão presunçoso a ponto de te atrever a falar tão irritadamente em face de uma autoridade?

— Não estamos irritados — replicou Vitor. — Quem recebeu o espírito de simplicidade, através da generosidade de Cristo, deve ter a simplicidade da pomba. Nosso Senhor, que nos ensinou, é humilde por sua própria natureza. Ele é grande em poder, mas modesto em simplicidade. Por isso, quem deseja ser seu discípulo deve ser manso e humilde de coração, e não irascível e tempestuoso.

Então o demônio, pela boca do filho torturado de Deocleciano, bradou horrivelmente: — Ó, Vitor! Por que me torturas tão cruelmente antes do tempo?

Vitor nada respondeu, e o imperador indagou:

— Vitor, podes curar o meu filho?

— De fato, ele pode recuperar a saúde — prometeu Vitor. — Mas não sou eu quem a pode dar. Somente Cristo, de quem eu sou servo, pode libertá-lo facilmente de seu ímpio inimigo.

Após a súplica de Deocleciano, o jovem Vitor aproximou-se do possesso, pôs-lhe a mão na cabeça, e repreendeu: — Espírito imundo, sai desta criatura de Deus, em nome do Senhor Jesus Cristo.

Imediatamente, o demônio deixou o rapaz, e matou muitos infiéis.[4]

Deocleciano, vendo curado o filho, e mortos muitos dos infiéis que haviam zombado de Vitor, aconselhou-o brandamente:

— Querido Vitor, se tão-somente consentires em sacrificar, dar-te-ei a melhor parte de meu reino. Enriquecer-te-ei com ouro e prata, vestimentas preciosas, e toda espécie de móveis custosos, e estimar-te-ei como meu amigo mais íntimo e querido.

— Não necessito de teu reino — recusou Vitor —, nem de tuas vestimentas ou de tuas riquezas. Tenho o meu Deus, que me há de vestir com a estola da imortalidade, que treva alguma pode obscurecer, se eu perseverar em servi-lo fielmente.

— Não aja desta maneira, Vitor — insistiu Deocleciano. — Pensa melhor em tua vida, e sacrifica aos deuses, para que não venhas a perecer por diversos tormentos.

— Estimo enormemente a estes tormentos com que me ameaças. Com eles, ganharei a palma prometida pelo Senhor aos seus eleitos.

Deocleciano ordenou, então, que os ministros lançassem Vitor e Modesto na mais vil prisão, pusessem sobre cada um quarenta quilos de ferro, e que o presídio fosse selado com o seu anel, para que ninguém entrasse e lhes oferecesse sequer uma gota d'água. Quando eles estavam em silêncio, uma grande luz brilhou na cela. Os guardas, aterrorizados, olharam sem entender. Vitor clamou:

— Tu te inclinaste em nosso socorro, ó Senhor! Te apressaste em livrar-nos desta punição, como livraste os três jovens na fornalha ardente.

A estas palavras do menino, um terremoto sacudiu a prisão, uma luz radiosa invadiu-a, e um delicioso aroma espalhou-se no ar. O Senhor apareceu-lhes, e confortou-os: — Levanta, Vitor. Anima-te e fortaleça-te. Veja, eu estou contigo todos os dias.

Então a visão se foi. O ferro que os confinava e os empurrava para baixo derreteu-se como cera. Ouviu-se o som de uma multidão de anjos, cantando com eles na cela, e bendizendo: — Bendito seja o Senhor Deus de Israel, que tem visitado o seu povo e lhe trazido a redenção.

Os carcereiros, ouvindo estas coisas, quase ficaram paralisados de temor. Mas correram ao palácio do imperador, gritando em alta voz:

— Ajudai-nos, ó piedoso imperador! A cidade inteira está perecendo, e o povo, sendo destruído.

Ao ouvi-los, o imperador ficou consternado, e indagou dos carcereiros: — Que grande infortúnio é este que vós publicais tão desarrazoadamente?

— Vitor, a quem nos ordenaste manter na prisão, foi cercado por uma luz brilhante — explicaram os guardas. — Um inefável aroma encheu a cela, e há um homem com eles (Vitor e Modesto), cujo semblante ninguém ousar mirar. O homem conversou com eles, e uma multidão de jovens vestidos de branco entoou o mais alegre dos louvores.

Cheio de raiva, Deocleciano mandou que preparassem o anfiteatro, anunciando: — Eu os entregarei às feras, e veremos se o seu Cristo pode livrá-los de minhas mãos.

Enquanto adentravam o anfiteatro, Vitor exortou o seu tutor a não temer: — Seja corajoso, pai, e não temas a espada do Diabo. A nossa coroa está chegando.

Havia nessa exibição mais de cinco mil homens, além das mulheres e crianças, que eram em número incontável. Quando Vitor e Modesto chegaram perante Deocleciano, ele perguntou:

— Vitor, onde vês a ti mesmo?

O rapazinho, elevando os olhos ao céu, nada respondeu. Deocleciano repetiu a pergunta:

— Onde te vês, Vitor?

— Vejo-me no anfiteatro. Mas faze o que tens a fazer.

— Pensa em tua vida — recomendou Deocleciano —, e sacrifica aos deuses.

— Nunca te irás bem, Satanás — proferiu Vitor. — Seu lobo voraz, seu enganador de almas! Quão grande é a tua astúcia em persuadir-me a fazer estas coisas, depois de ver tantos milagres! Mas eu tenho Cristo, a quem, até agora, tenho sacrificado cada pensamento de minha alma, e a quem sacrifico agora tudo o que restou de mim.

Incapaz de conter a raiva, o imperador determinou que os ministros preparassem a fornalha. Os lictores fizeram o que lhes fora ordenado, e o abençoado campeão de Cristo foi posto dentro do forno. Enquanto o colocavam ali, o imperador teimou:

— Agora quero ver se o teu Deus pode livrar-te da minha mão.

Vitor, porém, pensava na cruz de Cristo. A fornalha estava incandescente. Logo um anjo apareceu, e extinguiu o calor; Vitor ficou de pé, no meio, cantando um hino ao Senhor: "Tu, que através de teu servo Moisés livraste os filhos de Israel da terra do Egito, do jugo tirano e da fornalha de ferro, tenha compaixão de nós, para a glória do teu nome santo".

E chamando o imperador, ele disse em alta voz: — Obrigado, Deocleciano, por preparar-me um banho tão prazeroso.

Todo o povo rompeu em exclamações: — Nunca vimos um milagre assim! Verdadeiramente, o Deus deste infante é grande e verdadeiro![5]

Vitor saiu da fornalha sem uma única mancha no corpo; a sua pele brilhava como a neve. Agradecendo a Deus, ele disse: — Provaste-me, ó Senhor, como o ouro. Testaste-me no fogo, e nenhuma iniqüidade foi achada em mim.

Repreendendo o imperador, ele disse corajosamente: — Core de vergonha, malvado, com teu pai, o Diabo, vendo os milagres que Deus opera em seus servos.

O imperador, ardendo de raiva, mandou que trouxessem um leão, cujo rugido os homens mal podiam suportar. Quando a fera foi solta, o soberano provocou: — Pensas que as tuas artes mágicas prevalecerão desta vez?

— Homem tolo e estúpido! — exclamou Vitor. — Não vês que Cristo o Senhor está comigo? A uma palavra sua, seus anjos livrar-me-ão das tuas mãos e de cada sofrimento.

Quando o leão veio em sua direção, Vitor orou em pensamento, e o animal abaixou-se aos seus pés e os lambeu (*plantas ejus lingebat*). Então o menino disse a Deocleciano:

— Veja, homem ímpio, até os animais dão honras a Deus, e tu não reconheces o teu Criador. Se cresses nele, eu prometer-te-ia salvação.

— Crê nele tu. Tu e os de tua espécie.

— Sorrindo, Vitor respondeu: — Disseste bem, pois todos os que, assim como eu, são nascidos de Deus pela fé, e por Ele regenerados, desejam uma coroa perpétua no céu.

Neste momento, cerca de mil pessoas creram em Cristo.

— Vendo os teus feitos — tornou Deocleciano —, muita gente está começando a crer nas artes pelas quais venceste o fogo e o animal selvagem.

— O fogo e os bichos não são dominados por artes — replicou Vitor. — Por serem criaturas, eles dão honras ao seu Criador, o meu Senhor Jesus Cristo. Mas tu deves estar muito desconcertado, pois embora sendo uma criatura racional, és pior que as coisas inanimadas e os brutos irracionais.

Deocleciano, então, ordenou aos assistentes que estendessem na roda Vitor, Modesto, o seu tutor, e Crescença, a sua pajem, que por suas pregações crera em Cristo.

— Como te mostras ridículo e covarde — reprovou Vitor —, ao mandar torturar uma mulher.

De qualquer forma, os santos de Deus foram estirados sobre a roda, para que os seus ossos se deslocassem e as suas entranhas se expusessem. Em meio ao suplício, Vitor clamou:

— Ó Deus, salva-nos em teu nome, e liberta-nos por teu poder!

Imediatamente houve um terremoto e terríveis relâmpagos. Os templos dos ídolos caíram, e muita gente morreu. O imperador fugiu aterrorizado, batendo na testa, e gritando: — Ai de mim! Fui vergonhosamente vencido por uma simples criança![6]

Um anjo do céu levantou da roda os três cristãos, e eles descobriram-se novamente transportados ao rio Siler, descansando sob uma árvore. Vitor invocou uma vez mais ao Senhor: — Senhor Jesus Cristo, filho do Deus vivo, completa o desejo destes que anseiam glorificar-te o nome sofrendo o martírio! Preserva-os, por tua graça, dos perigos deste mundo, e conduza-os à glória da tua magnificência.

Quando ele terminou a oração, uma voz do céu respondeu-lhe: — Vitor, a tua petição foi concedida.

Logo em seguida, seus espíritos deixaram-lhes os corpos e subiram ao céu, acompanhados por anjos que cantavam alegremente.

Três dias depois, uma nobre senhora chamada Florência, passando por ali em sua carruagem, viu os corpos, e cuidou para que fossem recolhidos, embalsamados com especiarias, e sepultados no mesmo lugar onde haviam morrido, em Moriano.

Vitor, Modesto e Crescença padeceram em 17 de julho. A Jesus Cristo seja toda honra, glória, poder e majestade, por todos os séculos. Amém.

[1] *Et statim manum ejus sanum reddidit.* – Atos.

[2] *Pater ipse splendore reverberante in oculos ejus caecatus est.* – Atos.

[3] Um filho adotado – ou o favorito do palácio – Deocleciano não teve descendência natural.

[4] *Et statim necessit ab eo daemon et occidit plurimos infidelium* – Atos.

[5] *Tanquam mirabilia nunquam vidimus; vere enim verus et magnus est Deus infantis hujus!*

[6] *Vae mihi, quia a tantillo infantulo turpiter superatus sum!*

Meta Sudans

Capítulo 21

Próximo ao Coliseu, a pouca distância do Arco de Constantino, há uma ruína que tem dado origem a discussões entre os antiquários. A sua grande base circular e o fragmento cônico de alvenaria, com um cano para água, quase não deixam dúvidas de que, um dia, ela foi uma fonte. Como os amantes da antiguidade têm o privilégio de fazer qualquer quantidade de conjecturas, esta ruína tem passado, em sua imaginação, por castelos e torres de uma grandeza que supera as suas pretensões passadas e presentes. Mas o tempo tem brincado com as obras dos homens, e jogado ao chão construções gigantescas, deixando seus vestígios como enigmas a serem resolvidos pelas gerações que caminham sobre o pó das nações caídas. Não obstante a variedade de opiniões sobre a sua finalidade, os antiquários estão de acordo quanto ao nome que ela ostenta: Meta Sudans.[1]

Quando o gladiador havia lutado por sua vida com o rei das florestas, ou derrubado um oponente mais formidável, era-lhe permitido o luxo de um banho nessa fonte de águas frias e cristalinas, a fim de reanimar o corpo exausto. A sua cor rubra, carmesim, revelava a participação que ela tivera nos jogos sangrentos do anfiteatro; era para ela que se apressava o vencedor arquejante, a fim de limpar as próprias feridas, ou remover de si as manchas do sangue de sua vítima.

Alguns acham que, em vez de água, o que fluía naquele cano era óleo. Mas não temos para isto outras evidências além do costume, mencionado por alguns escritores antigos, de os gladiadores esfregarem óleo na pele antes de entrar na arena. Contudo, essa estranha e indescritível ruína possui, além de seu nome, outra circunstância de reminiscência venerável, a nós transmitida nos registros da história sagrada. Ela já foi, durante algum tempo, o relicário dos restos mortais de um mártir. Um nobre jovem romano, mencionado em conexão com o mártir Restituto, é a personagem desta narrativa.

Os leitores que já estiveram na Cidade Eterna encontrarão, neste emocionante registro, alusões a lugares notórios nos passeios do Fórum. Eles transportam-nos, em pensamentos, aos cenários dos grandes eventos do passado, através de monumentos cujo nome e história têm sido parcialmente preservados nos redemoinhos de ruína e desolação que sopraram sobre a magnificente cidade.

Poucos dos monumentos do Fórum possuem uma história certa. É doloroso ao estudante de arqueologia encontrar a discrepância entre os autores a respeito de cada coluna, cada fragmento de parede, cada fundação livrada dos escombros dos séculos passados. Mais de uma vez foi-nos dada a lição da vaidade humana, juntamente com uma afronta aos nossos sentimentos, em nossas meditações sobre o velho Fórum.

Nem bem elevamos os nossos pensamentos a um clímax de veneração, apropriado ao estudo do poderoso templo de Júpiter, que brilha como ouro polido, ou o majestoso templo de Concorde, que estremecia sob a eloqüência do imortal Cícero, e já outro escritor, ou alguma descoberta mais recente, interrompe-nos o devaneio, e convida-nos a dirigir nossa admiração a outro fragmento de alvenaria, ou a uma coluna solitária, que adorna esta selva de ruínas. O grande cardeal Wiseman jocosamente fala-nos de sua experiência com a discrepância dos antiquários que rondam pelo velho Fórum. As suas palavras contêm mais verdade hoje, que quando ele as escreveu há, talvez, quarenta anos.

"As revoluções que costumavam ter lugar no velho Fórum", escreve ele em seus *Essays e Reviews*, "nada são se comparadas às que hoje testemunhamos diariamente. Nos tempos antigos, os senadores ou tribunos podiam trocar de lado; mas certamente, não os templos. Um candidato poderia empurrar o outro do seu lugar; mas uma grande construção dificilmente poderia ser tão hostil às suas companheiras de tijolo e argamassa. Um partido político poderia rechaçar o outro, e até expulsá-lo dos arredores sagrados; mas teria sido inusitado, imaginamos, um pórtico arrancar o outro, com todas as suas colunas e distinções, do local por ele ocupado durante séculos. Um patriota poderia expor à vergonha um demagogo turbulento, mas imaginemos o nunca visto: a fachada de um edifício afrontar outro, até que este virasse as costas ao rival. Contudo, estas maravilhosas evoluções têm sido vistas entre os prédios do Fórum romano – habilmente comparadas pelo falecido Sir W. Gell a uma dança rústica, na qual os templos mudam de lugar, os monumentos cruzam as mãos, e as colunas encurvam-se ao meio. Não podemos imaginar uma exposição mais perigosa da autoridade paterna ao desprezo, que aquela ocorrida a um cavalheiro que, havendo visitado Roma há vinte anos, relesse seu diário e as anotações que fizera com base nos guias de viagem mais aprovados, e quisesse, pessoalmente, mostrar aos filhos os leões da Roma antiga. Os jovens (falo de experiência própria) ririam às barbas do velho cavalheiro, ao ouvir de sua arqueologia obsoleta. Ele naturalmente os levaria à Igreja de Aracoeli, no Capitólio, e lhes diria com grande sentimento que ali é o lugar de Júpiter capitolino, e tentaria levar-lhes a mente a um clímax adequado de entusiasmo. Mas os travessos descobririam, em *seus* guias de viagem, que desde que o papai estivera em Roma, o dito templo havia caminhado calmamente através do topo do monte, e se postado na outra extremidade, onde se estabeleceu, por uma afortunada coincidência, o Instituto Arqueológico. Ele desce ao Fórum, e aponta três colunas de lindo formato, compondo o ângulo de um pórtico ao pé do Capitólio. Estas, todos as conhecem, desde tempos imemoriais, como parte do Templo de Júpiter Tonans. Entretanto, estão todos errados; agora, elas são consideradas parte do Templo de Saturno. Outras oito colunas erguem-se ao lado destas, e você podia apostar, há vinte anos, que pertenciam ao Templo de Concorde, celebrado como o teatro da indignada eloqüência de Cícero. Mas, ai! Nos últimos vinte anos, o edifício passou por muitas transmutações, sendo mudado primeiro por Nibby, para Templo da Fortuna, e então por Fea, para o de Juno Moneta, mais tarde por Piale, para o de Vespasiano, depois por Canina, para o de Saturno, e finalmente por Bunsen, que o atribuiu novamente a Vespasiano, e assim permanece até o presente. O herói de uma pantomima cristã não teria suportado mais mudanças".

Não obstante, o Capitólio, o arco do triunfo de Severo, o Coliseu, e a Meta Sudans são como estrelas fixas em meio a esta massa de ruínas mutatória. Há mil e setecentos anos, elas apresentavam os mesmos nomes de agora; todavia, se um romano da antiguidade se levantasse do pó onde dorme há séculos, dificilmente reconheceria, nos restos que permanecem, as majestosas estruturas que lhe eram familiares nos dias de sua magnificência. Junto a estes monumentos, muitos cristãos corajosos receberam a sua coroa. Dentre eles, há um mártir que, na história, está ligado a Meta Sudans.

— Encontramos este homem, poderoso e eloqüente em palavras, ensinando ao povo que a adoração aos nossos deuses é vã, e que a existência dos ídolos é imaginária; ele pertence à estranha seita a que chamam cristianismo. — Assim expressou-se um rude soldado, ao apresentar ao prefeito da cidade um jovem e nobre cidadão, com as mãos atadas às costas.

— Quem és tu, e de onde vens? — indagou o prefeito Hermógenes, com uma carranca ameaçadora.

— Sou um cidadão romano de nobre nascimento. Se queres conhecer o meu nome carnal, sou chamado de Restituto, mas na profissão de minha fé, sou um cristão.

— Não ouviste as ordens do príncipe?

— O que ordenam elas? — perguntou Restituto, suavemente.

— Que todos os que não sacrificarem aos deuses onipotentes sejam punidos por vários e terríveis tormentos — recitou o prefeito, exaltando-se, e olhando impacientemente o jovem nobre, na esperança de havê-lo submetido pelo terror.

— Conheço as ordens do *meu* imperador — replicou corajosamente o cristão. — Todo aquele que o negar haverá de perecer em tormentos eternos.

— Deixa de falar assim! — gritou o prefeito. — Sacrifica às deidades reverenciadas, que são os guardiões do Império, e serás amigo de César. Do contrário, sentirás o peso de nossa indignação, e serás torturado com fogo.

— Estou preparado para oferecer-me em sacrifício ao meu Senhor Jesus Cristo. — Respondeu Restituto, humilde, porém corajosamente.

Com este diálogo, os *Atos* introduzem a breve e emocionante história de um desses nobres jovens ceifados como uma flor na violenta tempestade que se abateu sobre o jardim da Igreja. Flores que ainda exalam fragrância na santidade de seus nomes, e nas sagradas memórias com que são amortalhados nas páginas da história sacra. À semelhança das muitas outras vítimas desses dias, não temos interesse particular em sua juventude. Sem dúvida, a constância e os milagres, que invariavelmente sancionavam os ensinamentos dos mártires, atingiram e converteram o coração de nosso jovem herói. Ele deve ter visto os animais à volta dos servos de Cristo, no anfiteatro; esteve presente, quem sabe, quando a oração silenciosa de um jovem igual a ele derrubou o ídolo de seu pedestal, espatifando-o em mil pedaços; ou, talvez, tenha sido um dos muitos que se reuniram pela curiosidade à volta da *pedra maldita*, mas para quem a última oração do mártir indo ao encontro de sua coroa abriu as nuvens do céu, e trouxe a graça e o dom da fé.

Ele era um fidalgo rico e de boa posição, que abandonara o traiçoeiro caminho das honras mundanas, para seguir a trilha humilde dos seguidores do Deus crucificado.

Corajoso, este jovem corria através das chamas devoradoras de um incêndio, para salvar uma vítima; lançava-se ao mar tempestuoso para socorrer um companheiro afogado. Valente, ansiava estar na frente da batalha, e entrava na luta mais renhida. E mais bravamente ainda, ele renunciou ao fascínio das riquezas, o sorriso da fortuna, e o quadro dourado que a fantasia pinta para a vívida imaginação da juventude. Esta era a conduta de Restituto.

A réplica intrépida do mártir suscitou a tirania do prefeito; ele mandou bater na boca do rapaz com uma pedra. Restituto, porém, não sentiu dor; Deus, milagrosamente, amortecera-lhe os sentidos.

— O que esperas ganhar com esta obstinação? — indagou o prefeito.

— Por amor e temor ao meu Senhor Jesus Cristo, desprezei a corte (*militiam intra palatium*), e agora desejo servir unicamente ao Rei celestial, no combate eterno.

— Mas — ajuntou o presidente —, em consideração à sua juventude e beleza, aproxima-te e sacrifica aos deuses, a fim de receber a recompensa de grande dignidade e poder.

— Em servir ao Deus verdadeiro, não perdi nem rebaixei a minha dignidade — declarou Restituto. — As dignidades e honras da terra murcham como coisas da terra. Como se vão as flores da primavera, e as neves do inverno, assim passaram a glória e a dignidade mundana de nossos ancestrais. Mas a profissão de fé, que tira a sua nobreza de uma fonte eterna, é como esta fonte em sua duração eternal.

Verdadeiramente, o jovem falou com uma sublime apreciação do caráter eterno do combate cristão. O prefeito, que o fizera sofrer por sua fé, caiu desde então no esquecimento, não obstante a riqueza e o poder que lhe brilhavam ao redor no período vertiginoso de seu governo. Ele não é conhecido agora, exceto pela infâmia de sua crueldade, registrada por escritores sacros, que entregaram à posteridade a história do jovem nobre, mostrando que ele desprezou o esplendor da corte pagã, e sabiamente escolheu a dignidade eterna do combate cristão.

Restituto foi despido. O chicote cortante enroscou-se em espirais ao redor de seus membros simétricos. Cada golpe foi registrado em sua carne macia por marcas arroxeadas e azuis. Entretanto, a agonia da dor fora removida do espírito do mártir. Por um milagre divino, ele não sofreu dores. Mais valente que nunca, e com uma eloqüência apontada como um dom prometido aos mártires, o jovem crente repreendeu o seu juiz por sua crueldade e dureza de coração:

— Miserável inimigo de Deus — proferiu ele fervorosamente —, vê o que o Nosso Senhor faz por aqueles que o amam. Cadê as tuas ameaças e os teus tormentos? Tu deves abandonar a tua seita ímpia, e honrar ao único e grande Deus, que livra os seus servos das torturas de seus perseguidores. É muito melhor reconhecer a Ele como Deus, em vez de a estes deuses impotentes de madeira e pedra, a quem tolamente tu adoras.

Uma reprovação tão forte e destemida como esta era um grande crime para os mártires do cristianismo. O cristão preparado para encontrar a morte – que era dos males o pior – mostrava-se eloqüente e destemido perante o tribunal dos pagãos. Restituto foi açoitado novamente, desta vez com um azorrague contendo pequenas bolas de chumbo nas correias. De novo Deus o preservou – de novo o prefeito espumou de raiva – de novo o mártir pronunciou impavidamente a sentença de retribuição, escrita no livro da vida, contra o prefeito endurecido.

A cena da prisão foi a mais notável nessa tragédia da vida real. Deus permitiu ao seu servo realizar um grande milagre, diante do qual não sabemos se somos mais influenciados pelo poder concedido por Deus a Restituto, ou pela dureza e cegueira dos que obtiveram as vantagens do milagre. Ele revela o duro fato de que mesmo no tempo dos mártires, havia corações cegos e endurecidos, que não acreditavam nem mesmo se vissem mortos ressuscitar. Eles eram muitos, então; hoje, são uma legião.

Quando Restituto foi lançado na prisão, encontrou o calabouço repleto de infelizes réprobos da sociedade romana: assassinos, ladrões, sediciosos, vítimas da intemperança e da paixão, cujas almas achavam-se profundamente manchadas pelo crime, e sussurrando blasfêmias em vez de oração. Entretanto, o coração amoroso e perdoador de Jesus anseia por estas pessoas; e os seus mártires são como raios de sol animadores, brilhando igualmente sobre os bons e os maus, para consolar as vítimas degradadas do crime.

Nem bem o jovem fora posto entre eles, cercaram-no e imploraram-lhe que os libertasse, como haviam feito outros cristãos, naquela e em outras prisões da cidade. Restituto não hesitou: pôs-se de joelhos, e orou a Deus em voz alta. Os alicerces da prisão foram abalados, uma luz calorosa atravessou os muros de pedra, e um delicioso aroma espalhou-se pela masmorra lúgubre e imunda. No mesmo instante, a pesada porta de ferro rangeu sobre os gonzos, e foi empurrada por mão invisível.

— Vede — convidou Restituto — o que Deus fará àqueles que o amam. Se algum de vós, companheiros de cárcere, desejardes salvar a vossa alma, ficai aqui comigo; mas se o amor à vida e à liberdade é o vosso desejo, então fugi. O Senhor rompeu as vossas cadeias e destrancou a porta de vossa prisão.

Sem esperar para agradecer, e indiferentes ao destino de seu benfeitor, eles arremessaram-se à estreita saída, correndo para a luz do dia e para a liberdade, e não pararam a fuga até o amanhecer do dia seguinte.[2]

Pela manhã, os carcereiros chegaram ao presídio, e encontraram as portas escancaradas. Seus ocupantes haviam fugido. Todos, exceto o jovem cristão, que se achava ajoelhado numa esfera de luz, orando com as mãos cruzadas ao peito, alheio à chegada e à intrusão dos guardas atônitos. Os guardas não ousaram entrar. Enquanto alguns permaneciam olhando com crescente admiração o jovem salvo, outros se apressaram a contar ao prefeito o que acontecera. Ele foi atingido pelo terror, mas em sua sabedoria mundana, não deixou transparecer aos mensageiros a sua fraqueza. Fingindo coragem, ordenou que o mártir fosse novamente trazido à sua presença.

Quando Restituto compareceu mais uma vez algemado perante ele, o prefeito iniciou um discurso preparado:

— Até quando triunfarão as tuas artes mágicas? Até quando continuarás a blasfemar de nossos deuses, e a desafiar os nossos tormentos, imune a dor? Como rompeste as cadeias e libertaste da merecida condenação os ladrões e assassinos? Os princípios de teu credo apóiam uma moralidade tão duvidosa?

— Não atribuas à magia as obras da mão de Deus — respondeu Restituto. — Ele, que veio do céu para salvar os pecadores, que comeu com eles, foi contado entre eles, e crucificado com eles, sabe como quebrar seus grilhões, quando se oferece ocasião para a sua glória.

— Sacrifica! — gritou o prefeito, interrompendo o jovem.

— A que espécie de deus ordenas que eu sacrifique? Àqueles feitos pelos artesões, de madeira, bronze e pedra, imagens sem vida e sem sentido, que representam os demônios que sofrerão com os seus adoradores no fogo eterno?

— É um insulto aos deuses e a mim permitir que este homem fale mais alguma coisa. Lictores, levai-o ao templo de Júpiter, no Capitólio, e se ele ainda recusar sacrificar, que seja decapitado lá, como uma advertência aos loucos desta seita.

O que o templo de Jerusalém era para os judeus carnais, o santuário do chefe dos deuses, no Capitólio, era para os pagãos da Roma antiga. "*Arx omnium nationum*" aos olhos de Cícero, e por mil anos o grande centro que reunia tudo o que era grandioso e absurdo no ritual do paganismo. Esse templo foi iniciado por Tarquino Prisco, e aumentado e adornado por vários governantes nos séculos posteriores. Na história da cidade eterna, ele assinala três épocas importantes, nas quais foi queimado até o chão. Finalmente foi reconstruído com magnificência insuperável por Tito, que o completou, dourando-lhe telhado com 12.000 talentos de ouro – um gasto fabuloso, quando calculado com o valor atual do ouro. Depois disso ele foi atingido duas vezes por raios, em resposta às orações dos mártires cristãos, e quase consumido novamente por um fogo enviado do céu para reprimir a abominação dos sacrifícios ímpios.

Foi em consideração à sua nobreza que Restituto foi mandado ao Capitólio. A lei criminal romana, especialmente as cláusulas preparadas para a execução dos criminosos chamados cristãos, requeriam que a sentença fosse executada num dos marcos miliários, fora da cidade. Razão pela qual sempre encontramos nos *Atos* dos mártires que eles foram decapitados no segundo, sétimo, e décimo sexto marco miliário da Via Ápia, Latina, ou Salariana.

"Os soldados em vão se empenharam em fazê-lo sacrificar", contam os *Atos*. "Tiraram-no do templo, levaram-no à praça do Capitólio, e lá o decapitaram. Jogaram-lhe o corpo próximo ao arco do triunfo de Severo, para que os cães o devorassem. Mas Justa, uma santa matrona, veio à noite com alguns servos, e levou o corpo para a sua casa, ao lado da Meta Sudans, envolvendo-o em valiosos lençóis e bálsamo odorífero. Daí levou-o em sua carruagem a um vinhedo de sua propriedade, no décimo sexto marco miliário , onde o sepultou honrosamente". *Atos*, 24 de maio. Bolandistas.

[1] *Metam Sudantem ante arcum Constantini et Amphiteatrum constituunt fontem eorum qui ludos frquentabant extinguendae siti percommodum eminente Jovis simulacro quam in numines expressam babemus. Extat bodieque semiritu absquesi mulacro et fonte juxta Coliseum vulgo dictum uti eam Romanorum ruinarum icones representant.* – Donatus, liv. 3, Romae Veteris.

[2] *Exeuntes vero omnes simul e carcere abierunt unusquisque is fugam tota nocte, etc.* – Atos, 29 de maio, Bolandistas.

O Último Mártir

Capítulo 22

Maxêncio havia sido afogado no Tibre, e Constantino marchara em triunfo para a capital. Em alta voz, e por meio de inscrições, ele anunciara a todos os homens o estandarte da salvação. Erigira uma imensa cruz no ponto mais alto do Capitólio, e pusera sob ela esta inscrição: "Por este símbolo salutar, o tipo genuíno da fortaleza, libertei e livrei a vossa cidade do jugo escravo de um tirano, restaurando o senado e o povo romano ao seu esplendor e dignidade prístinos". Esta é a cruz que se ergue triunfante sobre o Capitólio. Roma tem visto muitas maravilhas em seus vinte e seis séculos de existência, mas a cena sobre a mais elevada de suas colinas, na manhã seguinte à batalha da Saxa Rubra, foi a mais estranha, e ao mesmo tempo a mais importante na história de sua variada carreira. Aquela que foi a coisa mais abjeta, mais desprezada, e mais perseguida no mundo, tornou-se num momento o emblema do triunfo, o verdadeiro tipo da fortaleza, o instrumento de libertação e redenção para um povo ferido e esmagado! Após séculos de perseguição, após toda a oposição que o poder humano, ou a malícia humana, pôde trazer contra a Igreja, esta Igreja triunfa agora no emblema de sua imortalidade: a cruz sobre o Capitólio.

Alguns dos pagãos mais inveterados mal podiam acreditar em seus sentidos; saíam murmurando blasfêmias contra o Deus a quem ainda odiavam, mas cujo poder eram forçados a reconhecer. Os cristãos reuniram-se junto ao símbolo de sua esperança, derramando lágrimas e entoando animadamente os cânticos do profeta real que profetizara o seu triunfo. Bem distante, na decida do Capitólio, os grupos de cristãos que se retiravam ainda ouviam a canção: "Ó Senhor, quem é como tu entre os deuses? Quem é como tu, glorificado em santidade, terrível em louvores, operando maravilhas?"

Talvez, porém, esta seja uma congratulação inoportuna para um triunfo que durará apenas um instante. Ainda não se completaram as suas cenas de horror no Coliseu, e o sangue cristão deve fluir novamente em sua arena. O título do presente capítulo revoca cenas de matança e perseguição tão violentas quanto qualquer uma das que já vimos. Não obstante, o triunfo de Constantino foi duradouro, completo e universal.

Os rios de sangue que correram de milhares de mártires da fé não haviam completado a medida de sua iniqüidade; parecia que ainda faltava algum sangue de outro caráter. E o último fluxo da torrente rubra que completou o horrendo holocausto de seres humanos sacrificados nesse poderoso anfiteatro foi o sangue de um mártir da caridade. Passemos a esta última e emocionante cena registrada dos mártires do Coliseu.

Um dos primeiro atos de Constantino foi condenar por um decreto público aqueles cenários de carnificina, tão incompatíveis com o espírito do cristianismo. Este foi um importante evento, não apenas na história do Coliseu, mas na própria história de Roma. O povo adorava esses espetáculos com um cego fanatismo. Acontecera freqüentemente, na história pretérita da cidade, de turbas enfurecidas, respirando violência e fúria, e ameaçando inundar as ruas com sangue patrício, serem acalmadas pelos jogos do Circo e do Coliseu. A popularidade de cada novo imperador dependia em grande medida do caráter dos jogos com os quais entretinha os seus súditos. Em meio à guerra, à fome e à desgraça pública, o povo afluía em multidões despreocupadas para a intoxicação do anfiteatro e do circo. Quanto mais sangue derramado, maior o entusiasmo do povo; quanto mais ímpio e cruel os jogos, maior se supunha a devoção aos deuses! Por isto, o fechamento do Coliseu era uma medida desesperada, que noutros tempo teria causado uma rebelião e custado ao imperador o seu trono. Apesar de todo o poder de Constantino ser empregado para sustentar o cumprimento de seu decreto, foi somente cerca de cem anos após a sua morte que se viu no Coliseu o último espetáculo gladiatório.

O cristianismo ia lenta, porém seguramente, varrendo da cidade cada vestígio do paganismo. A elevação do sexo feminino e o fim da escravidão foram feitos enormes, que lhe absorveram todas as energias por quase dois séculos. Honório renovou a lei proibitiva de Constantino, mas sem propósito. Os jogos não mais eram mantidos pelo tesouro público, mas havia senadores e nobres ricos o suficiente para rivalizar com os entretenimentos imperiais de outros tempos. O Coliseu já não tinha os seus mártires, mas ainda possuía as suas vítimas. Finalmente, a suave influência do cristianismo triunfou; as incessantes orações dos cristãos atravessaram o firmamento. Até mesmo a mais estimada instituição da idolatria e da infâmia teve de render-se ao espírito regenerador da Igreja: o Coliseu encerrou a sua longa carreira de horror e carnificina com uma tragédia tão terrível quanto as que já mencionamos, mas que redundou em honra e glória da fé que conquistara Roma. Um pobre cristão chamado Telêmaco, que passara a vida solitariamente nos desertos do leste, foi inspirado por Deus para pôr um final nas profanações dos espetáculos públicos. Ele foi bem-sucedido, mas isto lhe custou a vida.

Bem longe, nas profundezas dos desertos líbios, ele ouvira que o Coliseu de Roma ainda se impregnava com o sangue de vítimas humanas. Talvez a descrição de seus horrores lhe tenha sido feita por algum penitente fugitivo, que conhecera a vacuidade e os perigos do mundo, e fugira para a solidão, a fim de preparar-se para a eternidade. Ele concebeu a idéia de um generoso esforço para destruir aquela paixão brutal; sentia que algo deveria ser feito, ainda que tivesse de deixar o seu deserto e derramar o próprio sangue neste empreendimento. Longa e fervorosamente, ele recomendou o pensamento a Deus. Em noites ininterruptas de oração e austeridade, lágrimas e profunda humilhação, ele suplicou por algum sinal da vontade divina. O que poderia fazer, pensava ele, um pobre e ignorante eremita, com dificuldade para falar, descalço e vestido de saco? Reis, sacerdotes e mártires haviam falhado em erradicar o mal. Haveria ele de ser bem-sucedido? Temendo alguma ilusão de Satanás, ele hesitava e duvidava, mas a graça de Deus o impelia. Uma voz interior estimulava-o: “Posso todas as coisas naquele que me fortalece”. Ele penetrou mais fundo na selva fechada e deserta para consultar um velho anacoreta, que fora discípulo do grande Paulo, e o primeiro a santificar aquelas regiões desabitadas. O idoso cristão disse-lhe para ir, pois Deus havia aceitado o seu sacrifício.

Finalmente, ele apanhou o seu bordão, e com muitas lágrimas, disse adeus à sua amada cela, à sua rústica cruz, e ao singelo córrego, cujo murmúrio constante juntava-se a ele no louvor a Deus. O deserto era um lar de delícias, mas o mundo à sua frente era escuro e sombrio. Nenhum soldado já se moveu com um passo mais valente que Telêmaco para o seu combate à orgulhosa paixão dos homens. Ele avançou através de cidades povoadas, planícies cultivadas, e passagens ermas nas montanhas. Ele não buscava teto, mas o pálio desdobrado do céu; as pedras do deserto haviam sido o único travesseiro que ele usava havia muitos anos. Após uma jornada de semanas e meses, e talvez anos, exausto, com os pés feridos, mas deliciado, ele chegou finalmente sob os muros da Cidade Eterna. O sol brilhante refletia-se nos domos dourados da metrópole imperial. Os olhos do pobre cristão estavam deslumbrados com os templos cobertos de prata e ouro, e os intermináveis panoramas de colunas de mármore em volta dos palácios e teatros, que se erguiam a toda parte, com a magnificência e o esplendor que somente a fantasia pintaria para as cidades da terra dos sonhos. Ele entrou na cidade, e caminhou pelas ruas repletas de gente, alheio ao olhar das pessoas que o fitavam atraídas por sua vestimenta extraordinária. Alguns riam, outros insultavam; todos desprezavam o pobre cristão.

Tanto quanto sabemos, foi na manhã de 1º de janeiro de 404, que Telêmaco entrou em Roma. Os jogos geralmente celebrados durante as calendas de janeiro estavam sendo inaugurados a expensas de um rico senador; embora inferior em magnificência, eles excediam em brutalidade os espetáculos da idade de ouro. Telêmaco avançou com a multidão em direção ao anfiteatro. Ao subir o Capitólio, com os seus cinqüenta templos ainda fumegando com os sacrifícios abomináveis, ele estremeceu; sabia que os demônios ainda estavam de posse daquela parte da cidade. Quais não foram os sentimentos de seu coração, ao avistar o imponente anfiteatro? Ele erguia-se no vale abaixo do Capitólio, com estupenda majestade, altaneiro sobre os templos e arcos que cercavam o Fórum – imenso como as pirâmides que ele avistara em sua passagem pelo Egito, mais belo que qualquer coisa que lhe prendera o olhar naquela cidade de maravilhas, e mais alto que os montes ao redor, com uma solidez que parecia desafiar o declínio e a devastação do tempo. Telêmaco desceu a Via do Triunfo inconsciente de que ele mesmo caminhava para o triunfo – um dos maiores que o mundo já vira. Passou sob os arcos, onde nobres mártires tinham freqüentemente sido arrastados para serem expostos às bestas feras. Sentiu um arrepio de horror ao olhar pela primeira vez a arena manchada de sangue, cujas atrocidades haviam-lhe assombrado os sonhos, e por cuja conversão ele orava incessantemente. Ainda era cedo, e os jogos não haviam começado; o povo afluía para as bancadas; ele tomou assento, e alheio ao zumbido de milhares de vozes à sua volta, num instante envolveu-se em comunhão com Deus, como se estivesse orando às margens de seu regato, no deserto.

Absorto em oração, com as mãos cruzadas no peito, o cristão parecia aos romanos uma visão do outro mundo. Seu traje e sua aparência, e o halo de santidade que envolve o verdadeiro servo de Deus, e que não se pode ocultar, fizeram com que a multidão o fitasse com sentimentos matizados de desprezo, surpresa e reverência. "Quem ou o que é ele?", era a pergunta de cada pessoa admirada, que parava para fitar a extraordinária aparição sentada imóvel num dos bancos. Alguns achavam que fosse um pobre doido, que não merecia atenção; outros diziam tratar-se de um vagabundo do leste; e outros, que talvez fosse um mensageiro dos oráculos, já que estas personagens importantes andavam sempre vestidas fantasticamente, e envoltas em mistério e melancolia. O momento seguinte mostrar-lhes-ia que ele de fato era um mensageiro dos oráculos da Sabedoria Eternal, para ensinar ao mundo as grandes verdades proferidas nas revelações do evangelho.

Os jogos começam. À semelhança de Alípio, ele é arrancado de seu devaneio pelo grito inumano que saúda o primeiro grupo de combatentes. Quatro homens nus, corpulentos, e de aparência feroz, entram na arena; eles fingem estar animados, e cada um parece certo da vitória. Marcham ao redor da arena, de acordo com o velho costume dos jogos, para que o povo escolha os favoritos em quem apostar, e participe de sua vitória. Enquanto caminham, alguns dão um último adeus, fitando longamente e atirando um beijo com a mão, a um amigo nas bancadas superiores. Apesar de seu esforço de sorrir bravamente à morte, seu semblante ostenta a pálida estampa do desespero, e a natureza trai-lhe o medo da separação. O que os faz apressar-se ao combate não é o que os romanos chamam de bravura, mas uma fúria cega. Agora eles medem as espadas, e são emparelhados pelo prefeito dos jogos; passam alguns instantes em divertida esgrima com espadas de madeira; então chegam as brilhantes espadas de aço, polidas e lustradas para a luta mortal. Eles agarram-nas, e no momento seguinte inicia-se o fogo da matança. Mas vejam! O cristão levantou-se! Ele voa pelas arquibancadas, salta a grade de ferro do pódio, e com mão de gigante agarra os combatentes, e os rodopia à sua volta.

Pena alguma pode descrever a cena que se seguiu. O povo é um leão privado de sua presa por um animal inferior. Nunca as paredes do velho anfiteatro retiniram com um grito de frenesi mais alto ou selvagem; no exato momento em que a sua excitação tornava-se intensa, os espectadores foram frustrados por um estranho atrevido, e a sua indignação passou à fúria. Podemos ter uma pálida idéia dos sentimentos da turba quando Telêmaco apareceu na arena para interromper os gladiadores, se imaginarmos um cristão vestido em roupas de saco, precipitando-se no palco do Alhambra, em Londres, para reprovar a indecência e a leviandade do seu balé. Os gladiadores ficaram atordoados e aterrorizados, como se em presença de um ser sobrenatural. O santo homem diligenciou por falar ao povo, mas eles assoviavam, vaiavam e gritavam com uma raiva demoníaca. Finalmente, incapazes de se controlar, rasgaram os assentos e quebraram as bancadas; em poucos minutos o ar encheu-se de fragmentos dos bancos e da pavimentação, atirados de todos os lados, visando atingir Telêmaco. Ele ajoelhou-se, e estirando os braços ao céu, ofereceu-lhe a vida pela conversão do grande teatro da infâmia. O mártir da caridade tombou, cobrindo com o corpo uma das manchas mais escuras da arena do anfiteatro. Onde Inácio e uma multidão de outros mártires foram supliciados, o glorioso mártir da caridade caiu sob a chuva de cacos de mármore e de ornamentos, arremessados sobre ele de todas as arquibancadas do Coliseu, que nesse momento achava-se repleto de demônios regozijando-se com a degradação da raça humana.

Foi terrível a sentença descarregada sobre o pobre cristão desarmado, por ousar interrompê-los em seu cruel esporte. Contudo, ele foi bem-sucedido: os gladiadores por ele separados nunca mais voltaram a lutar. O Coliseu converteu-se. O imperador Honório proibiu imediatamente todos os espetáculos no Coliseu, e sancionou a lei com severas penalidades. Poucos anos depois, houve mais um esforço desesperado para ressuscitar as carnificinas do anfiteatro, mas a vontade de Deus triunfou: o esporte desumano dos espetáculos gladiatórios é tão-somente uma nódoa do passado. Pelo exemplo sacrificial de um servo de Deus, o cristianismo pôs fim aos crimes de três séculos, e elevou a moral e o caráter racional da espécie humana, triunfando sobre as paixões brutais que a degradavam.

A exaltação do povo cresceu, e espalhou-se como fogo pelas arquibancadas. Alguns fugiram aterrorizados, e propagaram boatos alarmantes pela cidade; o restante do povo arrebanhou-se para o anfiteatro, aumentando o barulho e a confusão. O prefeito mandou que tocassem as trombetas, e que os gladiadores recomeçassem os jogos, mas tudo em vão. Um decreto fora escrito no céu, e nenhum poder humano poderia mudá-lo. Finalmente, o exército recebeu ordens de dispersar a turba, e os esportes do dia foram declarados encerrados.

Só podemos admirar o zelo de Telêmaco. Gostamos de recordar esta última tragédia do Coliseu como uma das mais sublimes e interessantes da Igreja Primitiva. O triste destino do pobre cristão faz-nos estremecer, mas o seu sofrimento foi momentâneo. O seu sacrifício foi uma das mais elevadas virtudes que um homem pode exercer por seus semelhantes; agora, a sua coroa é brilhante e eterna. O seu amor era um fogo que o consumia. O seu heroísmo e a sua abnegação foram além do natural, dando-lhe aquele sinal distintivo, pelo qual são conhecidos os seguidores do Salvador, que tanto amou.

Deve ter parecido estranho aos romanos que a morte de um homem produzisse um resultado tão inesperado. A sua admiração cresceu, quando souberam que o homem assassinado era um pobre, estrangeiro, e odiado cristão. A vida humana tinha tão pouco valor naqueles dias, que os pobres escravos eram postos à morte por seus senhores e amas, até mesmo por alguma injúria acidental contra um cãozinho ou um gato de estimação. No Coliseu, especialmente, não era incomum ver uma centena de gladiadores cair num único dia; a morte era o espetáculo mais comum em sua arena. Contudo, a morte desse pobre cristão não apenas separou os gladiadores em seu ataque assassino, e dispersou a multidão de cruéis espectadores, como arrancou do poder supremo do Império uma proibição definitiva e inviolável desses esportes desumanos. Tão triunfante e perfeito foi o sucesso da missão de Telêmaco, que não apenas no Coliseu, mas em todos os anfiteatros do Império, a espada do gladiador foi quebrada, e a degradante profissão de assassino foi para sempre abolida. Este é um dos muitos fatos registrados na história, pelo qual se vê que o cristianismo regenerou o mundo. Os agentes da Divina Providência são pequenos e desprezíveis, mas o seu trabalho tem sido milagroso e eterno em sua influência sobre o destino do homem.

Telêmaco Permanece Triunfante

Capítulo 23

1

Cinco anos após a tragédia que descrevemos no capítulo anterior, o Coliseu testemunhou outra cena igualmente estranha e impressionante. Não que tenha havido outros mártires para derramar seu sangue na arena, mas cada página da história da grande ruína é uma cena de horror. Os poderes das trevas fizeram um esforço desesperado para restaurar o reinado de terror do Coliseu. Por um momento, pareceu que haviam conseguido; o populacho cego gritou de alegria, e o escravo foi novamente armado com a espada do gladiador. Mas Deus, que usara o seu servo Telêmaco, sabia bem como frustrar os desígnios dos ímpios, e no momento em que lhe aprouve, espalhou-os como moinha ao vento. Não foi sem luta que os romanos desistiram dos fascinantes massacres do anfiteatro, e o seu último esforço para restaurar o medonho espetáculo foi cercado de horror e confusão, dando um final palpitante ao nosso capítulo sangrento. Apresentamos a cena de um dos mais tremendos julgamentos de Deus na história do homem – o início de sua misericórdia maior!

A hora da retaliação finalmente chegara para Roma – aquela hora havia muito preparada nos decretos da Providência, para uma temível vindicação desta cidade impenitente. Os visigodos e as tribos bárbaras do nordeste do Império foram seduzidos por Alarico para a sua pilhagem. Essas tribos rudes e incultas vinham acumulando em suas tradições cada derrota e cada injustiça sofrida pela mão dos exércitos romanos. Havia muito tempo, os seus chefes vinham anunciando, como os profetas do passado, as maldiçoes contra a orgulhosa rainha do universo. A vingança era o seu deus, e a pilhagem de Roma era o seu paraíso de deleites. Quando chegou o momento, eles foram deixados soltos pelo Todo-Poderoso, e quinhentos ou seiscentos mil dos mais brutais soldados desabaram sobre a cidade desafortunada. Antes que os romanos percebessem o perigo, Alarico tinha feito o seu caminho através das lindas planícies da Itália, e a destruição das cidades e a fumaça das ruínas foram os vestígios de sua marcha vitoriosa.

Os romanos eram indulgentes em todos os excessos, e não pensavam noutra coisa senão nas distrações do Circo e do Coliseu. A sua apatia e cegueira para com a ruína que os ameaçava eram o primeiro sinal do destino que lhes decretara a queda. O arrogante senado e os patrícios fingiam sorrir da audácia de um rei bárbaro chegando para atacar a cidade. Eles olhavam para os seus arcos do triunfo, os seus inumeráveis troféus, que lhes enchiam os olhos por toda parte; viam os templos de tantos deuses, de heróis e imperadores deificados por seus feitos em armas, e com orgulho complacente, desdenhavam da idéia de se tornarem presa de um bárbaro. Como poderia a cidade tremer em meio a tanto penhor de domínio, cujas paredes, cimentadas com o sangue coagulado de tantas vítimas cativas, eram suficientemente guardadas pelo terror do nome romano e pela sombra formidável de tantos conquistadores? A sua arrogância, porém, logo foi abatida pelo infortúnio. Enquanto eles se reclinavam em seus triclínios, os bandos de Alarico, impacientes pelo assalto, chegaram rompendo pelas mansões de mármore e pelos parques de diversões de suas vilas suburbanas, e precipitando-se e avançando sobre cada oposição, até romperem contra os seus portões como uma inundação de sangue e confusão.

Por uma hábil disposição de suas tropas, Alarico cercou os muros, comandou os doze portões principais, interceptou toda comunicação com o país vizinho, e vigiou diligentemente a navegação do Tibre, da qual Roma dependia para o sustento de sua imensa população. A cidade condenada gradualmente experimentou a aflição da escassez, e as calamidades da penúria. A hora da vingança iniciara os seus horrores sobre a cidade infortunada. O povo começou a morrer de fome às centenas, e como os sepulcros públicos ficavam fora dos muros, e em posse do inimigo, o fedor de tantos cadáveres pútridos e insepultos infestava o ar, de modo que as misérias da fome logo foram agravadas pela pestilência.

Foi nesse extremo que uma delegação do senado foi enviada ao campo gótico a fim de apelar por um acordo. Ao serem introduzidos na tenda de Alarico, os membros da delegação mantiveram uma postura arrogante, para fazer parecer que estavam preparados para a guerra ou a paz. Disseram que se o rei dos godos recusasse assinar uma capitulação justa e honrável, ele podia fazer soar as trombetas, e preparar-se para batalhar com um povo inumerável, afeito às armas, e animado pelo desespero. "Quanto mais espesso o gramado, mais fácil ceifá-lo", foi a réplica escarninha do bárbaro, para grande divertimento de seus oficiais, que romperam em gargalhadas insultuosas, ao ouvir o chiste de humor camponês. Então Alarico ditou os termos pelos quais eles poderiam esperar ter a cidade poupada: A entrega em suas mãos de *todo* o ouro e a prata dentro dos muros de Roma, de propriedade do estado ou de posse individual; todos os móveis ricos e preciosos, e todos os que os bárbaros detivessem como escravos.

— Se assim, ó rei — atalhou um dos embaixadores —, são as coisas que exiges de nós, posso perguntar o que é que nos deixará?

— Suas vidas — respondeu o altivo conquistador.

Não havendo mais qualquer esperança humana, os romanos resolveram recorrer uma vez mais aos deuses imortais. Foi alegado por alguns que a cidade de Narni havia sido salva dos godos, recentemente, por certos rituais místicos e sacrifícios dos etruscos, que então se achavam em Roma. E estas mesmas práticas execráveis, consistindo de magia negra com o sangue coagulado de cativos assassinados, foram solenemente efetuadas por um decreto público do Capitólio. Foi em vão que os senadores cristãos clamaram contra a medonha impiedade; suas vozes foram abafadas sob as exclamações entusiasmadas pela restauração dos ritos pagãos, e as execrações e blasfêmias a Cristo.

Foi relatado por Sozomen que os romanos mais refletidos enxergaram nas calamidades de Roma um justo julgamento sobre a sua incorrigível atração pela idolatria. De qualquer modo, os raios de Júpiter não caíram sobre as tendas dos godos; os horrores da fome e da pestilência aumentaram, e o senado, humilhado, viu-se constrangido a enviar outra embaixada ao inimigo, para implorar por misericórdia. Um repouso temporário foi conseguido pela cidade condenada; mas ela havia sido pesada na balança, e condenada a tombar. Alarico retirou-se a fim de passar o inverno nas regiões férteis e agradáveis da Toscana, enriquecido pelos bem da capital, e reforçado por quarenta mil escravos, que quebraram as cadeias e juntaram-se aos bárbaros, na esperança de um dia vingar as crueldades recebidas em sua servidão. Teriam a desforra poucos meses depois; ela seria dura e terrível.

As condições da capitulação não foram mantidas, e Alarico veio com uma parte de suas tropas para aterrorizá-los, conforme a sua promessa, ou na realidade para saquear a cidade, o que ele ansiava, apesar de todos os compromissos e protelações. Por ocasião de seu segundo cerco à cidade, o pagão Attalus foi feito imperador por ordem de Alarico. Este homem foi elevado ao trono com o único propósito de ser degradado, e para que a própria dignidade imperial fosse aviltada e exposta ao escárnio. Poucas semanas depois, o manto púrpuro foi ignominiosamente arrancado de seus ombros, e ele e sua corte, feitos escravos do rei bárbaro. Contudo, durante a sua breve carreira, ele fez todo o possível para introduzir as horrendas superstições do paganismo. A fumaça dos sacrifícios impuros elevou-se uma vez mais da cidade. Os esportes cruéis do Circo e do Coliseu foram reiniciados em honra aos deuses do Império. A cena ocorrida no Coliseu nessa ocasião é uma das estranhas reminiscências deste edifício formidável. Foi para apresentá-la ao leitor que relatamos os fatos históricos das páginas antecedentes.

Desde a morte do cristão Telêmaco, o Coliseu estivera silencioso. A profissão gladiatória fora proscrita, e durante o período de fome, cada animal da cidade fora morto. Contudo, o novo imperador quis celebrar sua ascensão ao trono com os jogos do Circo e do Coliseu. O povo ainda se aferrava às instituições do passado com um cego fanatismo; acreditavam que os deuses se deliciavam com as cenas de derramamento de sangue, mais que eles próprios, e para satisfazer aos tiranos imaginários que, supunha-se, controlariam o destino do Império, a arena ressecada deveria encharcar-se novamente com a torrente púrpura de sangue humano. Assim, alguns milhares de escravos foram empurrados para a arena, a fim de lutar entre si por suas vidas. A praga e a fome assolavam ao redor, e as pessoas caíam mortas nas ruas; contudo, as arquibancadas do Coliseu encheram-se com as miríades esfomeadas, que vieram assistir, com um selvagem frenesi, ao espetáculo de horror.

Quando Attalus e seus oficiais apareceram na tribuna real, não foram saudados com aplausos e os votos de um longo e próspero reinado, mas com o triste clamor de um povo pedindo que se pusesse um preço nos corpos dos escravos que estavam para ser assassinados. Não obstante, o Deus Todo-poderoso não permitiu tal impiedade. Os pobres escravos ter-se-iam permitido morrer como ovelhas; estavam tão prostrados pela fome e pela doença, que eram incapazes de levantar a mão um contra o outro. Teriam, de boa vontade, se submetido ao seu destino, pois a morte seria um alívio bem-vindo às suas misérias. Pediram que os lictores se apressassem em despachá-los; levantaram as mãos aos seus mestres, pedindo-lhes que os matassem ou lhes dessem comida. A cena foi uma das mais tristes de todas as testemunhadas nesse templo das fúrias. Uma turba faminta lotou as bancadas de mármore para desfrutar o cruel esporte de uma carnificina gladiatória, e então se banquetear com a carne de suas vítimas. O ar estremecia com as blasfêmias contra todos os deuses, desde Júpiter a Diocleciano. Os demônios, que se deleitam com as misérias da humanidade, achavam-se presentes em legiões incontáveis, e mais alto e terrível que qualquer som eram as blasfêmias contra o sagrado nome de Cristo. Os escravos choravam, gemiam e gritavam, e a plebe uivava ainda mais alto, pedindo comida. O falso imperador fugiu aterrorizado; a multidão dispersou-se sem o festim de sangue humano; amedrontado e confuso, em meio aos gritos de dor e desespero, misturados às piores blasfêmias já proferidas pelo homem, o populacho romano despediu-se de seus amados shows gladiatórios.

2

Todavia, os horrores desse dia terrível foram apenas o começo de uma noite de aflição ainda mais escura. As impiedades do curto reinado de Attalus precipitaram as calamidades que pairavam sobre a cidade condenada. No exato momento em que a facção pagã do povo romano empenhava-se em restabelecer as diversões sangrentas do coliseu, Alarico anunciava aos seus bárbaros invernando no norte que, na manhã seguinte, marchariam para o tal esperado saque de Roma. As novas foram recebidas com brados de alegria; o gladiador Daciano não deveria morrer sem desforra, pois antes de Byron, Alarico dissera:

> *"Levantai-vos, godos, e fartai a vossa ira".*

A primeira cena do drama da degradação romana foi o escárnio de seu rei. O bárbaro ordenou que Attalus o encontrasse em sua marcha. O orgulhoso representante dos césares não teve outra alternativa, senão obedecer. Attalus encontrou o bando gótico numa planície próxima a Rimini, não muito distante do ponto onde o primeiro césar cruzara o Rubicão para iniciar a grande dinastia que Attalus estava prestes a encerrar. Ali, o suposto imperador do mundo foi ignominiosamente despojado da púrpura e da coroa, e ouviu, diante de uma imensa multidão de romanos e bárbaros, que poderia desfrutar a vida como um escravo no serviço do chefe godo. Quando tais indignidades foram completadas, a ordem de retomar a marcha foi recebida com uma exultação selvagem, misturada ao clangor das risadas; riam da falsa majestade tão repentinamente deposta do trono romano. Alarico e seus bandos armados estavam então nas mãos do céu para uma temível vindicação da majestade divina e do nome de Deus, que tanto foram blasfemados dentro dos muros de Roma. Quando, em sua marcha, passaram por um estreito desfiladeiro nos Apeninos, um eremita lançou-se diante deles para interceder pela cidade condenada.

— Servo do céu — bradou Alarico —, não tente desviar-me de minha missão. Não é por escolha própria que guio o meu exército contra este lugar; um poder invisível, que não me permite descansar um único dia, impele-me violenta e continuamente, gritando-me sem cessar: 'Em frente! Marcha sobre esta cidade – sobre Roma, e faze-a desolada!'

À meia noite, o portão Salariano foi silenciosamente aberto, e os romanos foram repentinamente despertados pela sonora trombeta gótica. A Babilônia mística foi, assim como o seu tipo profético – a cidade de Belsazar –, surpreendida em meio à segurança. Os romanos tinham tanta confiança em seus muros imponentes, que à semelhança dos babilônios quando os persas lhes cercaram a cidade, entregavam-se às suas costumeiras folias, e depois iam para a cama sem a menor sombra de apreensão. Procópio conta que os senadores estavam profundamente adormecidos quando os godos adentraram os portões.

"A crueldade exercida nessa ocasião", escreve o analista italiano, "não pode ser relatada sem lágrimas. A cidade, construída como se fosse o maior dos espólios, e transbordando com o tributo de tantas nações, achou-se então à mercê dos bárbaros enfurecidos. Eles tiveram o caminho iluminado pelos templos e palácios brilhantes, desde a vila de Saluste – um templo e um jardim perfeitamente epicuristas – até o Suburra, o Fórum, o Capitólio, e acima de tudo, a casa dourada de Nero. Em sua busca ao despojo e ao sangue, eram guiados pelos quarenta mil fugitivos que, em retribuição ao que haviam recebido das mãos romanas, e para lavar no sangue patrício os detestáveis vestígios de suas cadeias, laboraram naquela noite de horror com uma aplicação jamais demonstrada sob o látego de seus capatazes. A indescritível barbaridade que Roma havia sempre perpetrado nos cercos, massacres, e incêndios de mil anos era-lhe agora revidada com todo o vigor. Seus nobres foram submetidos às mais cruéis e ignominiosas torturas, e despojados de seus tesouros escondidos; os plebeus foram assassinados em tão grande número, que os sobreviventes não deram conta de sepultar os mortos. No Fórum, no Circo, no Coliseu, no Capitólio, nas ruas, nos teatros, nos banhos e nos templos, o sangue correu. Os saguões e câmaras dos palácios foram cenários do mais brutal deboche, imoralidade e assassinato. A cidade das sete colinas ficou em chamas; os troféus e monumentos de que os senhores da Terra tanto se orgulhavam foram os principais objetos da fúria gótica. Osório afirma que testemunhas oculares contaram que os troféus, os templos e outros edifícios públicos, que desafiavam os bárbaros por sua solidez, foram atingidos por meteoros do céu".

Mas enquanto punia de modo tão severo os obstinados remanescentes do paganismo em Roma, o Todo-Poderoso fazia brilhar, ao mesmo tempo, a sua misericórdia e a sua justiça. Ele preservou os cristãos com uma milagrosa intervenção de sua providência. Deus inspirou os bárbaros com um respeito e reverência aos inofensivos membros da Igreja; em meio à confusão e ao saque, eles foram conduzidos pelos próprios bárbaros a locais seguros. O Coliseu testemunhou este milagre. Foi assim:

Fora proclamado pelo rei dos godos que ele não guerrearia contra os cristãos. Ele ordenou que as igrejas e outros locais consagrados a propósitos cristãos fossem respeitados, e designou as duas grandes Basílicas dos Apóstolos como santuários invioláveis de refúgio. Estas ordens foram observadas tão estritamente, que os soldados não apenas fizeram uma pausa em sua matança, ao chegar a esses territórios sagrados, como também muitos deles sentiram que, sob a proteção do Deus dos cristãos, estariam a salvo da ira daqueles que não eram tão compassivos. Enquanto os bárbaros corriam pela cidade à procura das riquezas, aconteceu que, uma jovem crescida no serviço de Deus, a quem consagrara toda a sua vida, foi descoberta em seu aposento por um chefe gótico. Ele exigiu dela todo o ouro e a prata em sua possessão. Com a sua postura cristã, ela replicou que os tesouros guardados com ela eram de fato imensos. Enquanto o godo fitava admirado e atônito os esplêndidos vasilhames de ouro e prata maciços, que ela lhe revelara, a moça observou:

— Diante de ti estão os vasos sagrados, usados na Santa Ceia do Senhor. Atreve-te a tocá-los, se és tão mal. Mas, cuidado! As conseqüências de teu sacrilégio cairão sobre a tua própria cabeça. Quanto a mim, demasiadamente frágil para defendê-los, não tentarei uma resistência inútil.

Tocado por temor religioso, e não menos movido pelo entusiasmo da jovem, o chefe não tentou pôr as mãos nos tesouros consagrados a Deus, e mandou contar ao rei Alarico tudo o que se passara. A ordem peremptória do rei foi que todos os vasos fossem prontamente transportados à Basílica dos apóstolos, e a moça fosse protegida e guardada juntamente com todos os cristãos que tivessem a chance de se juntar a ela no percurso. O local onde a moça fora encontrada situava-se no monte Coeliano (provavelmente perto do Laterano), de modo que a cidade deveria ser atravessada de ponta a ponta para se chegar à Basílica de São Pedro. Foi então que um espantoso espetáculo ofereceu-se aos olhos de todos. Na maior das vias públicas, um séqüito avançava solenemente, na mesma ordem e no mesmo passo, como que se movendo não num cenário de matança, violência e conflagração, mas por corredores sagrados, num alegre festival. Um cortejo marcial dos godos marcha como uma guarda de honra, para adornar a procissão com suas armas brilhantes, e para defender os piedosos companheiros, que levam na cabeça os vasos de ouro e prata maciços. A voz dos bárbaros une-se à desses romanos para avolumar os hinos cristãos de louvor a Deus. O som é ouvido como a trombeta da salvação, ecoando por todos os lados, através da destruição da cidade. Os cristãos saem de seus esconderijos como se reconhecessem os cânticos celestiais, e se ajuntam de todas as direções, entrando no cortejo. Multidões de pagãos, alegrando-se com os hinos de Cristo, tomam parte na procissão, e escapam assim sob a sombra do nome de Jesus, para que possam viver e atacá-lo com uma violência maior que nunca.

Mencionamos que o Coliseu testemunhou este maravilhoso cortejo. Ele passou sob os seus arcos, e o seu portentoso interior ecoou, quem sabe pela primeira vez, com as canções cristãs de louvor. Algumas centenas de pessoas, assustadas e desesperadas, haviam procurado abrigo em seus longos corredores e arcadas escuras; sabiam que ele era impenetrável aos tições inimigos, e arma alguma podia abalar seu travertino maciço. Havia entre eles alguns cristãos, e tão logo ouviram os conhecidos tons dos salmos de Davi, precipitaram-se de seus esconderijos, para ajuntar-se, maravilhados, aos grupos dos filhos de Israel, guiados pela intervenção sobrenatural das aflições que aumentavam ao seu redor. Engrossado por fugitivos de todas as partes, o desfile parecia interminável; e à medida que ele encompridava, os bárbaros disputavam entre si o privilégio de marchar como guardas ao seu lado, armados com suas achas-d'armas e suas espadas desembainhadas.

Foi assim que o céu mostrou o seu poder para escoltar, através do desespero e da morte, aqueles que eram objetos de sua solicitude, levando-os a um porto seguro. Por meio desse cortejo, a cidade foi semeada dos cristãos que ainda permaneciam nela. Em plena crise de ruína, eles foram salvos pela intervenção de Deus. Mas o milagre mais espantoso foi a repentina transição sofrida pelos godos, da fúria à brandura. Eles abandonaram a busca dos despojos, e manejaram suas armas ensangüentadas para proteger a vida e os tesouros de seus inimigos vencidos.

O Coliseu na Idade Média

Capítulo 24

"Embora a dinastia de Rômulo e Augusto houvesse se encerrado", afirma o autor de *"Rome as she Was and as she Became"*, "o gênio do paganismo ainda não expirara. Sobrevivendo ao enorme Império, ele fora tão longamente animado com um vigor sobrenatural, e investido de uma tão medonha majestade, que o seu espírito lúgubre ainda se aninhava nos escombros das sete colinas. O seu retrospecto não fora de arrependimento, mas de desespero; seu sentimento anticristão foi, se possível, mais maligno que nos dias em que Nero e Juliano oficiavam como seus pontífices. Seu único consolo era lançar sobre o cristianismo a culpa de todas as calamidades do mundo, proferir maldições sobre ele, e defender com todo o poder e força cada vestígio remanescente de superstição".

O espírito do paganismo ainda se demorava dentro dos muros do anfiteatro. Já não possuía os seus mártires e gladiadores, mas ainda havia muitas vítimas nobres para os seus esportes cruéis e sanguinolentos. Os combates entre homens e feras não haviam sido proibidos pela lei, e prosseguiram por quase cem anos. Estas espécies de diversões foram sancionadas por Honório e Teodósio, que regulamentaram as leis concernentes à caça de animais selvagens, a fim de que certas regiões se tornassem reservas, onde apenas os ministros imperiais pudessem caçar feras para os jogos do Circo e do Coliseu.

Nem bem os godos se retiraram, carregados com os despojos da cidade, os romanos que haviam escapado aos horrores do cerco, e se ocultado nos montes de Alba Longa, nas montanhas de Tíbure, retornaram à cidade.

"Não foi para chorar sobre as tumbas", observa o autor citado, "nem para suplicar em volta dos altares, mas para correr ao seu amado Circo, que os fugitivos voltaram como a maré a uma praia deformada pela destruição. Vociferaram que tudo o que exigiam eram os espetáculos e as rações diárias, como no passado, para indenizá-los da visita dos godos. As multidões que haviam fugido diante das espadas dos bárbaros logo voltaram com a esperança de abundância e de prazeres. A rainha das sete colinas recolocou a sua coroa de louros, ajustou-a arrogantemente, como se ela houvesse sido apenas levemente avariada pelos bombardeios da guerra".

Cassiodoro, que se distinguiu nos primeiros vinte anos do sexto século como secretário do rei Teodorico, conta-nos no quinto livro de suas *Variedades* que esses jogos com as feras, a que ele chama de detestáveis, não apenas existiram em seu tempo, mas que havia uma certa necessidade de mantê-los para satisfazer o gosto depravado do povo. Os dias de sua grandeza são passados, e aquele espírito indomável, que era atiçado para uma fúria irresistível pela mais leve derrota, acha-se reduzido a pó como os troféus de suas vitórias passadas. Os godos haviam, sossegadamente, se retirado com o seu espólio; nenhum grupo de veteranos se reunira sob a águia vitoriosa para perseguir os bárbaros até seu lar nas montanhas, ou vingar a ruína que eles haviam trazido sobre a cidade imperial. Houve um tempo em que Roma teria aniquilado, para sempre, até o nome da raça bárbara que ousasse cruzar a distante fronteira do Império. Mas esses dias se foram; o espírito marcial do povo fugira, a hora do julgamento chegara. A maior glória e a destreza em armas, aplaudidas agora por este povo decaído, são o triunfo dos bestiários na arena do Coliseu.

A última referência a esses jogos acha-se na Crônica do Senador. Ela relata que, por volta do ano 519, quando Cilica Generus foi eleito cônsul, celebrou a sua nomeação com jogos no anfiteatro. Com grandes despesas, fez trazer da África uma imensa quantidade de animais selvagens, que em poucos dias foram todos mortos na arena, cujas areias ainda não se saciara com o sangue de milhões de vítimas. Depois disso, Roma passou por dois séculos de infortúnio e aflição; os lamentos de tristezas e angústias das multidões esfomeadas e moribundas não foram interrompidos, por um momento sequer, pelos gritos selvagens do Circo ou do Coliseu. Com os repetidos cercos dos godos, e a última devastação sob Átila, a cidade tornou-se uma ruína à volta do gigantesco anfiteatro, que parecia elevar ainda mais alto, e mais majestosamente, as suas paredes indestrutíveis sobre as ruínas dos palácios e templos caídos, espalhados pela planície ao redor.

No início do sétimo século, quando o sol da paz, na nova dinastia sob o cristianismo, começou a brilhar sobre a cidade condenada, o Coliseu, embora abandonado, permaneceu solitário em meio a um deserto de escombros, como "um nobre monumento de ruinosa perfeição".

A gramínea que crescia em sua arena abandonada era espessa e luxuriante; as sementes de flores, flutuando na brisa gentil do oeste, foram arrastadas para as montanhas de alvenaria, e logo as paredes desoladas do Coliseu foram decoradas com milhares de fores; os ventos invernosos enroscaram-se em seus longos e escuros vomitórios, com ecos fantasmagóricos; o solene grasnido do pássaro da solidão soou alto e agudo, de seu ninho em meio aos esteios desagregados do portentoso velário. Aquelas paredes, que tantas vezes estremecera com o troar de milhares de vozes, envolviam-se agora num silêncio de morte. Nenhum som humano quebrava a tranqüilidade assustadora, a não ser o passo cauteloso de algum aluno gazeteiro, escondendo-se em seus corredores, ou as exclamações de deleite de algum antiquário, parando para admirar-lhe as maravilhas de ciência e arte, ou, quem sabe, o gentil murmúrio da oração de um peregrino ajoelhado no chão manchado de sangue – campo de batalha dos mártires da Igreja. Dentre os peregrinos que visitaram este local sagrado, esteve um que quebrou o silêncio da história naqueles séculos, quando, em sua peregrinação pela Cidade Eterna, visitou esse grande monumento do passado. Dificilmente poder-se-ia escrever um panegírico mais belo e mais forte do grande anfiteatro, que a sublime profecia de Beda, o Venerável, no final do sétimo século:

> *"Enquanto resistir o Coliseu, Roma resistirá;*
> *Quando cair o Coliseu, Roma cairá;*
> *E com Roma, o mundo".*

Algumas dúvidas são expressas pelos historiadores modernos quanto ao tempo preciso em que a imensa estrutura começou a desintegrar-se. Muitos supõem que ela deve ter sofrido, como a maioria dos grandes edifícios da cidade, durante o reinado gótico de terror e ruínas. Mas da expressão de escritores contemporâneos, Marangoni e outros antiquários são da opinião que ela permaneceu em perfeito estado até o fim do século XI. A imensidão e a espessura compacta de suas paredes de pedra travertina parecem ter desafiado todos os esforços para demoli-las. Mesmo em seu presente estado ruinoso, quando apenas dois terços de sua estrutura original subsistem, precisar-se-ia de mil homens, durante vários meses, para transformá-la num montão de entulhos. Os godos, que encontraram presa fácil nos edifícios menores da cidade, deixaram ao tempo a tarefa lenta, porém certa, de esfarelar o esplêndido monumento. No entanto, as comoções políticas do final do século XI trouxeram sobre o anfiteatro outra terrível onda de devastação e ruína, pela qual as suas paredes maciças e indestrutíveis foram sacudidas e desfiguradas. Isto aconteceu no pontificado de Gregório VII, por volta do ano 1084 de Nosso Senhor.

Gregório, que era conhecido no início de sua carreira como o diácono Hildebrando, era um monge pobre e austero. Por ocasião de sua eleição, todo o Império Germânico suspirava sob a tirania de um rei maldoso e imoral. Não se pode conceber um contraste maior que o observado entre os costumes dissolutos de Henrique IV e a vida irrepreensível do austero monge. A séria disputa entre a virtude e o vício, que caracterizou o reinado de Gregório VII, foi prefigurada numa carta que o líder religioso recém eleito enviara ao rei, a fim de persuadi-lo a impedir sua nomeação. "Pois", escrevera ele, "se eu for declarado papa, punir-te-ei por teus crimes". A sua eleição foi confirmada. Após longa tolerância, e uma inútil espera de que Henrique se convertesse, ele finalmente o excomungou, e destitui-o do trono. O impiedoso alemão apoiou a causa de Gilberto, o Antipapa, e marchou sobre Roma. Ele acampou nos campos vaticanos, mas um ataque repentino e inesperado de um pequeno grupo de soldados do papa surpreendeu e desconcertou-lhe o exército; uma praga alastrou-se por suas tropas, e ele foi obrigado a retirar-se para o norte.

Voltou uma segunda vez, com uma força e um ódio ainda maiores contra o líder cristão, e tornou a cercar a cidade. Ateou fogo à Basílica de São Pedro, mas a população romana, sob a direção do próprio Gregório, extinguiu as chamas antes que elas prejudicassem o templo. Finalmente, após um cerco de dois anos, o portão Laterano foi aberto aos alemães, mediante suborno, e Gregório refugiou-se no Castelo de St. Ângelo. Durante um mês eles cercaram a tumba colossal de Adriano, e tentaram, inutilmente, agarrar o líder cristão, ou mesmo atravessar a ponte para tomar posse da basílica. O socorro para o líder aprisionado chegou na pessoa de Robert de Guiscard, um capitão normando e chefe feudal dos domínios papais. Ele era um conquistador duro e insensível, cujas crueldades já haviam sido condenadas pelo próprio Gregório, a quem ele viera salvar. Henrique fugiu à sua aproximação; contudo, seus partidários e um grande número de romanos ousaram resistir a Guiscard, e pagaram caro por isto. O conquistador altivo não hesitou por um instante sequer; queimou a cidade, e abriu caminho com a espada até chegar ao Castelo de St. Ângelo, e libertou o prisioneiro.

Nessa ocasião, foram os amigos da ordem, e não os inimigos, que se empenharam em varrer da face da terra cada vestígio da Roma pagã. A cidade inteira, desde a basílica de São João de Latrão, até o Capitólio, foi transformada em ruínas. Alguns dos mais notáveis monumentos da antiguidade, que haviam escapado à fúria dos godos, e que ainda eram o orgulho e a glória da cidade, tombaram sob a mão de ferro do enraivecido Guiscard. Quando ele alcançou o Capitólio sobre um campo de ruínas fumegantes, o povo viu a sua desesperada resolução de destruir a cidade, e entregou o papa. Guiscard levou-o a um local sossegado, em Salerno, onde Gregório sucumbiu sob suas muitas provações.

É difícil dizer quanto do Coliseu foi arruinado nessa ocasião. Marangoni, que acreditamos ser o mais crítico nestes assuntos, afirma: "Não apenas o que podia ser destruído pelo fogo dentro de suas paredes rochosas, mas os seus belos pórticos artísticos foram arruinados na severa desforra desse godo amigável. As bancadas interiores eram quase todas de mármore, mas ainda havia bancos de madeira nas fileiras superiores, além de suportes e ornamentos espalhados pela imensa construção. A parte voltada para o monte Coeliano, e o arco de Constantino, suportaram de um modo particular o ímpeto da tempestade, e foi da alvenaria caída ali em montões que se retiraram o material para diversos palácios da Roma moderna, como de uma imensa mina de pedra e travertino. Muitos papas e cardeais têm sido acusados, por escritores superficiais, de haverem sido os primeiros espoliadores desses belos edifícios; antiquários indignados desprezam os nomes de Paulo o Segundo, e dos cardeais Riario e

Farnese, como se houvessem, insensivelmente saqueado este majestoso monumento do passado, para erguer palácios de luxuriante esplendor em meio às casas irregulares e desprezíveis da cidade medieval. A verdade é que esses homens, animados por louváveis motivos a enriquecer e embelezar a cidade, foram tão somente culpados de remover pilhas indiscriminadas de entulho, que jaziam havia séculos à volta dos velhos muros do anfiteatro, como um triste vestígio da vingança de Guiscard".

Logo após o falecimento de Gregório VII, o Coliseu foi transformado em fortaleza. Os distúrbios políticos e as rebeliões parricidas dos filhos da Igreja haviam chegado ao auge de sua fúria, e é quase provável que alguns sucessores de Gregório refugiaram-se do rigor do temporal dentro dos muros do Coliseu. Os pontífices que reinaram naqueles tempos conturbados tiveram de encontrar perigos maiores que os enfrentados por seus predecessores, quando celebravam cultos nas escuras cavernas da terra. Facções rivais haviam dividido a cidade entre si; as tumbas e teatros do antigo império tornaram-se castelos e fortalezas dos novos aspirantes ao poder. Os Orsinis tomaram posse do Castelo de St. Ângelo; os Colonnas viraram donos do mausoléu de Augusto; e os Frangepanis, os mais poderosos de todos, fortificaram o Coliseu. Certamente, o leitor não viajado estranhará que as tumbas dos mortos tenham se tornado fortins de guerra. Estamos realmente dizendo que os monumentos dos mortos esquecidos ficaram cheios de homens armados, e tornaram-se fortalezas inexpugnáveis?

A magnificência dos mausoléus da Roma imperial era tão estupenda, que mesmo agora, após as guerras e tempestades de dois mil anos, as suas poderosas ruínas ainda são o orgulho da cidade. As paredes imperecíveis do túmulo de Adriano foi o único castelo forte na posse do sucessor legítimo do trono dos césares, Pio IX.

Muratori relata que, quando Inocente II acendeu ao trono, refugiou-se sob a proteção da família Frangepani, em seu palácio e fortaleza no Coliseu, sendo expulso do palácio Laterano pelo antipapa Gilberto, o mesmo que levantara o braço impiedoso contra Gregório VII. ("*Ad tutas domos Frangepanum de Laterano descendit, et apud Sanctam marian novam et Cartularium atque Coliseum*", &.) Na história de Tolomeo, bispo de Torcelo, um contemporâneo, encontramos a mesma coisa corroborada nestas palavras: "*Se recollegit in domibus Frangepanensium quae erant infra Coliseum; quia dict munitio fuit tota eo um*". (Ele protegeu-se na residência dos Frangepanis, que ficava dentro do Coliseu, pois aquele forte era inteiramente deles.) Pulando os detalhes sem importância do anfiteatro como fortaleza que mudou de proprietários conforme as fortunas de guerra, conduziremos o leitor a uma estranha cena ocorrida dentro de seus muros em 1332.

Quase seis séculos se passaram desde que o Coliseu ressoou com o grito ensurdecedor de uma multidão de espectadores fascinados. Muitas e estranhas foram as vicissitudes por ele vividas desde o seu último espetáculo sangrento. Através de cada século, desde a sua fundação, a sua história foi entrelaçada com os sofrimentos dos romanos. Embora não mais ecoasse o suspiro lamentoso do gladiador moribundo, muitos queixumes de pesar quebraram a solidão de suas bancadas desertas. As suas paredes foram enfumaçadas pelo fogo, abaladas e destruídas em muitos lugares pelos relâmpagos do céu, e desfiguradas noutras partes pelos implementos de guerra. O estrago de cada elemento de destruição, capaz de humilhar o homem em sua obra mais orgulhosa, despojou o portentoso anfiteatro de seus detalhes magnificentes, deixando-lhe o esqueleto rochoso como um monumento de gênio e arte, triunfante sobre a força bruta e selvagem. Suas reminiscências têm reunido profundo interesse à medida que os séculos se passam, e as diferentes vicissitudes do tempo deram à sua história uma página variada.

Estranha e interessante é a cena diante de nós. As suas bancadas decadentes acham-se mais uma vez repletas com milhares de pessoas; a arena está novamente tingida de sangue, e o coro ensurdecedor de uma multidão excitada ecoa através das ruínas da cidade decaída. Até parece que os espíritos dos antigos romanos tiveram permissão de deixar o lúgubre reino dos mortos para festejar, por uma hora, no grande teatro que foi, por muitos séculos, o cenário de seus prazeres e infâmias. Essa reunião extraordinária no Coliseu ocorreu sob as seguintes circunstâncias:

Durante a permanência dos papas em Avignon, no ano 1305, Clemente V, diligenciando por suprimir as dissensões internas que roubavam de Roma a paz, enviou à Itália três cardeais embaixadores, dando-lhes poder para agir em seu nome pela paz do povo. Foi durante essa administração que o Coliseu foi transferido ao Senado. Muratori, que menciona a circunstância, não fornece a data da transferência; notifica simplesmente que ela ocorreu durante os anos 1328 e 1340. Justamente nesse período, reinou na cidade uma profunda paz. O rei Luiz de Baniera retirara-se para o norte, e o seu antipapa, Nicolas II, fora vaiado e até mesmo apedrejado pelos romanos arrependidos. Alguns anos de alegria e calma, tão inusual naqueles séculos de distúrbios políticos, deram ao povo a oportunidade de entregar-se a alguns entretenimentos de paz. Os senadores, desejando expressar sua gratidão pela dádiva munificente do Coliseu, determinaram reabrir o anfiteatro com algum espetáculo grandioso para o público. Uma grande tourada – uma espécie de divertimento cruel, que se tornara muito popular nos países do sul da Europa – foi proposta para comemorar o grande evento.

Todos os nobres da Itália foram convidados a tomar parte na diversão, e os preparativos para a reunião levaram semanas e meses. O Coliseu tornou-se a oficina de mil artesãos. O som do malho e do martelo tomou o lugar do clangor das armas e das trombetas, e das canções obscenas dos soldados. Bancos temporários foram construídos sobre a estrutura maciça de tijolo e travertino; os escombros que obstruíam as passagens e a arena desfigurada foram completamente removidos. Todos os preparativos estavam prontos; o dia para o grande entretenimento foi marcado para 3 de setembro, de 1332.

Era de fato estranho ver os romanos acorrer entusiasticamente a um entretenimento pagão esquecido havia tanto tempo. Todos os negócios foram suspensos, e milhares de espectadores alegres afluíram de todas as cidades e aldeias vizinhas. Bem cedo, após o romper do dia, a multidão começou a reunir-se à volta do velho anfiteatro. As senhoras nobres da cidade vieram em três grupos – todas em trajes de cerimônia, e conduzidas por três príncipes vistosos e ricos, eleitos unanimemente por cada grupo. Podemos agradavelmente imaginarnos na arena, e ver a crescente maré de alegre colorido, e de faces ainda mais alegres, derramar-se pelas arquibancadas. Já estivemos, em imaginação, nesse mesmo lugar, enquanto recordávamos nestas páginas as cenas dos primeiros séculos. Agora sentimos falta da forte constituição dos antigos romanos, e do deslumbrante estrado adornado com ouro e jóias, onde ficava o assento do imperador. Não há um velário gracioso para impedir os raios do sol escaldante e dispersá-los em suaves matizes; o pódio não mais resplandece com a riqueza do Império; os senadores são poucos, e a toga elegante desapareceu; nenhuma vestal ou adivinho mentiroso faz contraste às cores com as peculiaridades de suas vestes, nem confere, com a sua presença, uma solenidade religiosa às diversões da impiedade. Os estandartes das famílias nobres flutuam sobre a arena, e representam os poderes reinantes do império decaído, pois em seus dias, cada aristocrata era rei em sua fortaleza. Entretanto, as pessoas são pacíficas e ordeiras; os ouvidos não são ofendidos pelas horríveis blasfêmias ao Deus verdadeiro; nenhuma obscenidade ou imoralidade preenche o tempo da multidão à espera; o demônio do paganismo já não se senta no trono imperial. Esta é a primeira, mas não a última vez, que os cristãos se reúnem dentro dos muros do Coliseu.

Todos os que se engajaram para o combate aos touros são, sem exceção, filhos da nobreza. Encontravam-se entre eles nomes de famílias que ainda hoje florescem na aristocracia italiana. Os rapazes estavam vestidos nas mais ricas cores, e cada um ostentava na testa um lema, que geralmente era uma frase curta, expressando coragem, e destacado de algum evento notável do passado da cidade. Citaremos, de Muratori, alguns dos mais belos e interessantes. Eles foram convocados por sorteio, e o primeiro a aparecer na arena, em meio às saudações ensurdecedoras da multidão, foi Galeotto Malatesta, de Rimini. Estava totalmente vestido de verde, levando na mão uma espada desembainhada, de formato antigo, e ostentando sobre o quepe de ferro as palavras: "Somente eu sou como Horácio!" Então veio Cicco della Valle, vestido de preto e branco, e portando uma cimitarra, de onde pendia uma fita púrpura com os dizeres em ouro: "Sou Enéas por Lavínia!" Mezzo Artalli apresentou-se inteiramente de preto, porque estava de luto pela esposa; o seu mote era: "Como vivo desconsolado!" O jovem Cafferello veio vestido numa pele de leão, e tinha por lema: "Quem é mais forte que eu?"

O filho de Messer Lodovico della Palenta, da Ravena, vestido de vermelho e dourado, ostentava na testa: "Se eu morrer coberto de sangue, será doce a morte!" Savello di Anagni, todo de amarelo, com a divisa: "Cuidado com a loucura do amor". Cecco Conti trajava uma bela vestimenta prateada, e trazia as palavras: "Assim é a fé imaculada!" Pietro Cappocci, vestido numa cor encarnada, tinha à volta do pescoço as palavras: "Sou escravo da Lucrécia romana", indicando que era escravo da castidade, personificada na casta Lucrécia da Roma antiga.

Havia três da família Colonna, que era a mais poderosa nesse tempo, estando na posse do Capitólio. Os três vestiam-se de branco e verde, e os seus motes eram tingidos com o orgulho de seu poder. O mais velho exibia: "Se eu cair, vós que me olhais também caireis", anunciando que eles eram a honra e o esteio da cidade. O segundo trazia: "Quanto maior, mais forte". E o terceiro: "Infeliz, mas poderoso".

Assim, cerca de cinqüenta jovens nobres, saudáveis e belos, adentraram a arena, primorosamente vestidos. O sol faiscava nas espadas polidas e nas fivelas adornadas com jóias; as cores do arco-íris misturavam-se na variedade do contraste, conferindo luminosidade ao cenário. Essa diversão, no entanto, teve um trágico fim, em perfeita harmonia com a história enodoada de sangue do Coliseu. Muitos dos jovens vestidos tão galhardamente achavam-se separados da eternidade por uns breves instantes e uma morte terrível. Antes do pôr-do-sol desse dia de cruel esporte, muito lamento haveria de encher o ar aquecido. A cena recorda-nos um grupo festivo apanhado pela correnteza do Niágara. Em meio às danças e às músicas, e a alegria ofuscante da intemperança, eles despreocupadamente viram a proa do barco para as corredeiras, esperando recuperar-se após a queda temerária, mas é tarde demais; os remos são frágeis; o leme não obedece; um instante, e eles estão rodopiando sobre a massa líquida agitada, para em seguida serem arremessados ao abismo.

Na indomável insensatez da juventude vaidosa, aqueles jovens nobres construíram castelos de bravura, e facilmente venceram os touros enfurecidos; confiaram demasiadamente em sua agilidade, na boa forma de suas espadas, e na força de seus braços. Durante os entretenimentos do dia, dezoito componentes da flor da nobreza italiana foram mortos, e nove, feridos.

Como se pode imaginar, as touradas não encontraram encorajamento na Cidade Eterna. Em poucas horas de brutal distração, diversas casas nobres foram privadas de seus esteios, e muitos herdeiros e famílias foram lançados ao luto e à tristeza. Aquele dia tornou-se um triste aniversário no calendário de muitas mães, esposas e noivas. Os jogos deveriam durar vários dias, mas as conseqüências fatais do primeiro esfriaram suficientemente o ardor público. Em vez de afluírem novamente ao Coliseu, em multidões deliciadas, como faziam os antigos romanos, o povo foi à Igreja de São João de Latrão chorar sua tristeza, e assistir às exéquias dos jovens mortos na tourada. Seus corpos lacerados foram postos na mesma tumba, dentro da nave da basílica, onde se acham agora dormindo há séculos, desconhecidos e sem cuidados. Peregrinos de todas as partes do mundo pisam descuidadamente o mosaico que recobre seus túmulos esquecidos.

Outros Eventos Notáveis

Capítulo 25

Dois séculos de silêncio rolaram sobre o Coliseu, desde os acontecimentos fatais narrados no último capítulo. Mil e seiscentos anos deixaram sobre seus muros desintegrados as marcas de sua passagem. No entanto, foi comparativamente perfeito quando o homem veio em auxílio do tempo na destruição da nobre ruína. Por meio século, todo o poder da alavanca, do guindaste e do búfalo foi empregado para arrancar de seu leito rochoso os imensos blocos de travertino. Mencionamos o silêncio pairando sobre a poderosa ruína, mas referíamo-nos ao silêncio da história, e ao das multidões incontáveis gritando com frenética alegria. Contudo, havia o nítido soar dos martelos dos marmoreiros; havia o rangido dos pesados guindastes, levantando imensas massas de pedra, e o grito familiar dos condutores de búfalos, chamando os animais pelo nome, e forçando-os, com o aguilhão, a arrastar o mármore travertino pilhado do último e maior monumento da Roma antiga. Não apenas os blocos que se soltaram e caíram, mas uma imensa quantidade da parte intacta do edifício foi extraída para embelezar a cidade erguida sobre a própria ruína da grande Roma do passado.

Alguns historiadores empenharam-se em marcar os autores dessa espoliação com a culpa do sacrilégio. Gibbon, discorrendo sobre o Coliseu, fala: "De cuja ruína, os sobrinhos de Paulo III foram os agentes culpados, e todo viajante que avista o Palácio Farnese pode amaldiçoar o sacrilégio e a luxúria desses príncipes arrogantes". Talvez, se esses que ajudaram a arruinar o Coliseu não fossem príncipes da Igreja, a crítica teria sido menos severa. Também deve ser lembrado que o Palácio Farnese foi edificado a partir dos projetos de Sangallo, sob a direção imediata de Michelangelo, e é universalmente admitido como um dos mais finos palácios de Roma, e talvez do mundo. Enquanto a sua magnificência e perfeição artística suscitam expressões de admiração e deleite, permanece do Coliseu o suficiente para contar a sua história de esplendor e imensidade. Não apenas o Farnese, mas a Cancelleria, a Igreja de São Marcos, e a fachada de diversas igrejas da cidade foram supridas com material do anfiteatro. E as gigantescas proporções de sua esplêndida ruína podem ser inferidas do fato de que a Roma moderna deve a esta espoliação a magnificência e a solidez de sua arquitetura. O material remanescente após a pilhagem do anfiteatro foi estimado em cinco milhões de coroas (1.000.000 de libras).

É certo, no entanto, que todos os antiquários, e em particular os amantes da arquitetura antiga, devem condenar a espoliação e o saque implacáveis que deixaram a majestosa ruína em seu presente estado. Quaisquer sejam as desculpas concedidas aos Paulos e seus sobrinhos (como Gibbon sarcasticamente os chama), pela remoção dos materiais soltos e separados, nada pode ser apresentado em justificação de seus sucessores, que arrancaram o travertino da partes intactas da construção. Não se sabe ao certo quando o governo romano pôs um fim a esta demolição; provavelmente a ruína foi posta sob a proteção dos papas durante o reinado de Pio V, em 1565, pois a partir desse período ela passou a ser altamente respeitada tanto pelo governo como pelo povo. E embora, em tempos posteriores, tenha servido ao bem-estar público como hospital ou fábrica, nunca mais foi saqueada por príncipes luxuosos.

Sob o comando de Sixto V (ano 1585), o Coliseu passou por outra mudança. Nenhuma cidade deveu mais aos seus soberanos que Roma a este líder. Enquanto as igrejas, conventos e pontes espalhavam-se a toda parte, as ruínas da cidade antiga eram sustentadas e protegidas por muros de alvenaria moderna. Os obeliscos caídos foram postos de pé nas praças públicas, sobre pedestais apropriados, e obras de arte foram cavadas da terra para ornamentar e fazer mais atraente os museus que, sob os seus cuidados, tornaram-se os mais ricos do mundo. Esse enérgico pontífice concebeu a idéia de que cada ruína da cidade antiga deveria ser um ornamento ou um benefício à Roma cristã. O Coliseu era o monumento favorito, e recebeu porção dobrada de atenção. Por algum tempo, ele pensou em como o anfiteatro poderia servir ao povo pobre, sendo ao mesmo tempo preservado em seu estado ruinoso como uma nobre lembrança do passado. Finalmente, ele teve a idéia de convertê-lo em uma fábrica de roupas de lã, a fim de dar emprego e lar aos pobres. O gênio fértil de Fontana logo projetou esse castelo de munificência papal; milhares de artesãos pobres foram empregados; algumas partes da ruína, que pendiam para a arena, foram removidas por impedir o plano; oficinas e apartamentos confortáveis foram construídos rapidamente sobre o pódio do velho anfiteatro; os aquedutos secos foram reparados e limpos para trazer água fresca da Campagna, e suprir as fontes que deveriam correr na arena. A soma de vinte e cinco mil coroas (5.000 libras) já fora gasta em obras, quando a morte levou o pontífice empreendedor. O estupendo esquema afundou com ele na sepultura; as obras foram abandonadas, e algumas paredes de tijolos ficaram como testemunha da iniciativa e da filantropia de Sixto V. O celebrado Mabillon afirmou: "*Vixissete Sixtus V. et Anphitheatrum, stupendum illud opus integratum nunc haberemus*". (Houvesse vivido Sixto V, agora teríamos o anfiteatro, aquela obra estupenda, completo.)

Clemente XI (em 1700), descobrindo que ele se transformara em esconderijo de ladrões e assassinos, fechou as entradas para os arcos mais baixos, e estabeleceu em seu interior uma fábrica de refinação de salitre. Esta, que também falhou como as obras de Sixto, foi a última tentativa de secularizar as ruínas do Coliseu.

Enquanto as vicissitudes de espoliação em um reinado, e de preservação em outro, foram passando sobre a grande construção que sobreviveu aos amigos e aos adversários, houve sempre no coração do povo um profundo sentimento de respeito pelo local onde se derramou o sangue de tantos mártires. Em todos os séculos, sempre houve almas piedosas que gostavam de visitar a arena, e ali se dirigir a Deus em oração. E bem antes que fosse totalmente entregue aos cristãos, as ruínas testemunharam as mais solenes e sagradas funções da igreja. Embora não tenhamos documentos que provem o fato, não temos dúvidas de que, por muitos anos, durante a Idade Média, os cultos eram celebrados sob seus arcos seguros e espaçosos. Após a devastação dos godos, e os séculos de guerras internas que rolaram sobre a cidade condenada, os templos cristãos deterioraram-se, e muitos se tornaram inseguros e perigosos. Seria de admirar que, em tais circunstâncias, o Coliseu fosse usado como um vasto templo, onde os cultos de adoração eram oferecidos ao Deus Altíssimo? Muitas igrejas menores espalharam-se ao seu redor. Cencius Camerarius menciona algumas que logo desapareceram. Havia o templo do "Sagrado Salvador do Coliseu", o "Sagrado Salvador de *Insula et Coliseo*", e "Quarenta Mártires do Coliseu".[1]

Há uma vaga tradição de um mosteiro antigo assentado nos corredores da segunda fileira. Algumas religiosas pobres fugiram para a solidão de seus arcos desolados, como pombas que fazem seus ninhos nas casas abandonadas dos abutres. A doce e ritmada melodia de seus cânticos sagrados ecoava harmoniosamente pela grande ruína, e formava um estranho contraste com os gritos diabólicos de outros dias.

Também teve lugar aí uma espécie de performance muito popular aos nossos antepassados. Eram as peças teatrais de mistério, da Idade Média; e as representações na sexta-feira santa eram memoráveis. Sobre um grande palco aberto, que se estendia para o monte Coeliano, era representada toda a cena da paixão e morte de Cristo; cada personagem mencionado nas Sagradas Escrituras era fielmente retratado. Milhares de pessoas compareciam para assistir a essas representações, que continuaram, com a permissão e a sanção das autoridades espirituais da cidade, até o reinado de Paulo III. Verdadeiramente, a representação dos sofrimentos de Cristo nunca teve um teatro mais apropriado que aquele calvário de seus discípulos.

No ano 1703, o Coliseu sofreu severamente com um terremoto. Este evento é memorável nos anais da cidade, bem como na história do anfiteatro.

Cerca de onze anos depois, o Coliseu tornou-se rapidamente o reduto de ladrões e vagabundos, que se ocultavam à noite nas escuras passagens de seus arcos. Ângelo Paulo, da ordem das

Carmelitas, acabara de construir um hospital numa rua vizinha, a Rua de São Clemente, e era testemunha ocular daquela profanação. Ardendo em zelo, ele buscou a autorização de Clemente XI, em 1714, e por meio de uma subscrição pública, na qual os romanos juntaram-se liberalmente, ele removeu os escombros dos arcos caídos, fechou as passagens, e protegeu as entradas principais com portões de madeira, que eram trancados à noite para impedir o acesso de animais e de homens mal-intencionados. Nenhum vestígio desses portões permanece atualmente. Aliás, poucos anos bastaram para varrer as barreiras que impediam a destruição da ruína. Ângelo Paulo partiu para a eternidade, e o Coliseu ficou pior que antes – o lar da infâmia e do vício. A maldade aumentou, silenciosa e ignorada pelas autoridades.

Um dia, por volta do ano 1740, Benedito XIV fez uma visita ao Coliseu, e ouviu dos lábios de uma das vítimas do crime o que andava acontecendo por ali. Preocupado, ordenou ao governador que emitisse um decreto ameaçando com as galeras e o exílio a qualquer um que fosse encontrado vagueando por aqueles lugares após o anoitecer. Grandes reparos foram feitos a suas próprias expensas: a capela foi reformada, a Via Sacra foi reconstruída em uma escala maior, e despertou-se pelas ruínas um novo interesse que perdura até hoje.

O Coliseu ostentará pelos séculos vindouros as marcas da devastação sofrida no século XIX, por parte do governo de Victor Emanuel. A cruz foi arrancada da arena, as estações demolidas, e o solo, maldosa e inutilmente remexido. Os espoliadores têm consciência de que o alicerce interno fora aberto no início do século dezoito, por Fea e outros, e teve de ser novamente cheio por causa dos efeitos nocivos das águas que ali se estagnavam. Essa interferência com a ruína assinalou em seu tempo o reinado da profanação francesa – a queda de sua dinastia, e o vergonhoso exílio de seu governante. Só Deus sabe o que o futuro trará a essas ruínas no recorrente ciclo das vicissitudes humanas.

A primeira metade do século dezenove, tão tempestuosa e acidentada nas nações ao redor, fez rolar sobre o Coliseu uma onda silenciosa. Com exceção dos reparos oportunos instituídos pelos quatro últimos papas, e o interesse sempre crescente do povo, nada temos a registrar. O imenso botaréu erigido por Pio VII, no lado defronte à basílica de São João de Latrão, é um esplêndido espécime da alvenaria moderna. Nos últimos arcos da parede exterior desse quarteirão, há um fenômeno de arte peculiar, digno da atenção do visitante. A chave de abóbada de um dos arcos caiu completamente dentro dessa parede de sustentação de alvenaria moderna. Em toda à volta, os poderosos blocos de mármore travertino estão rachados, com fissuras abertas; o conjunto inteiro parece prestes a cair e se despedaçar à primeira rajada de vento; contudo, essa é a porção mais segura da ruína.

Sob a superintendência de Canina, muitos dos arcos interiores, que ameaçavam cair, foram reforçados, e parecem desafiar a ação do tempo pelos séculos vindouros.

---

[1] Não encontrei os *Atos* desses mártires.

Conclusão

Capítulo 26

É com um certo pesar que nos achamos no último capítulo deste livro. Sentimos como se fôssemos nos separar de um velho amigo. As horas que passamos sobre os registros dessa grande ruína, e a história que contamos nestas páginas, serão, nos anos que se seguem, as mais agradáveis reminiscências, e assunto para profundas meditações. Mais algumas semanas, e milhares de quilômetros nos separarão; o oceano salgado rolará a sua maré incessante entre nós e este grande monumento, em cuja arena estivemos embevecidos e emocionados. A memória, porém, sempre trará de volta a imagem daquelas velhas paredes. Para alguns há poesia, eloqüência, e filosofia naquelas ruínas do passado, cobertas de hera; embora nada mais possa ser conhecido sobre elas, além do fato de serem as paredes deterioradas de um castelo, uma abadia, ou uma igreja, elas ainda conservam a sua atração. A fantasia lança ao seu redor todo o fascínio da arte, e veste-a com a beleza do romance. A mente ativa recapitula contos de vicissitudes humanas; batalhas e assassinatos, e atos de coragem e crime pairam-lhe ao redor. E assim, a imaginação criativa investe de magnificência poética o mais humilde monumento do passado.

Entretanto, o velho anfiteatro não carece da fantasia para aumentar o seu tamanho ou a sua importância. A sua imensidão e magnificência, que até agora se vê, após o impacto e a destruição dos séculos, formam um quadro maior e mais perfeito que qualquer castelo já construído pela imaginação nas nuvens do sol poente. Nenhuma imaginação ou poesia seria capaz de inventar uma história mais maravilhosa. Os grandes milagres encontrados na história do passado; as cenas de amor, de bravura, de crime e malvadez, formam um romance de terrível realidade, que reveste o Coliseu com um interesse e uma veneração jamais merecidos por nenhuma outra ruína do mundo.

Romano em sua origem, oriental em sua dimensão, grego em sua arquitetura, judaico nos operários que o construíram, cosmopolita em seus espetáculos de homens e feras de todas as regiões, e cristão no sangue que o santificou durante três séculos, ele é o teatro dos mais sangrentos e cruéis prazeres, e o templo da mais heróica virtude. No lapso das eras, adaptou-se às exigências de cada época. Uma vez um forte, depois um convento, então um hospital; uma arena e um circo para uma tourada e um torneio; uma pedreira fornecendo material para os mais suntuosos edifícios; uma fábrica; um covil de ladrões; e no final, um santuário para os peregrinos das mais distantes extremidades da terra. Assim, em poucas palavras, sumariamos a sua interessante história. Após séculos de infâmia e crueldade, ele é agora o templo sagrado, onde se prega a lei da abnegação e da expiação.

O palácio dos césares, que fora o empório de todos os ricos do mundo, acha-se reduzido a algumas paredes cobertas de heras, que protegem um convento erigido em meio aos escombros da Casa Dourada; e o Coliseu, o teatro das fúrias e das paixões, tornou-se um monumento abrigado sob as asas da religião.

E agora que vemos o Coliseu à luz do luar, o efeito é realmente fascinante. Os franceses, poeticamente, chamaram a lua do sol das ruínas. Os seus raios de cores sazonais conferem a velhas paredes uma existência fantástica. Mas não há monumento da antiguidade onde os efeitos da luz refletida sejam tão belos como nesta ruína. Os romanos preferem o momento em que a lua está subindo entre o Frascati e o monte Porzio, e eles podem ver todo o esplendor de sua luz argêntea derramar-se sobre a parte mais perfeita da imensa construção. Os arcos quebrados e os fragmentos isolados, sob a influência mágica do luar, assumem a aparência de castelos, templos, e arcos triunfais, sobrepondo-se um ao outro até o céu, em graciosa suntuosidade. Muros poderosos parecem dividir-se em dois e curvar-se para o seu centro de gravidade, como as torres inclinadas de Pizza e Bolonha, suspensas no ar, e ameaçando cair, a qualquer instante, com grande estrondo. Aqui, uma coluna quebrada e caída assume a aparência de um gladiador moribundo, ou um cristão martirizado; ali, uma cornija semi-enterrada nos entulhos, recorda um leão agachando-se para saltar sobre um tigre ou um urso; e acolá, um monte de terra iluminado pelos raios que atravessaram uma fenda no muro parece um elefante prestes a executar extraordinárias evoluções ao comando de seu treinador; as plantas e flores que recobrem cada porção da ruína, e se movem de um lado para outro à brisa suave, trazem à memória o movimento das massas que lotavam estas desoladas arquibancadas.

Entramos, inadvertidamente, no domínio dos poetas. O Coliseu à luz do luar é um tema sagrado para as Musas. A prosa dos historiadores é fria e insípida, se comparada aos sublimes versos de Byron e Monckton Milnes. Daremos um extrato destes dois escritores. Deixemos que a beleza e o poder de suas penas emprestem a magnificência de uma cena de transformação a esta última página de nosso capítulo de tragédias; que a alegria e a elevação dos sentidos, encontradas na leitura destes versos sublimes e eloqüentes, façam o leitor esquecer as deficiências da pena que agora encerra seus labores de amor.

Recordo-me que em minha juventude,
Quando eu vagava numa noite assim,
Estive dentro dos muros do Coliseu,
Em meio às principais relíquias da Roma todo-poderosa;
As árvores que cresciam ao longo dos arcos quebrados
Ondulavam escuras na noite azul, e as estrelas
Brilhavam através das fendas da ruína; ao longe
O cão de guarda latiu além do Tibre; e
Mais perto, do palácio dos césares, veio
O longo pio da coruja, e interruptamente,
Das distantes sentinelas, a canção vacilante
Começava e morria na brisa gentil.
Alguns ciprestes além dos bancos gastos pelo tempo
Pareciam orlar o horizonte, embora estivessem
Ao alcance de um tiro de arco. Onde habitavam os césares,
E habitam os pássaros dissonantes da noite, em meio
A um bosque que brota dos parapeitos nivelados,
E entrelaça suas raízes com os pisos imperiais,
A hera usurpa o lugar dos loureiros;
Mas o sangue dos gladiadores circenses permanece,
Um nobre escombro em ruinosa perfeição!
Enquanto as câmaras dos césares e os salões augustos
Rastejam sobre a terra em decadência indistinta;
E tu fizeste brilhar, rolar a lua sobre
Tudo isto, e lançar uma luz ampla e meiga
Que suavizou a austeridade venerável
Da áspera desolação, e preencheu,
Como era, mais uma vez, as fendas dos séculos,
Deixando aquela beleza que ainda era assim,
E fazendo o que não era, até o lugar
Tornar-se religião, e o coração transbordar
Com a mesma adoração dos grandes dos tempos antigos,
Os soberanos mortos que ainda testemunham,
De suas urnas, a fé em Cristo.

— Manfred

Eu estive uma noite, na rica noite italiana,
Quando a lâmpada da lua esbanjava luz,
Dentro do circo cuja enorme extensão,
Embora rachado e despedaçado por uma vida de mudanças,
Ainda estira à frente o seu vão não diminuído,
Contando da fraqueza e da força do homem.
Àquela hora incerta que magnifica o grande,
Quando a desolação parece mais desolada,
Não pensei nas multidões impetuosas de outrora,
Que enchiam com estrondo o vasto corredor!
Aqueles caçadores de prazeres ferozes são passados,
E bandos após bandos têm pisado o lugar onde eles jazem,
Mas onde está ele que permanecia tão forte e corajoso,
Em sua grossa armadura de ouro resistente –
Cuja compleição maciça, radiante como o sol,
Batizou sorrindo a sua glória
Com o próprio nome, Colossal? – Do dia
Esta sublime ilusão esquivou-se,
Deixando um pedestal, enrodilhado de erva daninha, vazio
De seu lugar elevado, o memorial solitário?
E é este o milagre do poder imperial,
O eleito de sua tutela, hora a hora,
Seguindo sua sentença, e Roma animada? Desperta,
Mãe fraca! Orfanada como tu és, para arrancar
Ao fado este sórdido benefício de vida alongada,
De vida mais desnatural, que não é vida
Como a que tu estavas acostumada a viver. Oh! Antes resistir
Por teu ermo verde, como sobre a areia sarapintada de palmeiras,
Velho Tadmor, não escondendo a sua morte; – uma tumba.
Habitado por sons de vida é todavia uma tumba.
Então, daquela cena de um chão polvilhado de destroços,
Que a arcada confina no vigamento, volvi lentamente
Os olhos ao redor, e fixei-os onde se via
Uma longa sombra esparsa, estirada sobre a relva,
A sombra da cruz – que permanecia
Uma simples forma, de madeira rude, não entalhada,
Erguendo ereta e firme a cabeça humilde
Em meio àquela pompa de ruína, – entre os mortos
Um sinal de vida silencioso; – o mistério
Da existência imortal de Roma fez-se claro para mim.

FIM.